霍桑探案

 程小青作品

霍桑探案

程小青 著

DETECTIVE
HUO SANG

霜刃 碧血

6

海南出版社

·海口·

图书在版编目（CIP）数据

霍桑探案. 6，霜刃碧血 / 程小青著. -- 海口：海南出版社，2025. 1. -- ISBN 978-7-5730-2067-3

Ⅰ. I247. 7

中国国家版本馆 CIP 数据核字第 2024EB1578 号

霍桑探案 6　霜刃碧血

HUO SANG TAN'AN 6　SHUANGREN BIXUE

作　　　者：程小青
策 划 人：彭明哲
责任编辑：高婷婷
插　　画：杨冬梅
封面设计：张　军
责任印制：郗亚喃
印刷装订：河北盛世彩捷印刷有限公司
读者服务：张西贝佳
出版发行：海南出版社
总社地址：海口市金盘开发区建设三横路 2 号
邮　　编：570216
北京地址：北京市朝阳区黄厂路 3 号院 7 号楼 101 室
电　　话：0898-66812392　010-87336670
电子邮箱：hnbook@263.net
经　　销：全国新华书店
版　　次：2025 年 1 月第 1 版
印　　次：2025 年 1 月第 1 次印刷
开　　本：880 mm×1 230 mm　1/32
印　　张：9.75
字　　数：220 千字
书　　号：ISBN 978-7-5730-2067-3
定　　价：46.00 元

· 目录 ·

血匕首

虱

霜刃碧血

习习微风

我要引用那一句"风起于青蘋之末"的成语，来形容这一件起初看似平凡而结局却出人意料的迷离悃忱的惨案。是的，我的引用也许近于曲解原意，但从某一个角度看，这件血案的过程，恰像是一阵习习的微风，演变而成为拔木飞沙的巨飚。

案子发生的日期距今已是相当久了，在当时它确曾轰动过上海社会，不过因着牵连的人，有几个是社会上的所谓"知名之士"，我虽会记叙，可是因着顾忌，不能不故意地"语焉不详"。现在事过境迁，那些关系人的地位已跟着时代洪流的推移而起了变动，这顾忌的束缚也就在无形中解除。所以我现在笔尖上所饱蘸的是完全自由的墨汁。

这是八月九日星期日的早晨，我们的简单的早餐已经结束。我照例衔着纸烟，拿着一张《申报》的副刊，正在读一段小说。清晨的微风从窗口里进来，拂在脸上，令人感到凉快。对座的霍桑老友也在一边吸烟，一边读那第二张本埠新闻。两缕青色的烟雾在静穆的办公室中袅袅地荡漾着，交织成不规则的烟幕。吸烟，读报，简直成了我们的早课。

静寂中忽然爆出了一种紧张而近乎惊惶的声音。发声的是对面藤椅子上的霍桑：

"唉，奇怪！……包朗，有一件案子！"

那夸张而有些类乎"危言耸听"的声浪，使我不由放下附张而抬起头来。他的闪动的目光凝注在报上，仿佛要透过纸背一般。他这副状态真像黑暗中的猫，忽听得壁角里有什么声响，便昂头张目地发威起来。

我问道："什么案子？不会是那毛狮子的党羽又卷土重来？"我委实也沾染了些惊异。

霍桑忙摇摇头，答道："不是，不是，这是一件奇怪的劫案——很奇怪。"他将手中的报纸向我一丢，嘴里仍衔着白金龙纸烟，目光却移到了那条温州土产的地席上去，分明在开始运用他的脑力。

我一接过报纸，瞟了一眼，便发现那《骇人听闻的劫案》的标题。标题的字体并不大，只用三号字，想必因时间关系，地位不够，临时补插进去的缘故。

那下面的记载是：

　　昨晚（八月八日）十一点半，北区通州路上，忽然发生一件骇人听闻的劫案。那时有恒路北区分署二〇二号警士王福正巡行到通州路南口，忽听得通州路上有女子喊救命的声音。他抬头一瞧，隐约见靠近鸭绿路口，有一个穿白衣裙的女子和一个戴草帽穿深色长衫的男子正在互相争持。王福便奔过来追捕。他追到距离二三十步光景，便见那女子仆倒在路旁水泥的人行道上，同时还听得铿锵一声，那凶手丢了凶刀飞也似的往北面奔逃，一霎眼间，便已朝东转弯向岳州路逃去。

　　王福舍了倒地的女子飞步上前，追在凶手的后面。不料他一转弯踏进岳州路时，那凶手已不见踪影。他正要取出警笛来吹，一时却不知道凶手逃往哪一个方向。迟疑间他忽见前面二三十码外，一辆停着的汽车开始轧轧地向前驶去。王福呆了一呆，才觉那汽车有些可疑，也许已载了那匪盗逃走。他拼命地奔上前去，一边还高声喝令停车。可是那汽车绝不理会，开足了速率，一霎眼间便已转弯向兆丰路逃去。那时王福的警笛声音虽也召来另一个警士，但汽车已远，终于兜捕不着。

他们两个一同回到通州路时，那穿白衣白裙的少年女子仍躺在水泥人行道上，左肩上血污猩红，显见受伤很重。那女子已经晕过去了，没有知觉。王福用手抚摸伊的鼻管，幸而还有一缕微息。王福就将旁边那把凶刀拾起来，交给他的同伴回警署去报告，他自己雇了一辆车子将那受伤的女子就近送进闵行路同济医院里去。

伊经过了医生的急救，在半夜过后，曾一度苏醒过来，才说明伊叫丁惠德，有一只皮手袋，已被那匪徒劫去，袋里有一支墨水笔，一张五元钞票，和几个零碎辅币。那女子受伤的部分虽不是要害，但在水泥地上躺了好几分钟，失血过多，神志不清，是否能够安然出险，还没有把握。

近来这种路劫事情层出不穷，这回劫物而又行凶，可见匪徒们益发猖獗。负治安职责的当局若不设法扑灭，以后路上的夜行人们人人自危呢。

我读了这一段带些夸张渲染笔调的新闻，先前给霍桑所引起来的一团紧张的期望，反而化成了一个美丽的皂泡。因为这种路劫案子在上海社会中，原是司空见惯。有时黄包车夫也会乘机下手，伤害行凶也往往是连带的后果。每天报纸的本埠新闻版上，这一类新闻好像是少不得的点缀。霍桑刚才为什么也这样大惊小怪，我真有些不懂。

霍桑正在翻阅一本上海地图，抬头向我瞧了一瞧："包朗，你以为这案子怎么样？"

我淡淡地答道："这是一件平凡的路劫案啊。"我随手把报纸搁在一旁，仍自顾吸烟。

"唔，是的，平凡得很。不过你可知道劫去的是什么东西？"

"报纸上不是说劫去了一只皮手袋吗？"

霍桑又点点头，把地图合拢了："不错。手袋中有什么东西？"

我暗暗诧异霍桑怎么会发这样无聊的问句。我仍瞧着他答道："一支墨水笔和一张五元钞票。"

霍桑又应道："是的。那匪徒怎么样逃去的？"

我有些不耐："奇怪！报纸上明明说他是乘了汽车逃走的。你怎么还问我？难道你——"

霍桑忙举起右手来阻止我："是的，是的，我也说是乘汽车逃走的。"他坐得更挺直些，目光盯在我的脸上："包朗，你不是以为我小题大做吧？难道你瞧不出这回事的矛盾性……唔，你真瞧不出？好，我告诉你。现在我们试把这件事归纳拢来。那支墨水笔，你想要多少代价？我们姑且假定是一种中等货，总在十五六元吧？还加上五元钞票和一只手袋，一共也不过二十多元。但那行劫的朋友却预先雇好了汽车，他所下的资本未免太大些了。这是个显明的矛盾点。你说是不是？"他移动目光，又瞧着地席，努力地抽烟。

我开始有些疑讶，问道："霍桑，你有什么意见？"

他吐了一口烟，自顾自地说："包朗，你总知道马路上的路劫事件，数十百元的首饰物品，大概只是一般小流氓所干，若是大模大样地雇了汽车的匪徒，目的物绝不会这样小。你想一想，是不是有些特异——有些反常？那么，这里面会不会还有别的情由呢？"

霍桑说完了，又继续吸了两口烟，他的眼光重新凝注在地席上面，似在欣赏那上面的回纹图案。我虽不答话，心中却仍觉得霍桑有些"小题大做"，至少也近乎"过甚其辞"。我认为那人劫手袋以前，也许抱着更奢的目的，未必预先就知道手袋里只有二十多元的财货。若说乘汽车逃走，也有一个疑问。那人或者因着警士的追踪，情急智生，恰巧看见路旁停着一部汽车，便跳上去借着逃走，怎见得一定是他预先雇好了的？

霍桑忽仰起头来，微微向我一笑，好似已瞧破了我的心事：

"包朗，你不赞成我的见解吗？我再给你一个证据。你总也承认乘了汽车行劫，本是近几年来才产生的一种盗匪们的新的方式。这班盗匪们所用的器械，当然也得时代化了。他们必用新式的手枪，绝不会再用落伍的刀。但眼前这位朋友却明明用的是刀。从情理上推测，这又是一个不相符合的可疑点。"

我仍淡淡地答道："那么，你想这是件什么性质的案子？"

他放下了纸烟，答道："这自然还不能凭空乱猜。我只觉得它有些反常——你总也承认，反常是一般对于侦探学有兴趣的人所应当注意的……包朗，我相信这绝不是一件寻常的路劫案，背地里也许另有什么内幕。"

我吐出了一口烟，又缓缓地说："据我看，有一个先决的问题必须先证实了，你的设想才能成立。"

"什么样的先决问题？"

"你的疑点的关键，就是那一辆汽车。你说乘汽车的匪徒不会用刀，也不会劫二三十元的小赃物，固然不错。但你怎么知道那汽车不只是恰逢其会的给他偶然借乘而并不是预先雇定的？如果如此，那分明还是一件寻常的路劫案，你设想中的楼阁不是完全要坍倒了吗？"

霍桑听了我这句话，忽将烟尾从嘴里取出，拿在手里，一动也不动。他的身子也坐得更直了，他的炯炯的双目又注视在我脸上，他的嘴唇似在微微张动，但一时间分明答不出话。哼！霍桑的智慧固然高出我上，可是"智者千虑必有一失"的古语，有时也会在他身上得到应验。这时我"谈言微中"，分明已抓住了他的一个漏洞，这漏洞他起先大概没有想到，故而禁不住露出这种目瞪口呆的状态。

这时忽然有一阵琅琅的电话铃声。霍桑突地丢了烟尾，从椅子上跳起来，奔向电话室。唉，他正在窘急的当儿，竟有这意外的电话来使他下台，他的运气正不算坏哪。

霍桑从电话室里回来时，面容上带着庄肃的神气。我一见这情状，不便再说什么调笑的话：

"霍桑，谁的电话？"

"警察总署的汪侦探长。包朗，我们有事情做了。"他充分暴露了他的好动不耐闲的心理。

"可就是这件丁惠德的劫案？"我禁不住站了起来。

霍桑摇摇头："不是，这是一起谋杀案，庄清夫的女儿庄爱莲被人杀死了。"

我不禁怔了一怔。庄清夫在上海社会上很有面子，他的台衔，早已排进了所谓"闻人"的名单。据闻他从前在政界里混过好几年，现在却退闲安居，做了好几家纱厂的董事。他的女儿庄爱莲是上海大学的著名校花，品貌既然姣好，交际又广，虽还配不上说"社会之花"，但剪彩揭幕一类的玩意儿，伊也不时参加。所以伊也像伊的父亲一般，报纸上常常有伊的芳名。总而言之，伊在交际场中已着实有些"声誉"。现在伊忽然给人谋杀，这事件显然会轰动整个的上海社会。

于是我便预备出发，从衣架上拿下了草帽。霍桑也上楼去换了一套淡灰色国产派力司的西装，又将应用的东西纳在一只小皮包里，匆匆地提着下来。我们就一同出门。

早晨的阳光虽已满布在天空，显着一片明朗的清辉，但究竟还在清早，气候却不算十分热。汽车已停在门外。霍桑一边踏上汽车，一边向司机说了一声"鸭绿路"。

我在车座上坐定以后，心中动了一动，便问道："庄清夫住在鸭绿路？"霍桑点点头。我又说："那丁惠德发案的所在，报纸上不是说也相近鸭绿路口吗？这两个地点倒很相近。"

霍桑忽侧转了头，瞧着我问道："包朗，什么意思？你可是说这两个发案的地点既是相近，这里面就两相有关吗？"

我辩道："我没有这样说啊。"我承认这答语确有些诡辩的成分。

霍桑道："是的，不过你的口气早告诉我你有这样的意思。"

我略顿一顿，笑道："那么，就假定这两件事也许互相有关，你难道就不赞成？"

霍桑摇头答道："我不赞成。"他摸出纸烟来烧着，又缓缓地说："包朗，你须知道设想的成立，多少总得有些事实的根据。你此刻的设想完全没有凭据，我只能给你'神经过敏'四个字的评语。"他居然开始训话了。

我又笑道："神经过敏？！那么，你方才把一件寻常的劫案小题大做，看得非常严重，这设想是不是也带着些同样的色彩？"

霍桑放下了纸烟像要辩论，可是他的眼光向车窗外望了一望，又回头来向我斜睨了一下，却又说不下去。一会儿汽车经过了有恒路，从菜市和华光影戏院转角上转弯，已驶进通州路。将近鸭绿路口，霍桑叫汽车停车。他跳下车来，在马路两旁的水门汀上乱瞧。他忽而拉着我穿过鸭绿路，向西边的水泥人行道走去，接着他弯着腰细细瞧视。那里果然还隐约有两摊血迹，一处大些，一处小些，距离约莫两英尺阔，这就是丁惠德劫案的遗迹，还没有完全消除。

霍桑摸着下颔，向那两摊血迹注视了一会儿，忽又指着另外一处更小的血点，自言自语地说："这大概是凶刀坠落的所在地了。"

那血迹所在距离鸭绿路的转角只有近十码光景。通州路本来是很僻静的，夜间当然更加冷静，无怪那匪徒们胆敢在这地方劫物行凶。霍桑又抬头向左右前后瞧了一瞧，便转弯进入鸭绿路。我也跟在后面。过了六七家门面，便是庄清夫家。

那是一宅三上三下的旧式石库门屋，门前已派了两个警士在照料。有几个看热闹的闲人，分明都想满足他们的好奇心，但因着警士的阻拦，都不敢走近。一个警士似乎认识我们，赶紧将围观的人们分开，走过来迎接我们。接着那虚掩的黑漆石库门也开了一扇，那个宽袖子黑印度绸长衫的矮胖的汪银林探长已挺着肥满的肚子从里面出来，向我们点头招呼。

我们刚走近那黑色的石库门，我不禁吃了一惊，急忙刹住脚步。原来门口里面的水泥地上，直僵僵地躺着一个女子，就是被害的庄爱莲。

读者们会不会怀疑我的胆量？其实这个发现委实太出我意料。凶案发生的地点虽不能有"合法的规定"，但谁想得到竟会在大门里面？何况大门本来关着，事前我毫无准备，一进门就看见一个艳尸，又怎能不惊？

我一边诧异地喊了一句"奇怪"，一边低头细瞧。

那女子仰面朝天，年龄在二十左右，乌油油的额发，蓬乱地压在眉间，颈间却血肉模糊，真是惨不忍睹。伊身上穿一件淡绯色夹白色小花的外国纱圆角短衫，下身系一条玄色蝉翼纱的套裙，脚上一双白麂皮的高跟皮鞋，胸襟面前有一大摊血迹，已变成了赫色。伊的脸是瓜子形的，额上覆着半月形的刘海，后面梳一个 S 髻，五官很匀整，生前显然很美丽。但这时候伊的双目大张，露着呆木的眸珠；灰白的脸上颧骨耸起，加着唇吻开张，露出两排嵌在死龈中的白齿，形状真有些触目可怖。我暗忖这女子在若干小时以前分明是一个活泼泼娇滴滴的美女，此刻却变得这样子丑怖。那么，美与丑的分野，可见完全操纵在时间先生的手里！

霍桑偻着身子在尸体上细细视察了一会儿，抬起头来问汪银林道："这是不是原有的死状？"

汪银林道："是的，不过那两只脚我刚才已略略移动，因为在发现的时候，这右面的一扇大门开着一二英尺光景。我觉得外面的人太多，索性把门关上，故而将尸足移动了一下。"

霍桑点点头道："这样说这女子死的时候，似乎刚才要开门出外，可是门还没有开足，那凶徒便已下手，是不是？"

汪银林应道："正是，我也这样推想。"

我也说道："那么这凶手是外面人了。"

霍桑斜睨着我微微一笑："你这话略有语病，应当说'从外面进来的人'。"他又回头瞧瞧那艳尸，向汪银林道："那致命的伤处，大概就是在伊的咽喉间的一刀……刀锋显然很锐利，下手也很重。银林兄，你可曾寻到凶刀？"他又俯身下去，用手指着那女子的颈项，继续说道："你瞧，这伤痕很深，足见下刀时的猛烈。那像是一把锋利的小尖刀……唔，一定很锐利。"他又站直了。

汪银林答道："我已经在这天井里和门外马路附近寻过一次，不见有什么凶刀。致命的原因，刚才警署里的何健医生已经验过，当真就是这喉间的刀伤。除此以外没有别的伤痕。"

霍桑点着头，自言自语地说道："有了这一个伤，那凶徒的愿望当然可以满足了。我相信那刀尖一定已刺断了动脉，所以这女子着刀以后立刻就死，没有抵抗和挣扎的能力。"他站直了，又问："何医生可曾说过伊死了多少时候？"

汪探长道："他说有七八个钟头。"

霍桑道："何医生什么时候来验的？"

汪银林瞧了瞧手表，答道："此刻已九点半。他走了还不过半个钟头。"

霍桑略一沉吟，目光旋动了一下，好像有什么触发。他接着问道："这案子你什么时候得信的？"

汪银林道："我得信时已七点钟。发现的人就是本宅的老仆根林。据说他清早起来正待打扫天井，忽见他家的小姐死在门口，大门也开着小半扇。他吃了一惊，忙高声呼叫，才惊动了全家。他就往警署报告。等我得信赶来，已经七点钟了。"

霍桑用手摸摸下颔，沉吟地说："何医生的诊断如果不错，这案子分明发生在昨夜夜半。那么当时屋中人怎么会没有知觉，直到今天清早方才发现？"

汪银林皱着眉毛，答道："这一点果真很可疑。我也问过屋中人，都说不知道。"

"你已见过主人庄清夫吗？"

"没有。庄清夫在半个月以前已带着两位如夫人和他的儿子景荣一同往牯岭避暑去了。这里只有他的大夫人和爱莲小姐。此外还有一个杭州来的女客，是爱莲小姐的表妹，名叫朱妙香，已在这里住了一个月光景。这女子我刚才已经问过。据伊说昨晚伊身体略有不适，睡得很早，所以也完全没有知道。"

"庄夫人有什么表示？"

"我还没有见庄夫人。伊患着胃病，正发作得厉害，不能见客。"

"这里有多少仆人？你可都问过？"

"问过的，本来有五个仆人，内中一个车夫已跟上山去。这里有一个年老的男仆根林和三个女仆。三个女仆中有一个住在楼上，其余的一老一少都住在楼下。"他忽把声音放低一些："那年轻的女仆叫阿金，我看有些可疑。"

霍桑注意地问道："怎么样可疑？"

汪银林凑近些，说："当我问别的仆人的时候，他们都应对如流，单单这阿金有些吞吞吐吐。伊虽然一口回答不知，但我觉得伊的眉目间却明明有知情的光景。"

霍桑微微点一点头，紧蹙着双眉。他也低低地说："这样一件凶案，在发生时竟没有一个人知道，当真太反乎常情。"

我插口道："伊的伤痕既然很厉害，那么伊中刀以后，也许立即倒地毙命，因此喊不出什么声音，那不也是可能的吗？"

霍桑道："但中刀以前的开门和中刀后的倒地，都是应得有些声响的，怎么会连一个人都没有听见？"他俯下身子开那只他带来的小皮包。

汪银林连连点头，说道："原是啊，我也觉得不能相信。"

霍桑已从皮包中拿出一个放大镜来。他先指一指那黑漆的大门。

他说道："大门上并没有撬挖的痕迹，显然是死者自己从里面开门的。在半夜的当儿，一位有身份的小姐，不叫仆人开门，却亲自下来，这一点也值得研究。"

汪银林向楼窗上仰瞧了一瞧，低声答道："实在奇怪得很。而且死的是庄清夫的女儿，又是一位交际花，事情的确有些不好办。因此我才觉得不能不又来麻烦两位老朋友。"

霍桑不答，但蹙着双眉点点头。

我问道："银林兄，你看这案子的动机是什么？"

汪银林道："据我推测，屋中虽不见有遗失的事实，但那人行凶的目的好像仍不外乎图财。"他指示死者左手的无名指："请瞧，这里有一条戴过戒指的痕迹，是新的，好像有人行凶以后，还从伊的手指上拿去了一只指环。"

我低头瞧瞧死者的手指，答道："但并没有伤痕，就算有指环，也不像是用暴力捋去的。"

汪银林道："是的，但假使爱莲果真是自己出来开门的，那当然不是寻常破门而入的盗劫。他尽可以从容些。"

我道："伊既然是个校花，平素的交游一定很多。这一次惨死，伊的交际方面，似乎也应当注意。"

汪银林道："不错，但据我所知，伊的男朋友不止一个，从哪一条路着手，一时还不容易解决。"

当我和汪银林谈话时，霍桑拿了放大镜在黑漆的大门上专心地瞧察。

他忽而低低地惊喜道："这里有指印——好像有三个指印！"接着他又变换为失望声调："唉，可惜被一个掌印抹糊涂了。"

汪探长和我都走近去。我看见霍桑所察验的，就是那扇早先半开半掩的门。

霍桑指示给我们瞧，说道："这门的靠边，有三个并立的指印，大概就是凶手行刺的当儿，右手执刀左手却按在门边上。可是这三个指印的上面又给一个手掌按捺过。真可惜。"

我问道："这个掌印可就是凶手的？还是发案以后另外有人用手掌在门上按捺过？"

霍桑皱眉道："这就是我们眼前的课题了。"他又回头问道："银林兄，这指印和掌印，你起先可曾瞧见？"

汪银林摇头道："没有，我一到场后，亲手将门关上，门外还派人守着，绝没有别的人触动。"

霍桑道："你自己进来时怎么样？可曾偶然在这门上按捺过？"

汪银林摸着他的肥圆的下颌想了一想，回答说："没有。"

发案的经过

霍桑再度打开了他带来的那只小皮包，从包中拿出了一瓶水银混合的粉，小心地将粉末撒在大门上的指印部分；又拿出一个骆驼毛帚，轻轻地在门上拂拭。不一会儿黑漆门上显现出一个白色显明的掌印和三个指印来。接着霍桑又取出摄影机将手印摄下来。他又用绳尺量一量指印距地的高度。

他说道："这三个指印和掌印能不能辨别清楚，我还不知道，不过我总希望有些用处。……银林兄，要是在法医检验以后，能够给我一个更确定些的致命时间，那更好。"

银林应道："好。不过今天是星期日，吕老头儿又得例外工作哩。"

汪银林向门外的一个警士招一招手，随即回进来。

霍桑建议说："银林兄，你既然说那女仆阿金最可疑，要不要先叫伊出来问问？"

汪探长还来不及答复，一个尖锐的女子声音突然刺我的耳膜：

"我不知道！——真的，我不知道！"

我们和汪侦探长的问答本是在天井里进行的。天井的面积约有三丈阔，一丈多深。里面一排玻璃长窗，上半截镶着"卍"纹格子，下半截是广漆雕花的木板，也都是旧式的，这排窗本也像两旁厢房窗一样是虚掩着的，我们起先不曾注意到。这时呀的一声，中间的两扇推开了。长窗后面，有一个十七八岁的小使女张着两手，正向我们乱摇。无疑地伊起先早已匍匐在窗背后窃听，只因那窗的下半截木板的阻挡，我们都没有瞧见。等到霍桑说出了伊的名字，伊才立直身子从玻璃里显露出来。

霍桑的脸上仍含着笑容，首先缓缓走向客堂。我也跟着进去。汪银林留在天井里。

客堂中的家具都是红木的，陈设相当富丽，不过椅子茶几连壁上的镜框画屏，一例都是新旧参半式。

这偌大的客堂只有阿金一个人，楼上也静悄悄的没有声响，我很觉奇怪。屋子里出了这样的凶案，怎么竟会有这样的景象？后来才知道死者的母亲，因着受惊的缘故，旧病复发，正厥倒在床上。女佣们和死者的表妹朱妙香都陪在楼上。老仆根林也已出去打电报和请医生了，故而楼下反弄得冷清清的。

汪银林仍在外面发令分派。我和霍桑先进了客堂，向那使女端详。伊的面目黝黑，身材矮小，梳一条辫子，有一双灵活的眼睛。伊的身上穿一件青色花纹洋纱短衫，下面穿一条大脚管黑裤，打扮倒很整洁。伊见了我们簌簌地抖个不止，好似要逃到后面去的模样。

霍桑向伊招招手，婉和声道："阿金，别害怕。我们不会教你吃亏的。"

那使女又摇手道："我不知道，我不知道。"

"你假使真的不知情，我们也绝不会冤枉你。你尽管放心。"

"那么，我当真什么都不知道，你不要再问我！"伊的语声在颤动。

霍桑缓缓在一只红木靠背椅上坐下来，含笑说道："你不知道也没有关系。只需将你知道的据实回答我好了。"他略顿了一顿，又婉声说："阿金，我看你年纪太轻，对于这件事一定不会有什么关系，不过你也得将你所看见的和听得的告诉我们，那不但不会连累你，我们还要酬谢你呢。"

阿金张着两只小眼盯在霍桑脸上，充满了疑惑。但霍桑的宁静的态度和温文的语调已获得若干反应，使伊的神经安定了些。伊的脚好像站稳了，不再向后退。我也在另一只椅子上坐下，来一下"打气"的尝试。

我向那小女佣说："阿金，你用不着三心二意。一说明白，马上有赏。"

伊侧过脸瞧瞧我，半信半疑地答道："先生，你不要骗我，我……我……"

霍桑忙伸手在衣袋内摸出三四块银币，放在手掌中铿锵作声。

他说："我决不骗你。瞧，你只需实说，这钱就是你的。"

阿金听得了银币的声音，伊的眼珠转了一转，伊的嘴唇也微微张动，好像要回答，一时又答不出来。我的打气尝试居然收了效，伊的神态已显然和先前的不同了。银币的效力会这样大，这也是一个小小的例证。

霍桑乘势问道："你听我说，昨夜你在什么时候睡的？"

阿金疑迟了一下，答道："十点钟。"

"你睡在哪里？"

"在楼梯下面的小房间里。我和曹妈睡在一间里的。"

"你睡的时候，还有几个人没睡？"

"昨夜风凉，九点半时两位小姐已上楼去，太太也早已安睡。后来根林关上了大门，也比我先回房去睡。我和曹妈两个人最后进房。"

"根林的房间在哪里？"

"在靠后门的灶间隔壁。"

"你睡了以后可曾听得什么声音？"阿金正要做出摇头的表示时，霍桑忙止住伊道："阿金，你得老实些。我知道你实在是听得的。你何必瞒我？你快说，说完了这四块钱就可以赏你。"

阿金又像受了叮叮之声的诱惑，回过头去向屏门后面瞧了一瞧，低着头沉吟着。

一会儿伊果真吞吐地说："我……我仿佛听得有人下楼的声音。"

霍桑含笑道："对了，我早知道你是个老实人，一定肯告诉我的。现在你不要吞吞吐吐，爽快些说吧。"

阿金抬了抬头，忙道："我虽听得一些声音，实在并不知道小姐怎么样死的。"

霍桑点头道："好，你放心。那个你当然不会知道。你听得有一个人下楼，是不是？这下楼的人是谁？"

"是小姐——就是被人杀死的我家小姐。"

"喔，你怎么知道一定是你家小姐？"

"我起先也不知道，后来听得书房里开电灯的声音，我有些奇怪，就走出来瞧瞧，才知道是小姐。"

"唔，你瞧见小姐时，伊在书房里做什么？"

"我走到书房门口，看见小姐在那里看钟。但我的脚步声音已经给伊听到。伊突然回头来瞧我。书房门本没有关上，伊走到门口，看见是我，便叫我去睡。"

他又问："伊跟你怎样说？"

阿金垂下了头，答道："伊好像很发火，向我说：'谁叫你出来？快去睡！'但伊的声音却十分低。"

"你当时怎么样？"

"我当然不敢不听。我就回到房里去，心里暗暗奇怪，小姐在这时候到书房里去总有些蹊跷。我想要告诉曹妈，可是曹妈已睡得很熟。我也只得回到自己床上去。"

"你当然不会就睡着啊！"

"是的，我翻来覆去，再也睡不着。那时书房中没有什么声音，楼上也是静悄悄的，只听得客堂里的那只大钟打了十一下。"

"唔，我想你总还听得些别的声音，对不对？"

阿金顿了一顿，才慢吞吞地应道："过了一会儿，我恍惚又听得大门开动的声音……"

霍桑催着道："以后又怎样？你快说。"

阿金沉吟道："以后我就睡着了，模糊中好像还听得小姐上楼，不过不大清楚。直到今天清早，不料小姐已经死了！"伊的小眼中又射出骇光来。

霍桑又作温慰声道："这个你别管。我问你昨晚的事。你听得开门声以后可还有别的声响？"

阿金皱着眉毛，寻思道："没有。我因着翻来覆去了好一会儿，有些疲倦，不久也睡着了。"

霍桑瞧瞧阿金的眼光，阿金也张目和他平视。霍桑忽把眼光转到广漆地板上面，用手抚摸着下颔，默默地在凝思。

我趁这空隙，问道："阿金，你说你还听得你家小姐上楼的声音，真的吗？"

阿金瞧瞧我，答道："真的，不过那时候我快要睡着，并不怎样仔细。"

我暗想这一点如果属实，那庄爱莲一定是在第二次下楼来时才被人杀死的。但爱莲回上楼去的声音，阿金说是在迷糊中听得的，那又未必靠得住。我瞧瞧霍桑，他正取出了日记册，用笔在册上疾书，似在那里记录阿金的供语。

我又乘机问道："你先听得打十一点钟，后来又听得开门，这中间大约隔开多少时候？"

阿金屈着手指默自估量了一会儿，说道："不多。我只翻了两个身，约莫一刻钟光景。"

霍桑写时，表面上虽似绝不理会我们的谈话，谁知一听到这句，便突地停了笔回过头来。

他问女仆道："只有一刻钟？"

阿金点了点头，神气上并无疑惑。

霍桑忽目灼灼地瞧着我，说："包朗，我看我得向你道歉哩。"

这句话突如其来。我倒有些愕然。

我问道："你指什么？可是说——"

这时汪银林恰从外面走进来，忽沉着脸厉声向阿金说："好刁滑的孩子！你既然知道这许多事，早些为什么不说？"他回过头来："霍先生，伊一定还知道别的事情。"

我才知道我们和阿金的说话，银林虽在天井里，却都已听得。不过他对付这女孩子的那种凶狠狠的状态，未免还脱不掉传统的本来面目。而且他这一举显然又把阿金吓呆了。

霍桑忙庄容答道："银林兄，请轻声些。这孩子年纪还轻，吃不起惊吓。你若要究问仔细，还是问别一个人，这女孩子的说话当然不会使你完全满意。"霍桑说着，便把手中的银币向阿金手中一塞，挥挥手叫伊进去。阿金便像一只断了线的纸鸢，飞也似的走进去。

这时客堂后面替换了一个男人出来。那人年纪在五十开外，脸上有几点粗麻，穿着一件灰布的短衣，分明就是那发现尸首的老仆根林。霍桑向他瞧了一瞧，就招招手和他谈话。根林说他一早就出去报信，又打过电报到庐山去报告他主人，又已请了一位姓王的医生上楼去诊视他的主母。那女主人因发肝胃病，痛倒在床上，但这病是时时发的。根林又说明因着前门口有尸体横着，所以他们都从后门里进出。

霍桑问道："现在我们可能向你家主母问几句话？"

根林答道："太太虽然好一些，可是还没有精神说话。"

霍桑踌躇地说："我要问问你家小姐平日的行为和伊所交往的朋友。我不知道有没有别的人可以问话……根林，你可也知道？"

根林沉吟道："小姐的女朋友很多，若说男朋友……"

"男朋友怎么样？"

"我听得太太说，小姐快要和计先生订婚，不过还没有确定。"

霍桑注意地问道："计先生？你看见过吗？"

根林点头道："见过的，他以前时常来的。他知道我家小姐喜欢坐汽车，总陪着伊一同出去。但近来两三个星期中，他来的次数少了。"

"他住在哪里？"

"华记路九十六号。今天清早小姐被杀的事发现以后，曹妈便去通知他，故而刚才他已来过一次，但一会儿便走了。"

"他来了不久就回去的？"

"正是。他说家里有事，停一会儿再来。"

霍桑回头问汪银林道："你来的时候这姓计的可还在不在？"

银林摇摇头："不在了，据说他刚巧出外。但我已打听清楚，他的名字叫曼荪，在沪江大学里读书。"

霍桑点点头，又问老仆道："计曼荪看见了你家小姐的尸体，可曾说过什么话？"

那麻子道："他不住地摇头叹气。他说小姐这样死得实在太凄惨，不能不想法子把那个凶手捉住，替小姐申冤。"

霍桑背了手在客堂的广漆地板上踱了几步，低头沉吟了一下。一会儿，他又停了脚步问那老人：

"除了姓计的以外，可还有别的男朋友和你家小姐来往？"

根林答道："还有一个姓申的，从前也常到这里来玩。近来可不来了。他本来是小姐的同学。"

霍桑继续在客堂中踱来踱去。那麻子的一双黑眼也跟着霍桑的背形瞧来瞧去。其实霍桑的眼梢却始终在暗暗地端详着这老人。

他突然停了脚步："根林，你有什么话？说啊。"

麻子用手背抹了抹嘴唇，才答道："还有……还有宋少爷，以前也跟小姐一块儿出出进进。"

"唔，宋少爷？他也是你家小姐的朋友？"

"不，他是大姨太的干儿子——大姨太很……很喜欢他。"

"唔！现在这宋少爷在哪里？"

"我听说他已经出洋去念书了。"

"他住在什么地方？"

银林接嘴说："刚才朱小姐已经告诉我，他住在晴川路九号。"

霍桑点点头，又踱了一会儿，忽站住了瞧着汪银林，他的双眉紧蹙着。

他说道："银林兄，事情很复杂，一时还找不出头绪。我想见见这里的主妇，但伊又在发病，显然还不可能。我想第一步先得把死者平日的行径查一查清楚，然后才有线索可寻。"

银林应道："对。我想那个计曼苏既然和死者的交情很密切，又有订婚的传说，他对于伊的行径一定比较明白。我们先去看看他，好不好？"

霍桑同意了，但主张先到爱莲的书室里去看看，也许有什么约会的信件之类，可以提供些线索。但我们在那一间富丽的书室中搜寻了好一会儿，并无所获，结果只发现了一份金门剧场请爱莲剪彩的请柬，两份阔人的喜帖，日期都是在下星期。我们不得要领，就即离开庄家。

我们往华记路去时，三个人同坐一辆汽车。霍桑并不说话，兀自抽着纸烟，他的目光有时灼灼地转旋，有时忽凝注着不动，一望而知他的脑子正运动得非常剧烈。

一会儿，汪银林似乎耐不住缄默了："霍先生，你瞧这一件案子可容易办？"他分明在探口气。

霍桑喷了一口烟，定了一定神，缓缓答道："容易？这两个字在我的词汇中不大熟习。"

"什么意思？很难？"

"难？我也不大承认它。"

"那么你现在可有些眉目？"

"我正在推测这案子的起因和那行凶的是个什么样人，可是还没有把握。"

我乘机说道："大致怎么样？你说说也不妨。"

霍桑从车窗里丢了烟尾，说道："据阿金说，死者昨夜里曾一个人悄悄地下楼，因被阿金瞧破，便将伊呼叱开去。伊似乎准备有什么秘密行动——好像伊要等候什么人来约会。"

汪探长高兴地应道："对，这假定很合理。"

霍桑自顾自地继续说："死者后来亲自开大门，可见那来客本来是在伊期望中的。但那个来客是否就是杀人的凶手，或者是除了伊所约会的一个人以外，另外还有第二个人劫物行凶，我还不敢决定。"

汪银林进一步问道："那么，动机方面，你可已有什么见解？"

霍桑又烧了一支新烟："瞧那行凶的情势，一刀就致命，可见那人下手时的坚决。案子的性质，就我们已知道的情节而论，无论谋财，嫉妒，或是挟怨报仇，或是偶然误杀，都还没有充分的根据。我还不能够贸贸然断定。"

汪银林沉吟了一下，忽自动表示道："我以为动机是图财。而且那凶手必定是和死者相识的。这一点大概是可以说定的了。"

霍桑放下了纸烟，笑道："唔，可是世间的事，往往有出人意料的……包朗，你可还记得冯纪兴的那一回事？"

我点点头，应道："记得的，他是被人误杀的。"

霍桑又吐吸了两口烟，向银林解释道："这是好几年前的事了。那冯纪兴的贴邻有一个姓林的。某一天晚上，有个人打算行刺那姓林的，却认错了一个石库门。冯纪兴听得有人敲门，开门出去，便白白地送了性命。这件事我们几乎走入了迷途，幸亏觉悟得早，总算没有冤屈无辜的人。"

汪银林忽瞠目道："唉，庄家的隔壁也有一宅同样的石库门。你难道说那庄爱莲也是出于误杀的？"

霍桑摇头笑道："你误会了。我没有这个意思。我的本意就是说在得到充分证据以前，不可轻下断语。这就是科学态度，也是我们当侦探的应有的态度。……唉，那不是华记路吗？好了，别说空话。我们见了计曼荪再说。"

计曼荪的住所离庄家不远，是一宅西式小洋房，还有一个小小的花园。从绿漆的铁棱门里望进去，那洋房共有三层；面积不很大，式样倒很新颖特别，也许就是所谓立体式。我们先在门房里说明了来意，要见见他家的小主人。不料那黑脸的中年的守门人摇摇头，回说小主人不在家中。

霍桑问道："他往哪里去的？"

守门人答道："今天少爷清早起来刚要出外，忽而有一个老妈子来找他。少爷就跟着同去。我不知道他往哪里去。"

霍桑侧过头来瞧着汪银林，低声道："他大约从庄家出去后，已另外往别处去，还没有回来过。"

汪银林道："我们可要在里面等一会儿？"

霍桑沉吟道："他什么时候回来，既然不一定，我们何必坐失时机？我的意思不如——"

这时候忽见铁门外面走进一个穿纯白直贡呢的西装少年来。他一见我们，不由得停住了脚步。

那黑脸的守门人忙招呼道："少爷，这三位先生正要寻你呢。"

几个关系人

计曼苏的身材相当高，年纪在二十三四，长方形的面庞，一条笔直的鼻梁，一双黑目，两条浓眉，面貌确是挺秀。不过这时他的脸色近乎苍白，眼眶上带着暗影，眸子也有些呆滞，谅必就因着他的意中人惨死的缘故。霍桑掏出名片来送过去。他一看名片，不禁呆了一呆。他的一双疲倦没神的眼睛里呈露一种惝恍不定的异光。

他勉强含着笑容鞠一个躬，说："咦，先生就是大名鼎鼎的大侦探——"

霍桑忙摇摇手剪住他，说："对不起。我们有件事要跟你谈一谈。"

少年点头说："那真再巧没有。霍先生，我也正要请教你。请到里面去谈。"

我们随着他走过一方两旁有花圃的草地，跨上三层石阶。正屋里面是一间会客室，一切布置纯粹是西式，家具都是柚木的，地上还有图案精致的厚地毯；壁上挂着金框的油画，大小不等。后来我知道他父亲是一个前辈的留美学生，一向在外交界里办事。所以起居服用方面已经完全欧化。计曼苏请我们在紫色丝绒的沙发椅上坐定，又开了电扇，便开始和我们谈话。

霍桑也免了客套，立即正式谈判。他说："计先生，我们来意，你谅必已经知道。现在要请你帮助一下。如果有什么可以便利于破案的情形，请你据实见告。"

曼苏点头道："是的，这是当然的。"他略顿了一顿："霍先生，你们对于这件案子可已找出什么头绪？"

霍桑毫无表情地答道："还没有。现在我们要请问的，你对于这回事有什么意见？"

计曼苏又顿了一顿，答道："这明明是一件谋杀案。先生们认为如何？"

霍桑沉吟着不答，分明认为计曼苏这表示是多余的。汪银林抢着回答。

他说道："这是没有疑问的。自杀绝不会死在门前，况且又没有凶刀。伊无疑是被人谋杀的。"

计曼苏连连点着头，又说："是的，我还觉得谋杀的动机一定是出于挟嫌复仇。"

霍桑忽张大了眼睛，问道："唔，复仇？你从哪一方面着想，才知道是复仇？"

计曼苏呆了一呆，啮着自己的嘴唇，仿佛自悔失言。

他忙改口道："这……这只是我的料想。我也不敢说定。"

霍桑瞧着他道："我想你多少总有些根据，才会有这样的料想，是不是？"

计曼苏支吾道："我……我觉得爱莲的性情太高傲，高傲得近乎偏激，容易得罪人。因此……因此……"他有些吞吐。

霍桑冷冷地接口道："因此朋友们很容易跟伊结怨，是吗？……我想伊不见得会得罪过你吧？"

那少年的眼睛里突然射出惊惶的光彩，摇头道："没有，没有。霍先生，你别误会。"

霍桑仍淡淡地说："我并没有误会，你自己误会了。好了，此外你还有什么根据？"

曼苏沉吟了一下，才说："我看见爱莲咽喉间的伤痕非常猛烈，显见一刀便致命的。若使凶手没有怨仇，怎么下得这样的毒手？"

霍桑缓缓点头道："是的，这观察当真不错，我也有同样的感想。不过庄小姐生前有什么样人和伊结怨，我们茫无头绪。你和伊的交谊当然很深，想必可以——"

计曼苏忽摇着手剪住他："不，不，我和伊的交谊说不上很深。我跟伊是在学生会开联席会议时认识的，到现在还不过两三个月工夫，在友谊方面，不但说不上很深，简直是浅薄得很。"

霍桑诧异道："喔？可是我听得你们俩已有缔婚的协议。这话确实吗？"

计曼苏的脸色突然红了一阵，低着头答道："这是出于伊母亲的提议，实际上还没有妥协，所以算不得确实。"

霍桑摸出烟盒来，慢慢地抽出一支，擦火烧着。他把身子靠着椅背，跷起一条腿搁在膝盖上，瞧着对方，默默地端详。

汪银林接嘴问道："据我们所知，你和庄爱莲是有相当交情的。举个例说，你常和伊一块儿坐汽车。所以你对于伊的交友方面，总比我们熟悉些。现在请你将庄小姐的朋友们中间有什么和伊有恶感的人，说出几个来，以便我们得到些线索。"

计曼苏的头还是垂落着。他疑迟了一下，才缓缓说道："这话很难说。我虽知道伊生前有一个彼此不很睦洽的人，但不一定就算有恶感，更不能说这个人就是行刺的凶手。现在我随便说出来，似乎不便。"

霍桑仍沉吟着不说什么，表面上只顾抽烟，实际上在窥察这少年的面色。我听曼苏的口气，已有几分头绪，正想插嘴，汪银林又忍耐不住。

他问道："你但说说总不妨。我们侦查案子，必须论情度势，绝不会随便把人当作凶手的。"他的语声中带着些命令意味。

计曼苏被迫答道："那么我就随便说说。在我和爱莲交识之前，伊有一个男朋友叫作申壮飞。壮飞是上海大学的一年级生，和爱莲是同学。可是他是个挂名学生，平日里喝酒跳舞，品行本来不大好。自从爱莲和我相识以后，未免有些来往，因此伊跟申壮飞疏远了些。壮飞起先非常恨我，后来他看见爱莲所以弃旧图新，实在是出于伊的自动，因此他就怀恨爱莲。"他又顿住了不说，他的头仍低垂着。

汪探长催着道："恨得怎样程度？有什么事实？"

计曼苏吞吐地说："有一天他竟和爱莲当面决裂——他……他还说了许多无礼的话。"

霍桑忽把头抬了一抬，似乎这句话打动了他。汪银林也住了口，好像把发话的机会还给霍桑。我也记得方才老仆根林说过从前有一个姓宋的和一个姓申的常常和爱莲来往。这话有几分符合。

霍桑吐了一口烟，问道："这申壮飞和庄小姐决裂时你恰巧在场吗？”

　　曼荪摇头道：“不，这是爱莲告诉我的。伊说壮飞骂伊，还要给伊颜色看。”

　　霍桑又沉默了。我乘着这个机会，也提出了一句问句。

　　我问道：“那么，伊还有一个姓宋的亲戚，你可也认识？”

　　计曼荪迟疑了一下，答道：“姓宋的？是不是宋梦花？”

　　我随便点点头。这是一个含糊的答复，因为我根本不知道他叫什么名字。

　　曼荪说：“他是爱莲的大姨母的干儿子，也说不上什么亲戚。梦花以前果真也和爱莲一起玩，但最近他们不来往了。”

　　“喔，为什么？”

　　“我不知道。”

　　“是不是又因着庄小姐跟你接近了的缘故？”

　　“不，不是——我不知道什么缘故。”他的头落近了胸口。

　　我瞧着他说：“唔，我觉得你是知道的。你何必为别的人掩护？”

　　那少年苍白的脸上有些发窘。他声辩说：“不，我不是掩护他。我……我听说梦花好像到美国留学去了。”

　　“唔，几时去的？”

　　“我不大清楚。我大概已经有一两个星期不看见他了。”他顿了一顿，又说，“你们别误会，这宋梦花不会有什么关系。他比申壮飞来，那就大不相同——”

　　霍桑忽又拿下了纸烟，仰面问道：“那么据你看来这一次惨杀，申壮飞确有行凶的嫌疑。是吗？”

　　计曼荪的目光略抬一抬，又垂落下去：“这也难说。若据我的私见，壮飞确有些可疑。”

"唔，可疑的是什么？"

"因为自从爱莲和他决绝以后，他在学校里见了爱莲，总是把凶狠狠的嘴脸对伊。他还打过电话恫吓爱莲。"

"还有没有其他事实？"

计曼荪寻思了一下："有一天我和爱莲坐了汽车经过白渡桥时，恰见壮飞立在桥上。彼此见了面，壮飞怒目相向，大有一种欲得而甘心的态度。所以我对于壮飞着实有几分怀疑。"

霍桑重新将纸烟放在唇间，吸了几口："除此以外，你可还有什么意见？"

计曼荪道："我瞧那伤势很猛烈，可见凶手下刀时用的力也不小。申壮飞的身材很魁伟，腕力当然比常人大些。这一着似乎也值得注意。"

霍桑缓缓问道："他的身材比你高吗？"

计曼荪点点头，却不答话。霍桑又将纸烟送进嘴唇，低了头默默吐吸。汪银林接着发问。

他道："这申壮飞住在哪里？请你写一个住址。"

计曼荪马上站起来，从西装的胸口袋中抽出一支金笔，走到书桌前去，取了一张小纸，弯着腰伏在桌面上写。我看见那住址是大沽路十六号。曼荪将那小纸交给了汪银林，霍桑就立起身来预备告辞的样子。

他又问计曼荪道："计先生，可否再容我问一句话？你今天清早本来打算往哪里去的？"

计曼荪显然是不防有这一句问句的。他已立了起来。他的两只疲乏的眼睛忽而露出了一种不可名状的异光，兀自向霍桑发怔。一会儿，他移下目光，瞧到他自己的皮鞋尖上去。

霍桑仍温和地说："今天清早庄家的老妈子来报信时，你不是恰巧要出门去吗？"

计曼苏勉强点一点头，应道："是的，我……我去探望一个朋友的病。"

"那么你去过了没有？"

"我从庄家出来以后已经去过了。"

"贵友是谁？"

曼苏呆了一呆，吞吞吐吐说："他……他是我的父执……叫……叫瞿楚石。"

霍桑注视着他，问道："这位瞿先生住在哪里？"

曼苏搓着他的手掌，脸上一阵晕红："霍先生，这是我个人的事，和爱莲的事毫无关系。那也有奉告的必要吗？"

汪银林忽从旁插口说："你别管有关系没关系，但据实答复好了。"

曼苏窘迫地低沉了头，答道："瞿老伯住在青海路三十八号。"

霍桑不再发问，点点头，结束这一次晤谈。汪银林和我也跟随出来。霍桑在踏上汽车以前，表示要回寓去洗印指印。汪探长却定意去瞧那申壮飞，因为他认为这个人的嫌疑较重，不能不先去问一问。

霍桑说："那也好。不过你的眼光不要偏在某一个人身上。就是对这个人你也不能不多一只眼睛。"他用大拇指向身后的洋房指了一指。

"唔，你看他怎么样？"

"现在还说不出什么，不过他的行动有值得注意的必要。"

银林注意地问道："霍先生，你可是以为这计曼苏——"

霍桑举一举手，止住他说："现在还不宜于空谈。我如果有什么看法，回头会通知你。眼前你对于他以前和未来的行动，如果能加以调查和注意，那就更好。"

银林点头说："好，我可以派两个人来暗暗监视他。要是有什么消息，我马上报告你。再见。"

霍桑说："好。如果有什么消息，我在寓里等候。再见。"

霍桑的语气是非常显明的，他对于计曼苏本人已有什么怀疑。我们上了汽车。霍桑轻轻向车夫说了一声，汽车便鼓轮进行。我觉得车厢中只有我和他两个人，这机会不可错过。

我就问："霍桑，你叫银林派人监视计曼苏的举动，莫非怀疑他本人？"

霍桑踌躇了一下，才道："是的，这个人真有几分可疑。你难道不觉察？"

"我倒没有注意到。可疑的地方是什么？"

"他太没有诚意。"

"你指什么说的？"

"他初见我们时，虽说正要请教我，好像他要替爱莲彻底查究。可是实际上他口是心非，对于爱莲的死非常淡漠，连答话也吞吞吐吐。他简直丝毫没有诚意。"

"你能不能再说得具体些？"

霍桑沉吟了一下，才说："我对于他最大的疑点，就是他的神色和行动。他到了庄家，为什么匆匆便走？据他家里的那个黑脸阍者说，当庄家的曹妈去报凶耗的时候，他正要出外。后来我突然问曼苏到哪里去，他显然有些变色。为什么呢？接着他说是去探望朋友的病的；一会儿，又说是父执。但你想朋友或父执的病，和情人的死，哪一方面比较重要？他却从庄家出去以后，直到我们到他家里去时，方才回来。一面这样匆匆，一面又这样久留，这不是值得注意的吗？"

"还有呢？"

"第二个疑点，他指出了申壮飞，夸张着他的种种疑迹，好像有企图卸罪的用意。"

"第三点？"

"他虽说要请教我，实际上他并没有正式请托我，却反而有不愿意和我多谈的表示。"

"还有吗？"

"还有他的神色憔悴而带忧戚，但听他的语气，却不像是悲悼他的意中人——庄爱莲。"

我点头说："是啊，我也觉得他的眼睛疲倦没有精神，好似昨夜里曾经失眠。"

霍桑向车窗外瞧了一瞧，点头道："不错。就为如此，我才叫汪银林打听他夜里的举动。"

"你可是就疑心他是凶手？"

"这句话我还不能回答。不过我觉得这个人有些可疑，不能不注意一下。"

我寻思了一下，又问道："霍桑，你方才不是在黑漆大门上量过指印的高度的吗？"

霍桑回头瞧着我："量过的。怎么样？"

"那指印离地有多少高度？"

"三尺零十寸。"

我作惊喜声道："这样情节又有些吻合了。你想那凶人的手指，按在门上时，既然只有三尺十寸，可见那人必不很高。我瞧计曼荪的身材不到五尺，两两比较，不是有些符合吗？"

霍桑的眼光向我瞟了一瞟，像在玩味，又像要答话。但汽车忽已停止在茂海路警察北区分署门前。

霍桑说道："包朗，我要进去瞧一个人。"他说着，便先下车走进分署里去。

我跟着进了会客室。他叫我等一等，自己一直走进办公室去。我等了五六分钟，有些不耐，因着方才汽车中的疑问还没有解答，希望霍桑不多耽搁，以便他可以继续发表他的意见。一会儿霍桑来了，舒缓地坐在一只椅子上。

他说："我们还得等一等，你再耐心些坐一会儿。"他拿出纸烟来吸。

我问道："你要等什么人？"

"一个理想的证人，不过很空洞。你姑且别问。"

我又问："那么，你想我刚才所说的关于门上指印的见解究竟怎么样？"

霍桑吐了一口烟，反问道："你可是说门上手印的高度和计曼荪的身材相称，就认作计曼荪行凶的证据吗？"

我点点头，同样点着了一支纸烟。

霍桑低头瞧着他纸烟头上的星火，缓缓答道："这一着固然显得你观察力的进步，但事情没有这样简单，我们在下断语以前，还须搜得些更确切的证据。"

"什么样的证据？"

"譬如他昨晚上的行踪，有过什么举动，今天清早他究竟往什么地方去的，都须先调查明白。"

我静默了一下，又问道："你刚才说他所以指出申壮飞，似乎有嫁罪的嫌疑。你也有根据吗？"

霍桑道："我觉得申壮飞似乎未必有行凶的可能。"

我惊异地问道："唔，你这样确定？理由呢？"

霍桑吸了几口烟，才深思地答道："据我们所知道的事实看，那庄爱莲被杀以前，似乎正在悄悄地等候一个人。但曼苏既然说申壮飞和爱莲决绝过了，那么即使壮飞设法约伊，伊怎么再会安心地等他？这岂不是一个疑点？"

我道："那么，你认为那谋杀庄爱莲的凶手，不但和爱莲相识，并且还有感情，故而伊中了那人的计，昨夜才悄悄等候他的约会。不料伊一开门后，那人出其不意，便动手行刺。是吗？"

霍桑缓缓点头说："这是眼前唯一可能的推理。"

我道："这样说，那曼苏又最觉可疑。因为他们间虽说有订婚的协议，曼苏本人却很淡漠。这也显然是一种貌是心非的明证。是吗？"

霍桑道："是的。不过我们还得再搜集些证据，再下断语。"

略停一停，我又问道："你打算从哪方面着手搜集？"

霍桑忽现出一丝微笑，说道："我们此刻到这里来，就为着这个……其实这一着还是你早先发觉的，难道你反而不明白？"

我摸不着头绪，不禁疑迟了一下。

霍桑又含笑说道："当我们从寓里出来的时候，你不是说过那丁惠德的劫案，和这件凶案也许有关系吗？"

我恍然道："喔，你也赞成我的见解了吗？"

"是的，我现在觉得这两件案子也许有间接的关系。"

"唔，是吗？可是你刚才明明反对我的啊。你还给我'神经过敏'的考语哩！"

霍桑把烟尾揉熄了："是，我早向你道过歉了。不过方才你只凭着地点的相近，就以为两案有互相的关系，那未免太凭借直觉，不合科学态度，所以我说你神经过敏。现在我所以赞成你，就因为又有了更可靠的证据？"

"更可靠的证据？什么？"

"第一，两件案子的凶器同样是刀。"

"唔！……还有吗？"

"还有时间问题，更是重要。现在我们知道这两案发生的时间，恰正相同。报纸上说丁惠德的劫案发生在十一点半。庄爱莲被杀的时刻虽没有确定，但据我推想，大概也在同一时间。据女仆阿金说，爱莲在书房里等待的当儿已是十一点钟。阿金虽说隔了一刻钟工夫，便听得开门声音。但这一刻钟的时间，只是伊心理上的估计，不足为凭。因此我就料这两件案子的发生，也许在同一时间，不过动作有先后罢了。"

我向他呆瞧着不答。他起先反对我，当然言之成理，此刻反转来赞成我的设想，却又说得证据凿凿。霍桑的口才真是高人一等。

霍桑又瞧着我说："包朗，你还不心服吗？你可还记得史透痕（Stern）教授的实验心理学上说，人们在静止的时候，心理上对于时间的估计，往往和实际的相反？五分钟以内的工夫，在心理上估量，往往觉得比实际的长；但时间长了，估计起来，却反会减短。现在把这个定例，应用到阿金身上去，伊所说的十一点过一刻，怎知道不是十一点半？"他低一低头，又瞧着我说："你总知道地点和时间既然都相同，那就不能不加重视了。"

"那么，你以为这两件案子是一个人做的吗？"

"这是一个可能的假定。"

"但犯案的先后又怎么样？"

"若论先后，当然是爱莲的凶案先发，否则那凶手既然坐了汽车逃去了，自然再来不及回到庄家去行凶。"

"你以为那凶手先刺死了爱莲，然后再劫了丁惠德的手袋逃走吗？"

霍桑交握着两手，皱眉道："还难说。这里面的情形究竟怎样，我也推想不出。"

我怂恿地说："这里没有别的人，你不妨随便说说。"

霍桑应道："论情势，似乎那人刺杀了爱莲，目的达到以后，预备向东面逃走，不料他走到通州路岔口，忽然见丁惠德走近来。那人也许正在匆促奔逃，防伊会声张呼叫，或者他以为自己的凶谋已被伊瞧破，他的面貌给伊认清楚了，就乘机再度行凶，以便借此灭口。后来他见丁惠德倒地了，警士又从南面追过来，他便丢弃了凶刀逃走。这一层我以为最近情理，不过……不过……"他又顿住了，眼睛里显着疑惑的光彩，呆呆地瞧着他的鞋尖。

我接口道："照你说的，那人既然为着灭口而行刺丁惠德，为什么又将伊的手袋劫去？难道那人在仓皇逃命的当儿，还舍不得一只手袋？"

霍桑忽然立了起来，额角上的皱纹也深刻化了："原是啊。这是个疑问，顾全了一方，又和那一方抵触，真是最伤人的脑筋。"他踱了几步，又道："不过我还有一个希望，那劫袋的事，也许出于误会。或是丁惠德昏晕以后，神志未清，失袋的话，只是一种呓语；或是那手袋是因着受惊而坠落的，并不是那凶手故意劫夺的。但因为在黑夜惊慌之中，那警士王福也没有觉察——"

这时候有个穿白制服的警士走进来，打断了霍桑的推论。

人证和物证

那进来的人就是霍桑期望中的王福。霍桑到分署里来的目的，就是要找夜里在有恒路值岗的王福问话，以便证实他的设想。那分署长陆延安答应了，特地派人出去把王福传唤进来。王福是山东人，身体很高大，壮健的两臂，一望而知有相当腕力。他向我们打了一个招呼，便取出一个纸包授给霍桑。

他说："先生，这是陆署长叫我带进来的。请先生瞧瞧。"

霍桑将纸包接过，轻轻地打开来。他的脸上忽现出惊异的神色。

他问道："王福，这就是你昨夜拾得的凶刀？"

王福应道："正是。我昨夜拾得以后，就交给九十七号华启东带回署里来的。"

霍桑目光炯炯地在刀上仔细察验。刀不到六寸长，头尖而短，两面出口，非常锋利，雪亮的刀口上还带着斑斑的血迹。

霍桑自言自语地说："可惜！经过几个人的把握，刀柄上的指印给弄坏了！"

我作惊疑声道："奇怪！这是一把小插子啊。"

霍桑应道："是，流氓用的小插子！"

霍桑皱着眉毛，低垂了头，满脸疑云，似乎这一把小刀的发现，增加了他的困惑，对于他的设想不但没有进步，却反而有破坏的危险。我也约略猜想得到，因为这把刀既是流氓用的，从这一点上着想，显见那凶手也不是上流人。这样不是和我们先前的设想相反了吗？霍桑将刀再度端详了一会儿，重新包好，还给王福。

他又问道："现在你把昨晚上发现那件劫案的情形举几点

说说。第一，你可记得准确的时间？"

王福道："记得的。那件事恰正发生在十一点半，因为我在追捕不着以后，回到那倒地的女子所在，拿出表来瞧视，才交十一点四十三分。"

"你想从你听得呼声，到回到鸭绿路口，这中间有十三分钟的耽搁吗？"

"是的，我一听得那女子的呼救声音，奔追到岳州路，直到追捕不着，又回到通州路鸭绿路的转角，一往一回，至多不会过一刻钟光景。"

"当你听得呼救声时，是不是就瞧见他们两个？"

"瞧见的。我看见一个穿白色一个穿深色衣裳的人，扭作一团。我就飞奔过去。我将要走近，那女人忽然跌倒了，那男子便也丢了凶刀逃去。"

"你可曾瞧见那男子的面貌？"

"没有。我在电灯光下，只看见他头上戴一顶草帽，身上穿一件深色的长衫，好像是竹布的。"

"竹布的？这样的天气，竹布还不当令。你会不会瞧错？"

王福迟疑道："我虽然没有仔细，但那长衣似乎很厚，不像是绸的或纱的。"

我插口道："这时候虽然用不着竹布长衫，但那人也许是故意改装的。"

霍桑点点头，又问王福道："那人的身材怎么样？"

王福道："身材并不高，比我矮得多哩。"

霍桑沉吟一下，又道："劫手袋的事，你当时就觉察的吗？"

王福摇头道："没有，因为我奔近的时候，那个男子早已奔逃，有没有劫袋，我没有瞧见。"

霍桑低垂了头："我以为那袋不一定是劫走的，或者那女子在受惊之余，自动把手袋落在地上。"他的疑问表白像是在向他自己的内心寻求解答。

王福忽接嘴道："先生，不会。那时候我用电筒在地上仔细瞧过，除了这一把小刀以外，实在没有别的东西。"

霍桑抬起目光，仍作怀疑声道："或者那袋丢落在地上，当你追捕的时候，另外被什么不相干的行路人拾去了。你想会有这回事吗？"

王福坚决地摇着头："不会，不会。通州路本来很冷静，直到我同了九十七号华启东回到那女子卧地的所在，并没有看见一个行人。"他搔搔头皮，又补充说："即使有行路人经过，但是看见了那女人直僵僵躺着的模样，当然也不敢走近去拾取东西。"

霍桑不加批评，重新低下了头。他又点着第二支烟。

我从旁说道："那手袋到底是不是被劫，只需等丁惠德的神志完全清醒以后，总可以弄明白的。霍桑，你说是不是？"

霍桑瞧着我点点头，吐了一口烟，又问那警士："王福，那凶手可是当真乘了汽车逃走，你才追赶不着？"

"真的。因为我追到岳州路转角口时，那凶手已没有踪影。可是在三四个门面以外，有一部黑色的汽车已开动。"

"你没有看见那个凶手上车？"

"没有。可是当时我向左右两面都找过，不见一个人影。先生，你想那人若不是上了汽车，难道会飞上天去？"

霍桑点点头："以后怎么样？"

王福说："那时候我自然向汽车奔去。可是汽车早已开驶。我一边追，一边喝令停车，那车却拼着命越驶得快——"

霍桑忽把夹着纸烟的右手挥了一挥，止住他道："既然如此，那人一定是乘了汽车逃走的，这一点可以没有疑问了。但那汽车的号数你可曾瞧见？"

王福立刻昂起了头，直瞧着霍桑。他的眼珠转了一转，颈骨也仿佛突然加增了硬度：

"先生，这是最紧要的一点，我怎么肯轻轻放过？是，我看见的。那车后的号码是一九一九。"

"唔，你真聪敏。你想你不会瞧错吗？"

"绝没有错。我因着呼喝不停，便特地瞧那车后红灯边的号码，的确是一九一九号。"他的语声非常坚定。

霍桑点点头，取出铅笔和日记册来，把号码记在上面。

我乘机问王福道："据你看，那汽车是不是凶手特地预备的，或是偶然停在那里的？"

王福的闪光眼珠好像翳上了些暗影。他迟疑地答道："这倒难说。但我们看见那号码牌是白地儿黑字，当然是出租汽车。"

"那么这车子是哪一家车行的？你们已打听出来吗？"

"还没有，我们正打算着手调查。"

霍桑已把日记册藏好，回头来瞧着我，问道："包朗，你还疑惑那汽车不是凶手特地预备的吗？嗯，你太固执了。我告诉你，这一定不是偶然的事。"

我向他微微笑了一笑，不再答辩。霍桑立起来旋转头去，吩咐那警士：

"王福，如果有什么关于汽车的消息，请你用电话马上报告我。"

他向我招招手，我们就一同出来。到了分署外面，他又站住了向我说话：

"包朗，眼前有一个最急切的疑问必须解决。"

"什么？"

"就是那丁惠德的手袋究竟是不是被劫的。"

"你想它真有不是被劫的可能吗？"

"是。我觉得昨晚那女子如果将手袋落在地上，袋的容积既小，王福虽说用灯仔细照过，但他在惊惶之余，而且行动又很匆促，也许没有瞧见。这很可能。"

"那么，这手袋的最后下落呢？"

"这个容易解释。袋落在地上，清晨时被什么行路人拾去了，那当然也是可能的。"他皱着眉毛，又说，"这是我的设想上唯一的障碍，非先打破它不可。"

我问道："那么，你要先到医院里去问问丁惠德？"

霍桑应道："是的，但是我现在必须回去把指印放大和洗印，汪银林如果有什么消息，一定会到我们寓里去找我。我想你一个人到医院里去走一趟吧。"

我答应了，就跟他在北区分署门前分手。

同济医院在闵行路，离茂海路只有十几分钟的步行时间。我先在医院的号房里投了名片，说明要见见那个夜里在鸭绿路口受伤姓丁的女子。那号房就派人去请主任医生的示下。不一会儿，那传话的侍役出来回报，说丁惠德神志已经清醒，可以见客。这消息自然使我非常高兴。

我走进二楼二〇九号病房时，看见一个女子睡在一张近窗的小铁床上，年纪约莫二十，因着平躺在床上，身上又盖覆着一条白被，伊的高度不容易估量，但肩膊相当宽阔；一头乌黑的头发蓬乱不整，颧颊上颜色灰白，更显得下颔的尖削。伊的面貌也合得上"美"字的形容，不过不是柔媚的美，像是很干练有为。伊有一双灵活的眼睛，包覆在浓厚的睫毛后面，这时却半开半闭似的并不瞧我。伊的左肩膊上用棉花和纱布裹着，手臂也不能动弹。床边坐一个穿洁白制服的女护士，手中执着一张报纸，似乎正在念给伊听。我的名片还留在伊被单上面，伊分明已经知道我是什么样人。我轻轻打了一个招呼，伊才把诧异的眼光凝注着我，好像要知道我的来意。

我先开口说："丁女士，昨夜你受惊了。现在觉得怎么样？"

伊只微微点了点头，仍不答话。

旁边的护士代替伊作答："好得多了，不过精神还没有恢复。"

我又道："既然如此，我也不敢多问。我是和警署方面有关系的，想调查一下关于盗劫行凶的事。现在有几句话，能不能请丁女士解答？"

伊勉强点点头。

我问道："昨夜里那个凶徒对女士行凶，是故意的呢？还是偶然的？"

丁惠德顿了一顿，才皱着眉头答道："当然是故意的。他要抢我的手袋。"

"这手袋的价值昂贵？"

"那是只黑纹皮手袋，五六块钱。"

"唔，那只手袋可是从你手中劫去的吗？"

"正是。"伊好像乏力得很不愿意多说。

我又婉声说："对不起。你能不能说得详细些？"

伊的眼睛半闭着，缓缓地说："他从转角上跳出来，举起刀便刺我。我一吃痛，喊了一声救命，拿袋的手一松，袋就被他抢去。那时候大概那个警士已经追过来，他来不及再刺，便

霜刃碧血 ｜ 043

慌忙丢了刀逃走。"

"唔，这样说，那人的行凶目的在于劫袋。是吗？"

伊又只点点头。

"以后怎么样？"

"我受了一刀以后，忍不住痛，便晕倒了，完全没有知觉。直到到了这里，我回想到前情，竟像梦境一般。"伊的惨白的脸上又罩上一层暗影，眼睛又半闭了。

我略略停了一停，又问道："那凶手的面貌，你可还记得出？"

丁惠德摇摇头："不……我不记得。"伊的眼睛张开了，眼珠忽动了一动。伊又补充说："我只觉得那人戴一顶草帽，穿一件灰色长衫。"

"可是竹布长衫？"

"我……我没有瞧清楚。"

"那个人是不是早就在你的后面，然后乘机行凶劫袋，或是……"

丁惠德摇摇头，接口道："不是。他是从鸭绿路奔出来的——我本来是从南往北，他是迎着我的面来的。"

我暗想这一点和霍桑的假定果真符合了。但手袋明明是劫去的，这矛盾点显然依旧存在。会不会行凶的人和劫袋的人，真有两个？我们起先假定出于一个人的手，会不会是神经过敏？

我向伊默默端详了一下，又问道："丁女士，你不是在学校里念书吗？"

伊点点头："是的，在爱华女子体专。"伊闭了眼睛，似乎很倦怠。

我又道："请问丁女士住在哪里？昨夜里仓促肇祸，想必府上还没有得信。可要我代替你去通知一声？"

伊的阴暗的脸上开始透露出一丝微笑，恰像淫雨后的淡薄的阳光："谢谢包先生。我住在元芳路新裕里，刚才已经打发人去通知我的母亲和哥哥了。"伊把半个面颊侧在枕上，又倦怠似的合拢了眼皮。

我觉得我们所怀疑的手袋问题已经有了解释，伊的神色又这样疲乏，显然不便多谈。我就鞠了一个躬，辞别出来。

我回到爱文路寓所门前时，刚才下车，忽听得一种悠扬的提琴声音戛然而止。唔，霍桑又在弹弄这个玩意儿了。多年的经验告诉我，这件案子一定是头绪纷繁，像一团乱丝一般。霍桑没法处理，所以又要借重这几条琴弦，帮助他引出一个线头来。我踏进书室时，琴韵虽然歇绝，烟雾却还充满了任何一角。霍桑正斜躺在那张藤椅上吸烟，那提琴还搁在椅旁。

他一见我，便急急仰起身子，问道："包朗，怎么样？"

我瞧着他的脸，答道："我倒要先问你。你回寓以后，可已得到什么消息？"

霍桑迟疑了一下，应道："有个消息。汪银林打过一个电话给我。"

"喔，什么事？"

"第一，他到宋梦花家里去过，查明梦花在上星期中已经动身放洋。"

"唔，排除了一个可能的嫌疑人，不能不算是一种进展。第二呢？"

"他又曾设法问过计曼苏家的黑脸的守门人。据说昨夜夜半有一个人去敲门找曼苏谈话，但谈些什么，看门人没有听得。

今天清早，曼苏又急急地出去，他也不知道他到哪里去的。"

我惊喜道："这样看来，他今天一早出去，和昨夜半夜有人造访，一定互相有关。霍桑，你说是不是？……唉，这个消息真有价值，我以为——"

霍桑忽举起拿纸烟的手，阻止我道："好了，包朗，慢发议论。你的消息如何，也应当告诉我了啊。"

我就把我和丁惠德的谈话和那手袋实在是被劫的情形说了一遍。霍桑一边沉默地倾听，一边把纸烟一支接一支地连续消耗着。他在我说起丁惠德在爱华体专里读书，和伊不接受我到伊家里去报信的话时，略略抬起了些头，眼光闪了一闪，但并不插口，始终保守着缄默。他等我说完，忽丢了烟尾，皱着浓黑的双眉，现出失望的状态。一会儿，他依旧低沉了头，默然不答。

我说道："霍桑，怎么？你不满意？据我看，这个消息虽和我们先前的设想相反，但合着昨夜有人报信给计曼苏的事，情节也恰巧吻合。"

霍桑突然仰起了身子："吻合？"

"是啊。照眼前的情形，我们早先的设想不得不加修正了。这两件事分明是两个人做的，并没有相互的关系。一个人行凶，一个人劫物，时间上也未必见得一定相同。你先前假定是一个人的设想，大概是错误的。"

"唔，我不明白你的意思。"

"我告诉你。我看王福追捕不着的是一个人，那行刺爱莲的是另一个人，却并没有被人瞧见。据我料想，这刺客也许是被人贿买来的。所以这里面还有两个人——一个人主使，一个人实行。"

霍桑瞧着地席沉吟了一下，才道："那么，你说谁是指使的人？可是说计曼荪？"

我立即应道："是啊，但瞧昨夜有人敲门去见曼荪，很像是那实行的凶手在成功以后去报告。曼荪今天清早出去，也许就因为要和那凶手有什么接洽。你以为对吗？"

霍桑又点着一支纸烟，沉思了好久，才缓缓答道："你的话似乎太空洞。"

我有些不服，抗辩说："无论如何，曼荪的行动总觉得可疑。"

霍桑点点头："这倒不错，好在银林已经派人在他家门外监守着。假使他有什么新的活动，也逃不出我们的眼光。"

我又想起了一个没有解决的旧问题："那么，那丁惠德的手袋的确是被劫的。你又有怎样的见解？"

霍桑吐了一口烟，皱眉摇摇头："我实在说不出什么见解。这件案子越探究越觉得幻秘，我真摸不着头绪。我的本意是这两件案子是一个人做的，它的理由我刚才在北区分署里已经说过。现在这手袋既然证明是被劫的，那又觉得不合了。论理，凶手行凶以后，目的既已达到，势不会再冒险劫夺人家的东西。那又像是两个人干的了。可是问题便复杂了。这两件事会有关系吗？那刺杀庄爱莲的是谁？伊真有什么仇人吗？但昨夜里伊明明故意遣开了女仆，等待什么人去约会。若说是朋友，又何至一见面之后，便这样残酷地下手？那么，会不会竟是因行劫财物而误杀吗？……还有那劫手袋的人，既然预备了汽车，所劫的却是只值二三十元的东西，不也是太反常吗？唉，这案子真绞人的脑汁呢！"他缓缓吸着纸烟，皱紧的眉毛依旧无法分解。

我重新提出疑问："霍桑，你的确相信那汽车是匪徒特地雇定的吗？"

霍桑淡淡地道："我早已确定了，只是你不相信罢了。"

我又道："你怎样确定的？有根据吗？"

霍桑拿下了纸烟瞧着我，答道："根据吗？那是显而易见的，论情你也应当想得到。你想那汽车若不是匪徒预先雇备，那一定是强借人家的。因为在上海，眼前还没有沿途出租的汽车。若说强借，必须有恐吓的器械。但那人的凶刀既然早已丢掉，难道他身上还另外藏着手枪吗？否则，他手中没有武器，就算跳上车去，司机就肯服从他吗？若说汽车是空的，车中恰巧并没有车夫，那么，停在街头的空车，车门不会不锁，那人仓皇间怎么能开了车门上车？再退一步，就算这空车的门没有锁，那匪徒跳了上去，自己又会开车，利用着逃去了，但那汽车的车夫或雇主既经失车，势必要报告警署。怎么此刻还没有听得失车的报告——"

电话的铃声突然打断了霍桑滔滔不绝的议论。霍桑忙丢烟尾立起来。

他带着期望的声调说："我希望有什么新的发展。"

申壮飞的消息

电话中的消息是关于丁案的。报告的是警士王福。他已在岳州路一带调查过，并没有人遗失汽车。但他碰到一个邮局里送快信的邮差，据那邮差说，昨夜十一点光景，他骑了自行车从岳州路经过，看见一辆黑漆的双人座位的汽车，停在相近通州路口的岳州路上，车中却空虚无人。

霍桑向我说道:"包朗,现在你总可以相信了吧?那汽车实在是凶手事先预备的。车上既然没有人,显见那人自己也会开车。还有一点,十一点钟时这汽车已停在岳州路上,更可见那人守伏的时间很久。"

霍桑对于这个信息既然非常兴奋,我也不好扫他的兴,就不再分辩。午饭过后,他特地打电话到总署里去通知稽查员徐星侠,教他想法往汽车捐照处去查一查一九一九号汽车的车主。因为那天是星期日,捐照处停止办公,不能不请徐星侠设法。此外他又用电话想问问汪银林关于申壮飞的消息。但汪银林还没有回总署,我们只得在寓所中等待。

霍桑到化验室中去拿出了两张放大的照片来,那就是他从庄家门上摄下的指印,也就是他回寓后费了两个钟头的成绩。

我问他道:"有结果吗?"

霍桑点点头道:"总算有些结果。我已查出那三个指印是左手的,最下面的一枚小指印还清楚可辨,线纹很细。我知道掌印和指印是属于两个人的,因为掌印的凸纹,比指印的凸纹粗得多;并且掌印和指印交叠在一起,也见得这两个人的高度彼此不同。"

"那么,可是有两个人在不同的时间印上去的?"

"正是,但指印先印,掌印却覆在上面。"

我瞧着他说:"我早说有两个人。"

他顿了一顿,喃喃地说:"那三个指印捺得比较重,那掌印轻些。"他顿了一顿又说:"那掌印也许是在发案以后有什么人无心印上去的。"

四点钟近了。午后的热度升涨得非常剧烈。门外树头上的蝉声，嘒嘒不绝地益发叫得人烦躁不安。我们虽不住地挥扇抹汗，还敌不过热力的压迫。可是就在这闷热难熬的当儿，汪银林忽然汗流满面地从外面走进来。他一手抹着额角上的汗珠，一手拿着他的一顶龙须草帽用力当扇子乱挥。霍桑招呼他坐下了。施桂送进一杯冰水来。汪探长牛饮似的喝完了，便喘息着说话：

"霍先生，凶手已经查明白了！"

霍桑动神地问道："当真？是谁？"

"就是那个申壮飞。"

"喔？……有证据吗？"

汪银林点头道："有的。我到大沽路申家里去，看见他的母亲。据说壮飞出去了，我又问他往哪里去的，伊回答不知道。这已经可疑了。我自然要根究情由，可是那老妇只说壮飞是昨天下午出去的，临行时不曾说明往什么去处。我不满意，又再三盘诘，伊才说：'壮飞有一个最相熟的同学，叫仇大笙。他们俩常在一块儿游玩。壮飞的行踪仇大笙也许知道。大笙住在黄河路，你不妨到他那里去问问。'

"因此我又寻到仇大笙那里。据这仇大笙说，昨天八日傍晚，将近断黑时分，申壮飞果真到他那里去过，要向他借用汽车。仇大笙因着壮飞要借汽车过夜，所以没有答应。"

我听到这里，不由震了一震，忙把眼光向霍桑的脸上一掠。霍桑的眼睛里也禁不住露出惊喜的神色。汪银林似也领会到这里面的暗示。

他连连点头道："唉，两位谅必也已经知道了。昨晚十一点半，北区辖境的通州路上还出过一件抢劫伤人的案子。据说那凶手抢了一只手袋，是乘汽车逃去的。所以——"

霍桑忽止住他道："正是。我们根据地点、时间和凶器的基点，也早想到这两件案子也许有连带的关系……你听得了申壮飞借汽车的事，便也认为他跟庄爱莲一案有牵连吗？"

汪银林道："是啊，借汽车已觉凑巧，但壮飞还想借了汽车过夜，那就不能不算作一种重要的嫌疑。霍先生，你说是不是？"

霍桑似乎没有听得，但自顾自问道："你可曾问壮飞借车的时候有没有说明往哪里去？"

"问过的。大笙说壮飞要往江湾的一个姓江的朋友家里去吃喜酒，所以当夜恐怕不能回来。不过我猜想这一定是他的托词。"

"仇大笙到底没有将汽车借给他？"

"没有。因为大笙的司机昨晚因着妻子害病，不能够终夜不归；壮飞虽然会开汽车，但大笙因着他往往酗酒糊涂，有些不放心，所以不借给他。"

我不自觉地从旁插言："唉，申壮飞也会开汽车的。"我说时回头向霍桑瞧瞧，霍桑也回了我一眼。

他又问汪银林道："那仇大笙的汽车是不是还在家里？"

"在。我特地到他的汽车间里去瞧过。"

"什么颜色？"

"深灰色，是一辆两个座位的，福特牌子。"

"什么号数？"

"我已录在日记上。"汪银林说着，摸出来瞧了一瞧，"五九六七。"

霍桑沉吟了一下，自言自语说："不过仇大笙的汽车是黑牌子的自备车，王福看见逃走的那一辆是白牌子的出租车，似乎没有关系。"

汪银林接着说:"是的,但申壮飞借不着汽车,就另外去雇一辆出租车,不是很可能的吗?"

霍桑点点头:"那么申壮飞此刻究竟在哪里,你还不知道?"

汪银林又抹了抹汗,答道:"我四处打听他的踪迹,都没有下落。我也曾派人往江湾去探听,果真有一个叫江觉民的在昨天结婚,但壮飞却并没有去吃酒。这显然又是一个疑点。"

霍桑把蒲扇挥了几挥,说道:"银林兄,你就凭着这两个疑点,认为申壮飞就是杀死爱莲的凶手吗?"

汪银林分明已觉察到霍桑的不大满意的语气,忙点着头应道:"更重大的疑点当然还有。霍先生,包先生,你们瞧吧。"

他说时急忙从日记簿中取出一张折叠的白纸。他轻轻将纸展开在掌中,里面是几块剪碎的照片。汪银林拣选了一会儿,将较小的一块拿出来:

"霍先生,你瞧,这个人是谁?"

我也凑近去仔细瞧视。那块碎裂的照片上是一个女子的头。

我不禁脱口道:"这就是被杀的庄爱莲啊!"

汪银林向我瞧瞧,得意地应道:"是啊。包先生,你想这照片怎么会这样子身首异处?"

霍桑问道:"这照片你从哪里得到的?"他随手把碎照片还他。

汪银林道:"我因着寻不着申壮飞的踪迹,重新往他家里去搜查,在他的书桌抽屉中,搜着了这个要证。"

"你可是说这照片是申壮飞剪碎的?"

"那有什么疑问?他既然忍心将庄爱莲的影像剪碎,可以反映他对于伊的怀恨。那么,进一步行凶泄恨,也当然可能,霍先生，你可赞同？"

霍桑沉默了一下，才道："这两个疑点果真相当有力，不过就说行凶的是他，似乎还太早。"

汪探长有些不高兴："他此刻踪迹不明，当然更可疑。我相信只要一找到他，这案子就不难水落石出。"

"你打算从哪一条路去追缉他？"

"我料他昨晚向仇大笙借不到汽车，必又向别处去雇，等到他的阴谋成就以后，就乘着汽车逃往什么僻处去。所以我第一步已通知曹家渡徐家汇各分署，请他们调查有没有发现空的汽车。第二步我再预备登报悬赏。"

霍桑自言自语道："汽车的确是案中的一个大关键。如果王福没有瞧错，的确是一九一九号，我们只需查得这辆汽车，这案子便可以告一段落。"

"这个容易，总可查得出来。"

"是。刚才我已打电话给稽查员徐星侠。我希望不久就可以知道那一九一九号车的下落。"

霍桑又将指印照片给汪银林瞧，约略地讨论了一下，结果还像先前那样只有假定，并没有任何确切的结论。

电话的铃声又响了，霍桑忙奔过去接。我以为事有凑巧，也许就是徐稽查的回话。等到霍桑将听筒搁好时，却并不如我所料。

霍桑说："银林兄，这是你的伙友徐宝林打来的。他找不到你，所以来通知我。"

汪银林道："我派他守在计家门外的，还有一个张顺福哩。他说什么？"

霍桑道："他说约莫一个钟头以前，他们看见计曼苏走出来。他们两个便隐隐跟在后面。跟到元芳路口，曼荪突然回转头来，似乎瞧见了他们二人，他忽又退转身来，回到他自己家里去，好像他本来要往什么地方去的，忽然觉察了背后有人尾随，他因着顾忌的缘故就退回去了。"

汪银林用手摸着他的圆而肥的下颌，像在思索什么。

我说道："银林兄，我看这计曼荪似乎比你猜想中的申壮飞更可疑些哪。"

汪银林瞧着我道："何以见得？"

我说道："计曼荪这样冒险出门，一定有不得不出来的理由。而且他如果没有隐秘的事，或他的事和凶案没有关系，又何必这样鬼鬼祟祟？我敢说他打算要去的地方，势必和凶案有密切关系；而且他早晨的去处，他自己虽然不肯说明，现在也可以假定就是这同一的地方。"

汪银林不答，用眼角瞧着霍桑，好像要先听听霍桑的见解。霍桑低头忖度了一下，果然有所表示。

他说："包朗，你这话很有意思。我也觉得计曼荪的去处，我们有先行侦查明白的必要。银林兄，你看怎么样？"

汪银林显然感到扫兴，但也勉强点点头。

霍桑又说："计曼荪刚才既然受了阻碍不敢出去接洽，今天晚上他说不定要再出去。不过徐宝林和张顺福两个既然已经被他见过，如果再守在外面，非但无功，也许反而会误事。"

汪银林寻思道："那么，不妨另外换个得力的人去接替他们。"

我不禁自告奋勇地问道："我去，好不好？"

霍桑应道："你去最好。我要等待吕拯时的验尸报告和其他各方面的信息，暂时还不能离开这里。这案子正像蛛网一般，网线既已向四面布开，这里却变作了一个中心枢纽。在消息没有齐集以前，我还不能走动。"

汪银林叽咕着道："我还不打算就放弃申壮飞。"

霍桑又像安慰又像鼓励似的说："那自然。我们尽可以分头进行。"

于是汪银林就辞别出去。我也提早吃了夜饭，换了一身小工模样深色粗布的装束，衣袋中藏了几种应用的东西，又将一支手枪系在裤腰带上，以备不时之需。我别了霍桑出门，雇黄包车往华记路。

这案子可称幻复已极。照情势上看，那计曼苏和申壮飞二人，似乎都有可疑之点。在我们的设想中，本来假定这案中有两个凶手。但是否就是这两个人，或者还有第三个人，像宋梦花之类，此刻还没有把握。若从那把凶刀上看，分明是流氓用的东西。计曼苏是富家子弟，看他的装束谈吐，人品好像还不至这样下流，似乎不会使用这种东西。比较起来，申壮飞倒反而近情些。因为我们虽还没有见过他，但据计曼苏说，壮飞是个挂名学生，行为很浪漫，也许近乎"少爷流氓"一类人物。不过这话出在曼苏嘴里，说不定有移祸嫁罪的作用，当然也不能轻易凭信。

我一路上反复推想，到底想不出什么结论。车子相近华记路转角，我便下车步行。我转了弯，果见距离计家的洋房六七家门面，有两个人站在道旁。这两个人真愚蠢极了，竟是肩并肩地立在一起！那当然容易教人起疑。我走近他们时，轻轻向他们打了一个招呼，内中有一个张顺福认识我。我就向他们说明来意。

张顺福低声说："有一个年轻的小使女已两次出来探望。

第一次伊没有瞧见我们，第二次我们给伊看见了，伊便急忙地退回进去。"

我抱怨地说道："你们俩怎么不分开来等？他所以打发人出来探望，无非要瞧一个明白，门外面是否还有人监守。这可知他急于要到什么地方去。现在给你们一吓再吓，他也许不再出来哩。"

徐宝林好似不服气，建议道："那么，我们索性进去见见他，或者就把他拘到署里去问问——"

我忙摇手道："不行。这不是你们探长的命令，你们可以乱来？别多说，你们回去吧。让我来监视他。"

监守的职司，在侦探术上原是一个很重要的课题，必须有相当的训练和经验，并须备有"随机应变"的智能才能胜任。这天晚上我候在计曼荪家的附近，先是在左右走动，并不呆立在一处，却总不见有任何人出来。天色渐渐地黑下来，计家的楼窗上的灯也完全亮了。黑夜往往对于某种性质的工作给予便利，在监视职务上，也当然比白昼更便利些。我耐着性子，执行我的任务，有时远远地站立在人丛中间，有时跟路边卖水果的小贩们搭讪着，有时在人行道旁缓缓踱步，装作行路的模样。

八点钟过了，我有些不耐——可是只是不耐而已，我当然不肯放弃我的使命。

九点钟了。马路上更冷静了些，行人更见稀疏，小贩们也收市回去。我还是徘徊着，可是非但不见计曼荪出来，连到门外来探风势的仆人也都没有。我默默地忖度："不是他知道门外有人，今晚上不再出来了吧？我会不会劳而无功？"

我瞧瞧手表，已指九点十分，回头一瞧，忽见计家的绿漆铁门正在缓缓开动，一个穿短衣的男人开了铁门走出来。

他立定了向左右探望。我急急把身子避在暗处。唔，又出来探风势了。

"黄包车！……黄包车！……"

那人喊了两声，恰巧马路上没有车子经过。那人略略迟疑，就退了进去。铁门也重新闭上了。

我暗暗欢喜，机会到了。讨曼荪大概即刻就要出来？……他既已知道有人监视，当然了解到他自己已处于嫌疑的地位，可是仍不肯安心，到底要冒险出来。这不是可以反证他一定有什么万不得已的事情，必须连夜出来接洽吗？他究竟有什么事？莫非他当真是凶案中的凶手——或者竟是幕后的主使人？此刻情势危急，他不得不通一个消息给那被雇的凶手，以免被侦探所捕，破露他的真相吗？

追　踪

一辆空黄包车缓缓地从北面驶过来。哼，机会太巧了！我慌忙抢步上前，走到车夫的面前，轻轻地向他说话：

"朋友，我要借你的车子用一用。"

"借我的车子？干什么？"车夫的声调充满了惊异。

"我是一个侦探，借你的车子有用处。我给你两块钱。你不妨远远地跟在后面，至多一个钟头，便可以将车子还你。"那车夫似乎还惊疑不信，兀自向我的身上上下打量。我早已摸出一张名片和两个银元顺势塞在他的手中。我继续道："你放心，我不是歹人。别耽搁，快把号衣脱下来。你先在那转弯角上等我。我接着了一个人以后，你尽可在距离二三十步的后面跟着。我绝不会难为你。"

我不等他完全同意，就自己动手，替他将号衣脱下来。号衣上的汗酸气刺鼻难受，我也不暇顾虑，急急罩在身上，拖了车子，缓缓走到计家洋房的门前。那车夫还是诧异地呆立着。

哈，我拉黄包车了！其实操侦探事业的人，既然抱着维持社会安宁和保障人权的志愿，无论什么事情，有时也不能不委曲求全地来一下。老实说，装扮黄包车夫还算不得什么，我在"堕落女子"一案中，还装扮过一次女子！

我拉着车子来到计家门前，又不敢停住，来回了好几次。可是铁门依旧关着，不见有人出来。我防他们疑心，索性走远些，只保持着相当的距离，以便如果有人再度出来雇车，不致被别的同业捷足先得。

十分多钟过去了。那个车夫有些耐不住，走近来跟我要车子。我又低声慰藉他：

"你放心，我决不吞没你的车子。如果时间延长些，我再给你钱……对不起，请你走远些。"

"笛……笛……"

一辆黑色汽车从华记路转弯过来，驶到计家的门前，突然停止。我心里乱跳。汽车中来的是什么样人？和凶案有没有关系？我急急拉着车子走近去。车厢中却空虚无人。前面只有一个车夫，车子的照会是白牌的，号码是一〇九二号。我才知道这汽车是计曼苏打电话向车行里去租来的。他虽知屋外已没有监守的人，还不放心，故而特地去雇汽车。这一着我竟没有想到。仓促之间，我怎样对付？真厉害！

那个穿一身黑拷绸衫裤的司机一下跳下车来，走上前去按门铃。铁门开了。那出来的人果真就是我们早晨向他问话的黑脸的门房。

他忽向车夫道："秋生，你来？马阿大呢？"

司机含笑答道："他今天偷懒玩一天，我做他的替工。少爷预备好没有？"

门房答道："你等一等。我去通知他。"

我听得了这几句，急急拉着车子走开。两块钱总算不曾落空，就是这几句话，也幸亏靠着这辆车子，否则一个人空身站在那里，没有掩护，怎能免他们的疑心？我又想那司机既和门房认识，可见计曼荪是时常做成这车行的生意的，他平日举止的阔绰，也就可想而知。

问题来了。他们到哪里去？我瞧瞧汽车后面，又没有可以攀附的地方，况且时候还早，马路上行人不曾绝迹，即使车后可以藏身，也难免被人瞧见。怎么办？

我还来得及另外雇一辆汽车吗？我知道这辆黄包车已没有用了，连忙拖到转角，把车子和号衣还给了那等待的车夫。我偶一回头，看见计家门口里走出一个穿深色长衫的人来。我冒险走近两步仔细一瞧，果真是计曼荪。不过他已改装了，穿了本国衣服，头上戴一顶灰色呢帽，压得很低。一转瞬间，曼荪已跨上汽车，机轮一动，便直向我所站立的转角驶过来，循着西汇路向西开去。汽车在我面前经过，我又不敢上前阻止，因为一阻止不但斩断了一条路线，并且证据也不充分，在法理上也奈何他不得。

正在那时，忽见一个人骑着一辆自行车从东面过来。我一时没法，便腾身跳到车前。那车子不得不停。

我招呼他说："朋友，对不起。我要借用你的车子追赶前面一辆汽车。这里有我的名片。你在这儿等一等，我马上送回你。"

我不顾那人的反抗，夺过车子，飞身而上。我还听得那黄包车夫似在向那骑车人解释我的任务。我向前一望，前面元芳路上隐约有一辆汽车，但距离已远，是否追踪得上，当然毫无把握。

我什么都不管，只是开动两脚，拼命地前进。那倒是一辆跑车，比半车轻快，未始不是一个巧遇。不多一会儿，忽然见前面有一盏红灯，似乎计曼苏的汽车受着阻碍停止了。我暗暗欢喜，更努力向前，果然越追越近，瞧瞧前面汽车的式样，真像是一〇九二号。原因是虹桥路上有几个工人在打架，围集了许多闲人，汽车才停住不进。不过不等到我的自行车追近，汽车已继续通行了。

我已满身是汗，喘得透不过气来，两条腿也疲乏得发酸。

用自行车追汽车，原是一种"不自量力"的勾当。追不上是合理的结果；追得上倒是意外的奇迹。我既尽了我的全力，得失只能付诸命运。我努力追到闵行路转角，前面的汽车早已不见，忽见一辆黑色汽车迎面过来，车厢中是空的。那车夫我还认得，真是那个穿黑拷绸衫裤的秋生。

唔，计曼苏已到了目的地了。他到哪家去的？我本来可以阻住了那汽车向秋生查问曼苏的下落。但这办法在急切间不一定有效，这车夫看见我这样打扮，当然不会贸贸然告诉我，说不定会白费唇舌，错过时机；还不如直截了当地我自己赶紧去找。万一不成，我既已记明了车号，秋生这条线索迟早总可以进行。

我下了车，站在转角上定一定神，一边抹着额上的汗流，忽见同济医院就在目前。我不觉灵机一动，高兴起来。曼苏不会进医院里去吗？他不会真和丁惠德相识吗？

我正在惊异高兴的当儿，冷不防背后有警笛声音。我回头去瞧，远远有一个人飞也似的赶来。另外有一个警士追在后面，且奔且吹警笛。我才知那自行车的主人一定已误会我抢劫他的车子，所以弄出这出把戏。

来势相当汹汹，我怎样应付？我急忙退了几步，将车子移近阶沿，静立着等待，预备和来人们说一个明白，免得拉拉扯扯，耽误我的事情。那个高大的警士先走到我面前，不问情由，一把将我的左手捉住。

我低声说道："别动手。我是包朗。"

警士好像没听懂，睬也不睬，还想要捉住我的右手。

那短衣的车主大声说："这正是我的车。他抢我的！"他说着连忙将那车从我的手中夺了过去。

我向警士分辩说："弟兄，别误会。我是你们汪侦探长的朋友。我借用他的车子是为一件公事。"

我的左腕上感觉到那警士的抓握的手松了些，显然是"汪侦探长"和"公事"字样产生了效力。

他向我端详了一下："你有公事？"但他的手仍没有放脱。

我的服装当然不能使他相信，我为节省口舌，又消耗了一张名片。这时有几个闲人围拢来。

我说："这是我的名片。你不相信，不妨马上打个电话。"我顺手拿出两个银元交给那车主："对不起，请你原谅。"

警士似乎因着我的语声的坚定起了些反应。他乘势问那短衣人：

"你要怎么办？要署里去不要？"

那短衣人也很知趣，摇了摇头。我知道紧张的局面已经消散，便节省了废话，从人丛中脱身而出，急急赶到医院门前，一直进去。

一个看门人走出来阻止我，问道："喂，干什么？请医生吗？"

我摇头道："不是。我来找一个人。"

"要瞧病人？不行，不行。我们的章程只许在白天探病。"

"我不是来探病，我来找一个人。刚才是不是有一个人进医院里去？"

那人一边向我上下打量，一边摇头：

"没有。"

"有的，五六分钟以前进来的。"

"别捣鬼！"

"有的！穿咖啡色绸长衫，戴一顶灰色呢帽，年纪比我轻——"

那门房居然呵斥了："我告诉你没有，啰唆什么？"

我也不耐烦地说："你别胡说！"

那人睁大了眼睛："谁骗你，别胡闹！去！"

"那么，你们有别的门出进没有？"

"也没有！走出去！"

我的希望被他的一连几个"没有"打消得精光，自然有些发火。不过我的理智还没有丧失。我想到我自己既然不曾眼见计曼苏进来，论理也不应硬派这个门房看见他。我要是再拿出我的名片来，要求见见他的上级的负责人，那也未始不可，但不免小题大做，而且万一曼苏果真不曾进医院里来，石子里也榨不出油来。我正在踌躇着怎样办，忽听得有一种熟悉的呼声：

"包朗，走吧。"

唉，是霍桑！他还是穿着那套淡灰色派力司的西装，正低了头从里面出来，走近我时向我挥挥手，示意出门去。奇怪！霍桑不是说要留在寓所里听消息吗？他怎么独自在这医院里？而且还是从里面出来？

我跟他走出了医院的大门，踏上了冷静的闵行路，自然耐不住地要提出我的疑团。他的答语表面上虽很平淡，其实有一种兴奋的潜流，语气间究竟遏抑不住。

他说："我在半个钟头以前，接得了徐稽查员的答复。他说一九一九号汽车是达莱汽车公司的。"

我踌躇道："是个外国公司的？"

"是啊。这个答复很使我失望。徐稽查员问过那法国经理，据说这一九一九号汽车损坏了，已经两天没有出门。昨夜里这一辆车搁在公司的修理间里。"

我一半慰藉一半解释似的说："那么一定是王福瞧错了号数。可是王福刚才又说得非常确定。"我略顿一顿："也许那凶手假造了一张号牌。"

霍桑不答，慢吞吞走向转角，忽自动地解释他的经历。他说："吕拯时的验尸报告还没有来。我闷极了，再不能枯守在家里。我本来要见见庄清夫的夫人，以便查一查他们家庭间的状况，早晨因为伊发病，不能如愿。刚才我看时候还早，便决意再到鸭绿路去走一趟。"

"你已见过庄夫人吗？"

霍桑摇头道："没有。我到庄家时，据阿金说，庄夫人痛过一阵后刚睡着，不便叫醒伊。我只得退出来。我想见见丁惠德，才直接到医院里来。"

我问道："你看丁惠德有什么目的？要再查究一下手袋是

不是被劫的？"我自觉我的语声有些失常。因为这问题我已经究问得很切实。他如果真为着这一点，显见对于我的报告认为不满——也许是不信任。

霍桑仍淡淡地答道："是的，可是还有其他问题。"

"其他问题？什么？"

他在转角站住了。他的汽车立即开驶过来。但霍桑不即上车，低声答复我的问句：

"我要问丁惠德，伊是不是出席学生联合会的代表。"

我一时摸不着头绪，问道："这是什么意思？"

他道："你不是告诉我丁惠德在爱华女子体专里读书吗？因此我料想伊也许有被同学推选为出席学联代表的可能。"

"这有什么关系？我还是不明白。"这是我的坦白的供述。

霍桑的眉毛掀了一掀，向我注视着，用一种遏制着情感的声调，说："我有一种冒险的设想：这两件间接相关的案子，会不会竟有直接关系？"

"直接关系？"我承认我的思绪的活动追随不上他，虽也有些模糊的轮廓，却不敢贸贸然发表。

霍桑自顾自地解释道："是的，这设想也许太冒险，你也许会把'神经过敏'的考语回报我。不过冒险虽冒险，却不是完全凭空无据。我告诉你，我们从地点，时间，和刀的证据上推想，假定了这丁惠德和庄爱莲两件事的间接关系。但我们怎么不能做进一步的推究？庄爱莲是上海大学的所谓校花，计曼苏是沪江大学的高才生，他们俩的相识是学生联合会做的媒介。同时那丁惠德也是爱华体专的学生。据你说，伊的丰姿也不弱，而且同样是在需求配偶的年龄。要是丁惠德也是爱华的出席学联会的代表之一，三方面当然彼此认识。那么，这里面

不是会有错综复杂的浪漫史吗？这两件案子不是也会从表面的
间接而形成内幕的直接联系吗？"

我领悟地说："唔，真不错！刚才我也偶然猜想到他们俩
也许相识。不过你的料想是有依据的。霍桑，你的思想的触须
真可说是无孔不入！"我的手不期然而然地拍着他的肩。

他仍宁静地说："那也是偶然想到，你别太恭维我。"

"你的冒险的设想到底证实了没有？"

"证实了。"他的语声平淡中含着兴奋。

我忙着追问："你已见过丁惠德？伊已经承认了三角关
系吗？"

霍桑忽又出我意料地摇摇头："没有，我没有见伊。可是
我的冒险还算值得。我的设想已经完全证实。"

"喂，你说得明白些。你既然没有见丁惠德，怎么能——"

他突然插口说："我看见计曼荪在伊的病房里！"

霍桑这一句答语情不自禁地说得响了一些，引起了一个
行人的回头注视。他好像很后悔，拉拉我的衣袖，便首先跨
进等待已久的汽车里去。这消息当然引起我很大的反应，可
是这时不能急切追问。我也跟着上车，默忖我在数分钟前做
过黄包车夫，转瞬间忽又变成坐汽车的人。不过我的身上还
是劳工装束。

霍桑向车夫说："鸭绿路。"车子便鼓轮前进。

我问道："你还要到庄家去？"

霍桑瞧瞧手表："是的，现在还只九点四十五分。我总想
知道些他们的家庭情形。"

"我这个模样怎么可以进去？"

"那有什么关系？劳工是神圣的，何况仅仅是装束？"

我不再争辩。略停一停，我问道："好，你说得明白些。你怎么也看见计曼荪？我刚才费尽了力，却终于给他溜掉。"我顺势将我权充黄包车夫而改变为临时强盗，借了车拼命追踪，终于追踪不着的经过，简略地说了一遍。

霍桑微笑着说道："我看见他是偶然的，远不及你这样吃力。我的汽车刚才驶到闵行路口，计曼荪的汽车恰巧驶过，正在慢慢煞住。我一眼瞧见，立即停车，下车来在转角上一看，他正在走入同济医院。那辆一○九二号汽车也已回头驶去。我自然很高兴。这是意外的收获。我向医院中守夜的门房说了一声，便悄悄地跟着计曼荪上楼——"

我插口说："这样说，那门房明明是看见计曼荪进去的，他却给我一连串的'没有！'"

"大概是你的装束造成了一种阻碍。"

"唉，都市社会真是太势利！尤其是这班劳工阶级，反而看不起自己的同类！真可怜！"

霍桑也微微叹口气："这是个教育问题。好，现在别发牢骚，你听我说。那丁惠德不是在二楼二○九号吗？我看见计曼荪在门上叩了两下，便走进去。不一会儿，有个十二三岁的小使女走到门外来，站着不动。这使女大概是来陪伊的小姐的，那时候伊被遣出外，我相信绝不是为着防我偷听而出来戒严。因为我尾随曼荪，曼荪根本没觉察，否则他也不敢这样子坦然进去。我料想他们要谈什么，那小使女在旁边也许不方便，所以被差遣出来。总而言之，我在门外偷听的权利却因此给剥夺了。

"我瞧瞧左右两旁二○八号和二一○号都有病人，都不容我进去偷听，所以我就回下楼来。"

我惊喜地说："霍桑，这真是意外的收获！可惜你没有机会听得他们的谈话。"

霍桑仍安闲地答道："急什么？我已知道了他们间的直接关系，而且知道他们俩的关系非常密切；同时也知道他们俩的会晤一定和庄爱莲的凶案有关。那也够得上说一句'不虚此行'了啊。"

"喔，你还知道他们的关系非常密切？而且和凶案有关？"

"是啊。这一点你也应当知道的啊。"他用眼梢向我瞧着。

我呆住了，一时又来不及应付。

他继续说："你自己先前说过，计曼苏明知有人监视，却仍一再冒险出门，显见有不得不出门的理由。而且今天早晨他曾一早出门，要到某一地点去，却被庄家的曹妈阻止。后来他到了庄家匆匆就退出来，当然仍是往早就预定的目的地去的。现在我们可以假定这目的地也许就是同济医院。这可见他对于丁惠德的关心。他们俩的关系，也就可想而知。再进一步，他的冒险出门和诡秘的姿态，也显然和这件凶案有关，那也不必我再唠叨了。"

我附和道："对，这的确是很显明的。那么你为什么不等曼苏出来？或者通知汪银林，立即把计曼苏传进警署里去问问？"

霍桑道："这也用不着太急。只要我们不去打草，这条蛇也不会吃惊逃走。我们不如先将其他方面的线索做一个综合比较的研究，同时再搜集些内幕中的事实，不是更有意思吗？"

我点头道："你说的其他方面，是不是指申壮飞和宋梦花？"

"是的，不过说不定还有。"

"还有？那是什么？"

"我也不知道。我只觉得这里面的内幕非常复杂，一定不会像表面上那么简单。因为到目前为止，我还捉摸不住它的动机。"

我沉吟了一下，说道："那么，据你看，汪探长所说的凶案的目的不外乎图财，你也不赞同吗？"

霍桑皱着眉峰，摇头说："不，我不能说得这样确定。你总知道赞同和反对，是两个确定的相对的动词。我在没有成立具体的概念以前，当然不能有任何确定的表示，至多只能有一个暂时的假定。"

"假定也好。你能不能说一说？"

霍桑沉吟着说："从最近发展的事实看，很像他们玩的是一出恋爱把戏，不过三角四角或者甚至五角方式，那还说不定。因为那申壮飞也是爱莲的同学。此外还有家庭问题，也不能不顾到。你知道庄清夫是一个所谓'闻人'，从前在政界里混过，着实有些钱。我们虽不知道他的钱的来源是否属于'造孽'，但瞧他家里有着三个女人，那么他家里的空气不会怎样洁净，也就想象得出。所以我很担忧，但愿这件事不再牵涉他的阴暗复杂的家庭，否则也许'治丝益棼'，真会教人头痛呢！"

手　袋

我们到了庄家，我就凭着劳工的姿态跟霍桑一直进去。屋子里仍是冷清清的。尸体已经移去，客堂中的电灯只开了一部分。开门的是那个粗麻子根林。他果真把惊异的目光向我的身上投射了一下，但同时他也照样注视着霍桑。可见他的惊异，不一定是因着我的装束，还含着"怎么这样晚再来"的成分。霍桑简单地说明了来意，听说庄夫人的胃病服药后已好了些，便叫他上楼去通报。

我们在灯光暗淡的客堂中等了三四分钟。爱莲的尸体虽已安殓抬出，但一想到早晨的情况，还有些凛凛然。一会儿，我看见一个穿白色条纹细纱衫裤年在十八九岁的少女，姗姗地走进客堂中来。伊的身材矮小，皮肤黝黑，面目也说不上美，尤其是伊的眼睛太小，鼻子也太扁了些。如果伊和死的爱莲比，无论姿态装束，简直都差得很远。伊就是朱妙香，是爱莲的姨表妹，早晨因为陪伴伊的姨母，不曾下楼。此刻庄夫人服过药又睡着了，妙香是代表伊的姨母来接待我们的。

经过了一度简单的介绍以后，霍桑便说明为着侦查上的必要，要知道一些庄家的家庭情形。朱妙香很干练，因为爱莲的殡殓，都是伊料理的，操着杭州的土音，毫不留情地告诉我们一个清楚的轮廓。

庄清夫娶过四个女人，第一个原配姓王就是爱莲的生母，在爱莲五岁时就故世了。现在的夫人姓胡，是继室，并无生育，妙香倒是伊的嫡亲的甥女。清夫的儿子景荣还只五岁，是第二妾李氏所生。那姓于的大姨太也不曾生什么子女，但那个曾经提及的宋梦花却是伊名下的干儿。

这一篇家庭细账已是够复杂了。要是凶案的成因果真牵涉到这个畸形的家庭，那么霍桑的头痛的预言，保证是可以应验的。

霍桑在得到这个轮廓以后，便做进一步的探究。他问道："朱小姐，据你看，你姨夫家的一般情形怎么样？譬如说，大家和睦不和睦？"

这问句已不是简单的事实问题，而是在征询批评和意见了。那女子就也不像先前那么爽直，而有些顾忌意味了。

伊答道："霍先生，我是难得到上海来的，不太熟悉。请你原谅。"

霍桑说："我并不是要你指出什么具体的事实，只要知道些一般的情形就够了。"

伊迟疑了一下，才简单地答道："霍先生，你总也想得到，像姨夫这样的家，要怎样上下和睦，当然是不可能的——至多也不过做到一个表面罢了。"

霍桑以后的问句，又刺探到这家庭内幕的某一角度，结果知道这位胡夫人是个懦弱的女人，在家庭的地位，只拥有着个空洞的名义，实际上是退处无权。而真正握实权的，倒是两位姨太。那二姨太最得宠，显然是因为生了个儿子的缘故。大姨太也不甘示弱，糊涂的庄清夫也脱不出伊的掌握。这一节谈到了宋梦花的问题。据朱妙香隐约表示，大姨太曾向庄清夫提议过，想把爱莲配给伊的干儿子。清夫倒无可无不可，爱莲表示反对。这宋梦花在一个私立大学读书，学费一切，好像都是于氏供给的。至于于氏为什么有这个建议，妙香自然不会知道，但借此想觊觎些庄清夫的产业，似乎是一个可能的猜测。

霍桑问道："宋梦花跟你表姐的婚事是在什么时候提起的？"

妙香说："我听说还不到一个月的事。因为梦花要出洋到美国去留学，大阿姨才想赶紧给他订婚，不料给表姐回绝了。"

"那么宋梦花本人的意思怎么样？"

"他好像一直是很喜欢我的表姐的。自从这件婚事破裂以后，他就绝迹不来。"

"他们可曾有决裂口角？"

"没有，不过梦花到现在不曾来过，有三个星期光景了。"

"他已经去美国了吗？"

朱妙香忽摇摇头，说："不，大概还没有动身。星期五下午我还在永安公司里看见他。"

霍桑的眼珠一转，接着问道："星期五？是前天？"

那女子瞧瞧霍桑的脸，点头道："是的。他像在买东西。"

"你可曾问他到底几时动身？"

"没有。那时我正拿了衣料下楼，不曾招呼他。"

霍桑把目光移转到我的脸上，微微点一点头，好像暗示说："宋梦花还没有离开上海，又多一个可能的嫌疑人哩。"这事情真复杂极了。头绪这样多，哪一条才能导引到终点呀？

霍桑又换了一个话题，问道："你的姨夫怎么样？譬如他对你的表姐的感情好不好？"

朱妙香沉下了头，有些踌躇。伊说："那也说不上不好。姨夫一向很宠爱表姐的，什么事都依顺伊。就是二阿姨也不大敢和表姐执拗。不过……不过……"

霍桑忙接嘴道："不过什么？"

"就是为了这件梦花的婚事，姨夫好像不大高兴。因为这件事是大阿姨主张的，姨夫是很听大阿姨的话的。"

妙香说了末一句话，好像赶紧煞住。伊的一双小眼也忙着向客堂后面瞟了一瞟，防有什么人在偷听。霍桑也很知趣，不再粘住这个题目。他们谈到庄清夫本人。妙香的口气中，好像庄清夫的为人有些"霸道"，脱不掉所谓"闻人"的手段，因此外面的人缘并不大好。霍桑又问到八日晚上的经过。妙香仍回答完全没听得什么，和伊告诉汪银林的一样。于是霍桑点点头站起来和我离开庄家。

下一天（十日）早晨报纸送来的时候，我正单独地在餐室的窗口前进早餐。霍桑一早就出去实施他的惯例的清晨户外运动，还没有回来。我回进了书室，在凉风习习的窗口边坐下，翻开报纸，看见关于庄爱莲的新闻，果真占据了本埠新闻栏的一大部分。内中登着几张爱莲的时装照片，内容相当夸张，大部分叙述伊的学校生活和社交活动；连带伊的父亲庄清夫的往史和家庭状况，也加以渲染地记述。关于凶案部分，说明霍桑也参加侦查，但案情方面，除了我们勘查时所见到听到的以外，并没有新的事实披露出来。不过有一点是霍桑所盼望知道的，就是根据法医吕拯时的检验，庄爱莲被害的时间，大概在八日（星期六）晚间十一时到十二时之间。

丁惠德的盗案，也有简短的补充，说明惠德已经出险，伊的住址和学校名称也已登了出来。内中还记述我到医院里去的访问，语气间似乎对于我有些"杀鸡用牛刀"的讽刺。

这两篇新闻才刚印上我的脑膜，忽听得叭叭的汽车声音，霍桑回来了。他的神气有些疲乏，而且时间上也比平日延迟了些。

我说："粥已经冷了。怎么耽搁得这么久？"

霍桑答道："我的早餐已在汽车中解决——三片面包，两个酱蛋。"他丢了草帽，用白巾抹他的额汗，随即坐在那张他惯坐的藤椅上。

我问道："你好像去得很远。不是到西区公园去的吗？"

他摇头说："不，我没有上公园去。今天我把驾驶代替了散步和其他运动。"他缓缓掏出纸烟盒来，又说："我是为着这两件案子去调查的。"

"唔，调查哪一方面？"

"我去看法医吕拯时。他住在林荫路，地点相当远。昨夜里我打过电话，打不通。我怕他一出门又找不着，所以一早去。"他开始擦火柴点烟。

我说："你是不是还要证实庄爱莲的被害时间？今天报纸上已经登载了。"

霍桑点点头，喷出了一口浓烟："是的。还有一个要点，我要证实那凶器。"他继续吸烟。

"凶器？杀死爱莲的凶器？"

"是的。我们知道丁惠德受了刀伤，庄爱莲也是给刀刺死的，因此假定这两案有间接或直接联结的可能。因着昨夜里曼荪去看惠德，这假定已经成立。但两案的凶器究竟是不是同一把刀，不能不有实际上的证明。昨天吕拯时把报告送到了警署里去，延搁着没有转到我们这里，所以我不得不亲自走一趟。"

我说："你已看见吕法医？有什么结果？"

霍桑点头说："证实了，据吕拯时察验伤口的诊断，的确是用一把两面出口的刀子。"

"唔，这样说，又符合了你最初的猜想，像是一个人干的。"

"可是惠德的手袋是被劫的，大门上又有不同的指印和掌印！……真伤人的脑筋！"他连续地吸吐着纸烟，额纹也刻画得非常深显。

我又问："吕法医可还有其他发现？"

霍桑说："他说爱莲颈喉间的动脉和静脉都断损了，所以一着刀就死，喊叫不出。这又证实了我们的假定。"

"还有吗？"

"我又到青海路去拜访计曼苏的父执瞿楚石。"

我提振了些精神："喔，计曼苏的话可实在？"

霍桑放下了纸烟，摇头说："完全是子虚的。那瞿老先生既没有害病，计曼苏昨天早晨也根本不曾去过。"

"唉，他果真是说谎！"

"这一点本不值得惊异。我早料他是撒谎，不过求证是我们应有的步骤。"

"那么曼苏昨天清早时受阻，直到离了庄家才去的地方，真是同济医院？"

霍桑吐出了一口浓烟："我想如此。"他略一沉吟，又说："从他的撒谎和神情慌张上看，我们可以确信这两件事情不但有直接关系，而且关系非常密切。"他沉默地吸烟，鼻梁间的线纹更深刻化了。

我说："两个女子一死一伤，这计曼苏却是钩引这两案的环子。他既是一个中心人物，我们能不能就把他拘起来，向他彻底地问一问？"

霍桑摇头说："还不能。一来，缺乏物证；二来，其他线索的侦查还没有达到终点。轻举妄动，那未免太不聪敏。"

"霍桑，你说的其他线索，可是指申壮飞？"

"唔，还有宋梦花。"

我想起了昨夜朱妙香的说话，点头说："不错。据汪银林的调查，宋梦花已经在上星期动身出国，可是朱妙香在大前天还瞧见他在上海。这的确是一个疑问。"

霍桑说："就为这一点，我刚才又曾到晴川路去转了一转。"

"怎么样？你可曾看见梦花？"

"没有。我看见他的母亲。据伊说，梦花是在上星期三动身的，但没有人送他上船，无从证实。"

"那么他的母亲也帮他说谎？"

"这倒不像。我说出了有人在上星期五还在上海见过梦花，那老妇人也怀疑起来。听伊的口气，梦花也不大安分。他在外面的行动，伊大半不知道。"

"你想梦花会不会假托出洋，实际上仍留在上海？"

"这是很可能的。现在他的母亲正在设法找寻他。"

我默念这个人没有下落，的确又是一条待解决的问题。而且申壮飞的踪迹至今不明，也不能不加注意。不过就这三个人分别推想，计曼苏似乎比较更切近重要些。

十点钟光景，汪银林从总署里来了一个电话，报告那皮手袋已有着落，请我们去商量。那袋的代价并不大，却是这两件凶案上的重要物证，因着它的发现，使这两案发生了急剧的转变。

我们到总署时，汪探长在他的办公室中等候。他的神气出我意料地并不太兴奋，反有些颓丧意味。我们坐定以后，汪银林开始表示他的烦闷。

他说："霍先生，庄清夫已有电报给署长，好像要用什么压力。申壮飞还没有下落。我拿到了他的照片，在车站和轮船埠头都派了人，可是都没有消息。真麻烦！"

霍桑慰藉似的说："别急躁。我看一天之隔，局势已有相当进展，不能不算顺利。包朗兄昨夜里的任务也有不小的收获。何况你不是说那只丁惠德的手袋已有了着落了吗？"

于是汪银林简单地说明半小时前接到北区分署的报告，一个探伙秦巧生，昨夜里在闵行路小押店里查明了一支金尖墨水笔。押店里店员认识那当笔的人叫江北阿三，是这押店的常川顾客。阿三是拉黄包车的，这种笔不像是他自己的东西，有些来历不明。所以当秦巧生去调查时，店员就指出了阿三的住所。直到一天早晨，巧生才找到阿三，又搜出了那只皮袋，袋中有丁惠德的名片，才知这些东西和前天的通州路劫案有关。

银林做结论说："我已经通知北区分署，叫他们将阿三押到总署里来，大概不久就可以到。但包先生昨夜里发现了些什么？可是计曼荪有什么可疑行动？"

霍桑就将计曼荪到同济医院里去看丁惠德，又证明他昨天早晨不曾到青海路去看瞿楚石的事说了一遍。银林想了一想，神气上果真兴奋了些。

他说："这样一来，这两件案子不但是偶然的关系，简直像是一出三角恋爱的把戏哩。"

霍桑应道："是的，我怕不止三角，也许是多角的。"

银林沉吟着说："对，那申壮飞固然可疑，但现在看起来，这个计曼荪似乎更觉显然。我想单凭这两点，就不妨把他拘进来问问。"

霍桑说："还有哩。宋梦花也和庄爱莲有过一回纠葛。现在我们知道他并不曾出洋，大前天星期五还在上海。"

汪探长惊异地说："什么？他还在上海？他的妈明明说梦花已经动身到美国去了啊。"

霍桑又解说昨夜我们和朱妙香的会谈和这天清早霍桑到宋家去的经过。这一番话又使汪探长的两条浓黑的眉毛紧锁拢来。

他困惑地说："这真是越弄越模糊了！眼前有三个嫌疑人物，不知道哪一个是真凶！"

霍桑仍宁静地说："唔，说不定还有第四第五个人哩。"

汪银林用手拍拍他的额角，诅咒地说："唉！这些所谓摩登青年真是太不向上，正正经经的事丢着不干，专闹出些牵丝攀藤的事来，教我们头痛！真可恶！真讨厌！……"

汪探长的牢骚还不曾发泄到"尽情倾吐"的高度，来了一个打岔，那北区分署的探员秦巧生已押着江北阿三来了。

阿三是个瘦子，穿一套蓝布的衫裤，年龄在四十上下，黄皮脸上长着粗粒的痘瘢，光头没发，一双圆黑的眼睛里射出畏惧的光彩。那个高个子黑云纱长衫白纺绸卷袖口的秦巧生，递上了移解的公文和一只手袋，又向汪探长报告他的侦查的经过。他的语气间颇有些卖功自夸。可是汪银林并不给他什么褒奖，但点了点头，就把公文略略一瞥，搁在一旁，急忙拿起那手袋来察看。

那袋是黑纹皮的，约有八英寸阔，十英寸高，袋口上镶着镍质的纽子，相当玲珑精致。汪银林旋开了纽子，向袋中看看，拿出了一支绿色自来水笔，一张电影说明书，一只镀金的粉盒，一段唇膏和几张名片，就随手把袋丢在他的办公桌上。

他用怕人的目光瞧着那车夫，问道："你是抢来的，是不是？"

阿三睁大了圆眼，乱摇着两手，喘息地说："哎哟！天晓得！……冤枉的！冤枉的！我不曾抢！抢是犯法的！……先生，我不曾抢……我更不曾杀人！先生！冤枉的！……"

这个人在北区署里显然已受过某种压力，这时因着汪探长的眼光和声调的威胁，便出现这个神经性的现象。霍桑是最诅咒警务和司法人员惯例的问供方式的——尤其是对于一般劳动阶级。他站在保障人权的立场上，不知已发表过多少次抗议和呼吁，可是"人微言轻"，效果等于零，连多年相处而时常给予助力的汪探长，也不曾收得规劝告诫的成效。这时他分明动了些肝火，把严冷的眼光向汪银林瞥了一瞥，又举起手来挥一挥，显然是不客气地阻止他再问。

他婉声向阿三说："喂，你不用害怕。没有人冤枉你。你只要老实说明这皮袋究竟是怎样得到的，我们决不难为你。"

阿三的反应很使我满意。他的眼光从汪银林脸上移到我的朋友脸上时，恐惧色彩已消释了一半。他答话时的声音和眼光也安宁了些。

他说："先生，我说的本是老实话，可是……他们……他们……"他的眼光又胆怯地向那个押解的秦巧生瞟了一瞟："他们不相信——他们硬说我是抢来的，还说我——"

霍桑阻止他说："好，现在你但说明白怎样得到这袋的就行。"

阿三连连点头道："好，好，先生，我早已说过，这袋我是在通州路和岳州路转角的阴沟边拾起来的。别说我不曾抢，更不曾杀人，连谁丢掉的也不知道。要不然，我准会还给那个人——"

汪银林报复似的说："你说得好堂皇！不知道谁丢的，你就可以把它藏起来？是不是？"

阿三又受了一次威吓，他的头颈好像又短了一寸。霍桑就再度解围。

他说："那么你在什么时候拾到的？"

阿三说："在昨天早晨，天还没有亮足。先生，我前天做夜班，在马路上荡了一夜，没有做几角钱生意。我荡到通州路转角，停下来歇一歇，忽然看见车杠下面有个黑色的东西，拾起来一看，是一只女子用的皮袋。我还等了一会儿，没有人来找，我才带了去交班。"

"袋里还有些什么？"霍桑指一指桌面，又补一句，"除了
这些东西以外。"

阿三说："还有一张五元钞票，六个双角，十几个铜板——
我都花掉了。"

霍桑沉吟了一下，又说："照理，你拾得了东西，应得送
到警察局去，不能就算作自有。你怎么还拿了笔去当钱？"

阿三舔舔他的嘴唇，答道："先生，我实在太穷了，前夜
的生意又不好，我才……我才……"他羞窘地停住了。

又是一件凶案

霍桑不再追问，显然对于那车夫的供述已经接受。他立起
来走近书桌边去，拿起皮袋细瞧。汪银林有些失望，向秦巧生
挥挥手，叫他把阿三带过一旁。我仍坐着不动，心中也感到失
望。因为根据我们先前的推想，手袋是被抢的，那抢袋的人刺
伤了丁惠德，庄爱莲又是死于同一把刀，那么这抢袋人也许就
是杀死爱莲的真凶。现在据阿三说，袋是拾到的，不是他抢来
的。我们观察他的声音状态，说话也不像虚假。那么这个发现
依旧是于事无补。

这手袋怎么会留在路边？不是凶手因着王福的追赶，为缓
兵之计，才把抢得的皮袋丢下来，而王福在匆忙中，虽说曾找
寻过，但手袋是黑的，又是夜间，他终于忽略了不曾瞧见吗？

我的沉思，忽被霍桑的略略含些惊惶的声音所打扰：

"唔，这夹层里还有一封信呢！"

我跳起身来，看见霍桑正从皮袋的夹层中抽出一个淡绯色
的小小的信封来。封面上有两行钢笔字，笔迹很细小，写着

"元芳路新裕里七号丁惠德女士收",左面下角似乎还有两个小字,却被霍桑的大拇指掩蔽着。信是快递的,邮印是八月八日十四时。我正要从霍桑手里接过来瞧瞧清楚,忽见霍桑敏捷的手指已将封套中的信笺抽了出来。他的眼光只在信笺上瞥了一眼,忽而又失声惊喊:

"哎哟,这真是一种意外的发现!"

这一次惊呼更突兀,我没有预防,料想信中必有惊人的消息。我急急挤近些。汪银林也站起来凑过去。那信纸是白色的,上面有两行草书,却是铅笔写的。上面写着:

八日(星期六)晚间十一点半钟,请到舍间一行,有关于曼之消息奉告。请勿失约。

霍桑忽回头向我道:"包朗,我真得向你道歉哩,你的直觉观念有时候真有不可思议的效验。我的神经才是太迟钝哩。"

我还没有作答,汪银林已抢着说话。

他疑讶地问道:"霍先生,怎么一回事?"

霍桑答道:"昨天早晨,包朗兄一听得两件案子发生的地点距离很近,便说这两件案子有相互关系。我当时还反对他。后来因着时间和刀的证明,才觉得有间接的关系;昨夜里我们看见计曼苏到医院里去,才知道这关系是直接的。现在我们又知道这两个女子也是彼此有关系的。你想这里面的关系该是多么深切啊!"他说时把信封上左下角的两字给我们瞧:"瞧,这'莲寄'两个字,不是寄信人的具名吗?不就是庄爱莲寄给丁惠德的吗?"

汪银林诧异地说:"哎哟,谁想得到!两件事竟会是一件事！"

我也惊喜地说："唉，不错。不过我也有几分疏忽的过处。昨天我见丁惠德时，如果问一问伊前晚在通州路上被劫本是往哪里去的，也许早就可以知道她们间的关系。"

霍桑说："这果真是你的疏忽。你想伊既然说住在元芳路新裕里，但在夜间十一点半钟的时候，还在通州路上向北进行。伊究竟有什么勾当，实在有查问的必要。"

大家静了一静，我又问道："庄爱莲既然写信约丁惠德去，怎么伊自己忽然被人杀死？丁惠德也同时受伤遇劫？"

霍桑的左手仍执着信笺，右手抚着他的下颔，低着头不答。

汪银林忽代替作答："这件事如果不是偶然，我倒有一个意见。"

霍桑仰面问道："什么意见？"

汪银林说："我以为内幕中另有一个人和这两个女子过不去；或是那人和另外一个人结怨，却打算从这两个女子身上间接地泄愤。所以他假造了一封信，引丁惠德去赴约，那人却乘势行凶，以便一举两得，因而才造成这样的结果。"

霍桑问道："你怎么知道这信是假造的？"

银林答道："那是显而易见的。信封和信笺的纸质和颜色都不同，这是一种证据；信封用墨水笔写，信笺却是铅笔，又是一种证据。故而我以为那信封也许果真是爱莲的笔迹，却被什么人从中取得，就此诱丁惠德出来。"

霍桑摇摇头，说："你这话不免似是而非，信封和信笺的纸质和颜色虽然不同，但不能算作两个人的确证。字迹是否出自两人，那必须用专家的眼光仔细下一番察验功夫，才可断定。"

汪银林正在自觉得意，忽遭受了霍桑的驳诘，不无有些扫兴。他懊丧地坐下去。

霍桑又含笑说："你不要生气。其实你的观察即使不错，情理上还有一个显著的矛盾点。"

汪银林瞠目地问道："什么矛盾？"

霍桑答道："依你的话说，丁惠德是受了另一个人的骗，才去赴约，那么庄爱莲当然是不会知情的。但你怎么忘记了，那阿金说过爱莲在前晚偷偷地下楼，分明是等待什么人。这不是和你的设想矛盾了吗？"

汪银林呆了一呆。他咬着他的厚厚的嘴唇，想要答辩。

霍桑举手止住他："现在我们不必空谈。时机不可失，我们应立刻往同济医院里去问问丁惠德。伊同死者和计曼荪的关系究竟是怎样一个程度。"

汪银林说："对，照现势而论，那计曼荪无论如何终有关系。我想不如趁早把他捉住，用他的指印来对一对，免得他闻风逃走，又像申壮飞那么费事。"

有一个值差的走过来报告汪银林，南区署王巡长在外面有什么报告。银林就匆匆出去。霍桑回头向江北阿三瞧了一瞧，又婉声慰藉。

他说："你不用害怕。手袋你既然不是抢劫来的，你当然无罪。人家如果再硬说你，那是违法的。"他向旁边的秦巧生瞟了一眼。巧生有些发窘。他又向阿三说；"不过你拾得了东西藏匿不报，也违反了警律。以后你不可如此。"

阿三感激地说："先生，以后我一定不敢。"

我低声问霍桑道："他果真是拾得的？"

霍桑也低声答道："这没有疑问。他不像是行凶的人，所说的地点也符合。"他忽张着两目向着门口，高声叫道："银林兄，你得到了什么消息？怎么竟这样子惊慌？"

汪银林急步过来，喘息着答道："霍先生，这消息真是想不到。申壮飞有着落了！"

"唔，在哪里？已经捉住了？"

"用不到我们去捉。他已被人谋死了！"

这一句说话不但出于我的预料，连霍桑都震了一震。消息真是太突兀，而且使疑障上又加上了一重疑障。

汪银林不待我们诘问，继续说："今天清早，有人在宝兴路北段的一条小沟里面发现一个尸体。那人是被勒毙的，长衫衫裤都已被剥去，但一顶已经踏破的草帽留在沟里，帽子里面有申壮飞的名字。南区署得了这个消息，就来通知我。"

霍桑很着急似的问道："尸体现在在哪里？"

银林道："此刻还在那边沟里。尸体本来是用废物掩蔽的，好像已经搁了好久，有些腐化。现在他们正在等检察官跟法医去检验，大概还没有移动。"

霍桑点了点头："既然如此，我想先往那里去看一看。"

汪银林说："好，王巡长在外面，可以陪你去。我在这里料理一下，马上就来。"

我说道："那么谁往医院里去问丁惠德？要不要还是我去？"

霍桑应道："你去也好。"他拿起了草帽，又喃喃自语："一波未平，一波又起，真教人应接不暇！"

我们出了总署，各走各路。我雇了黄包车一直往闵行路同济医院。

这案子真是太不容易捉摸。我们费了一天和半夜的工夫，好容易探出了几条线索，把两案合并为一，渐渐有些轨道可循。不料申壮飞又被人谋死了，真像治理乱丝的当儿，才刚得一个头绪，忽而又中途断折。据汪银林看，申壮飞本是案中的主要人物，现在他本身被人谋死，不但线索中断，凭空又添出一个凶手。并且壮飞既死，前两案的曲折秘密也丧失了取证的因素，不是更加棘手吗？若说壮飞是自己寻死的，畏罪自杀，还比较近情，现在他偏偏也是被杀的。这杀他的人是谁？有什么目的？复仇灭口，还是另有原因？霍桑所说的"应接不暇"，的确毫无夸张的成分。

往复的沉思结束了我的行程。这一次我进医院，并没有上夜的那种麻烦。我见丁惠德已起身坐在床上看报，身上穿一件麻纱的反领运动衫，下半身仍掩覆在雪白的被单里面。伊的额发已加整理，我才看见伊的后面的头发编组地盘在颅后。一个十三四岁的小使女坐在伊的床边。伊的脸色虽还焦黄，精神却比昨天爽健得多。伊见我进去，放下了报纸，呆了一呆，似乎又出意料。

我赔着笑脸，说："丁女士，今天更好些吗？我特地来问候你。"

丁惠德勉强含笑答道："谢谢先生，好多了。热度已经退净，不过这里还有些痛。"伊用右手指指伊的左肩。

我同情地说："是的，那当然要休养几天。"

伊说："刚才我妈跟哥哥又来过一次。我本打算就一同回去，但医生说至少还得静养一天。故而我准备明天回家。"

我道："唔，在医院里休养更方便些。"我略顿一顿，又问："丁女士在爱华体专几年级？"

"三年级。"

"唔，你是不是贵校的出席学生联合会的代表？"

伊向我瞧瞧，摇头说："不是。不过在开联席会议时，我也列席过。"

我乘势问道："那么沪江大学的代表计曼苏，你总也认识？"

那女子的黑眸又仰起来向我一瞥，点点头说："是的。他是我的表兄。"

唔，这倒超出了霍桑的猜测。他们的关系更密切一层哩。

我又问道："除了令堂令兄以外，可有没有别的人来瞧过你？"

丁惠德的敏慧的眼睛突然斜过来，在我的脸上瞟了一瞟，立即又沉下了。

伊摇头道："没有啊。"

我直截地说："计曼苏也没有来过吗？"

伊的焦黄的脸上泛出了一丝红霞。伊的头沉得更低了。

伊答道："没有。"

这显然是谎话。伊为什么说谎？不是为着要掩护某种秘密吗？我觉得眼前还没有揭破伊的秘密的必要。

我又问道："那么你和庄爱莲也是亲戚吗？"

丁惠德顿了一顿，头依旧低着，应道："不——不是亲戚，是朋友。"

我道："唔，但前天夜里庄女士不幸已被人杀死。你也知道了吗？"

伊点点头："知道的，刚才我已在报上看到。真可惜。……真奇怪。"

我忙问道："奇怪？为什么？"

丁惠德踌躇了一下，才说："因为前天晚上爱莲本来约我到伊家里去的。"

"喔，那么你在通州路上遭劫，就是要到庄家去？"

"是的。前夜里我先到华光电影院里去看电影。到十一点半相近，我从戏院里出来，往爱莲家去。不料快要到时，遇着那个匪徒，劫去了我的手袋，又险些送我的性命。今天读报，才知道爱莲就在那时候被人杀死。我觉得非常奇怪。"

"丁女士，你对这件事有什么意见？"

伊又沉吟了一下："我猜想那行凶的人，也许就是劫我手袋的人。"

我同意说："是，我们也正这样推想。但你想那行凶的是个什么样人？"

伊摇摇头："我说不出什么。因为爱莲的交游很广，我和伊还是初交，不知道底细。"

病室中的窗虽都洞开，近午的热度又在逐渐增高。伊似乎感到闷热，额角上蒸发出细粒的汗珠。那小使女忙送上一块手帕。伊接过了，慢慢地抹着伊的额角和敞开的粉颈。伊的胸部丰满的双峰似乎也起伏得快了一些。

我问道："前天晚上那个劫你手袋的凶手，究竟是一个何等样人，你可能给我们什么指示？"

丁惠德答道："我只觉得那人身材短小，头上戴一顶白色的草帽，身上穿一件灰色的长衫。"

"你没有瞧见他的面貌？"

"没有。"

"就从他的身材上推想，你的熟识的人们中，可有相同身材的人？"

伊又垂着头思索："没有。我实在想不出那个人是谁。"

我略顿一顿，又问道："丁女士，你平日可有什么冤家？"

丁惠德摇头道："我从来不曾得罪过人，不致会和人家结什么怨仇。"

"你和庄爱莲的感情怎么样？"

"我们是很融洽的。不过我已经说过，我们是初交，也说不上有什么深厚的友情。"

"那么前晚伊约你去，你可知道有什么事情？"

惠德再度抹着额汗，低声说："伊写信给我，说要和我谈谈我表兄的事。"

"就是计曼荪？谈些什么事？"

"我不知道。信上没有说明。"

我企图做进一步的探索，又说道："我听说曼荪和爱莲将要订婚，你可知道？"

惠德缓缓答道："我也听到这样说。"伊略停一停，又补充说："也许就为着订婚的事，爱莲要知道表兄的往史。因为他们的交谊还不过两三个月。"

伊又抹着迅速蒸发的汗珠，微微地呼着气，似乎有些倦乏。我觉得在退出以前，应得将发现手袋的事约略地告诉伊。伊一听到这个情报，突然抬起头来，脸上露出一种惊异的神气：

"喔，你们已经捉住那个凶手？"

我答道："不，很可惜。那人是个拉车的，袋是他从地上拾到的。"

伊点点头，不再答话。伊的头又垂落了。

我又问："丁女士，有个上海大学的申壮飞，你可也认识？"

伊摇头道："我不认识。"

"还有个宋梦花呢？"

伊不再回答，但摇摇头。伊似乎支持不住，把身子靠到后面的大枕上去。

隔室中的谈话

这时有个穿白制服的女护士端着一杯牛乳进来。我觉得我的调查任务已有了相当结果，就趁势告退。我走完了那条静静的甬道将近走到楼梯，猛见一个人匆匆从梯上一步两级地奔上来。我定神一瞧，急急将身子一闪，直前向甬道的那一端走去。上楼的就是计曼苏。他已换了一套米色条纹的派立司西装，显得很英俊。他不是又来瞧丁惠德吗？果然，他一直走到丁惠德的病房门前，轻轻叩了两下，便推门进去。

汪银林不是说要拘捕他吗？怎么他此刻还行动自由？我要不要打一个电话给警署，免得再耽搁误事？我决定了主意，就悄悄地向护士室中借打了一个电话。然后回到丁惠德病室的门前，恰见先前那个护士走出来。

我的机会比上夜里霍桑所遭遇的强得多。那小使女并没有被遣出外。隔家二〇八号又恰巧已经空了。医院的病室照例是没有锁的。我见那护士走远了，左右无人，便溜进了二〇八号。

那里有一扇门和丁惠德的一室相通。我就把耳朵凑在钥匙孔上。隔室中两个人的谈话声很清楚。

计曼苏说："我昨夜里的确来过。你不信，可以问小梅。"

静默了片刻。接续的是丁惠德的声音：

"你忙得这样？匆匆地就走？"

"你又误会了。你睡着，那护士不许我叫醒你。我坐了一会儿，护士说，医生希望你好好地睡几个钟头，叫我今天再来。你怎么还抱怨我？"

唔，昨夜里曼荪虽进病房，却不曾和惠德交谈过。那么刚才惠德并不是说谎，我倒冤枉了伊。我又听得计曼荪的解释：

"惠德，我老实告诉你，自从前天半夜你妈差人到我家里去找你，我就很担忧，想不出你会到哪里去，但不料你会遭遇这个变端。昨天早晨我赶到你家里去，你妈和哥哥还不知道你的下落。我的心更着急。直到昨天午后，偶然看报，才得到你遭劫的消息。"

"那么，昨天午后你也就可以来了。"

"原是啊，可是……"他的语声忽而吞吐，好似有什么话隐藏着说不出来。接着他又说："我因着有别的事情，不能分身，直到晚上九点钟以后，方才雇了汽车赶来。可是你恰巧睡着，护士不许我叫你——"

"喔，你有什么事不能分身？是不是给伊料理丧务？"

"不是，唉，不是。伊的丧事何必要我去料理？你不要再误会。"

"那么，你所说的别的事情我倒很想听听。"

又是一度静默。我暗暗地辨味，惠德的语气中好像含着些酸意。

"惠德，我老实说吧。昨天下午我本来就想赶来的，可是我不能出门。"

"不能出门？这倒奇怪！"

"真的，因为有两个侦探监视在我家门外。我不便出门。"

"喔，为了什么？"语声忽变换了，好像带有恐怖的成分。

"你总已从报纸上看到爱莲是给人用刀刺死的。警察们显然怀疑我。"

伊没有回答。但隐约间我听得有叹息声音。不过我辨不出这叹喟是他的还是伊的。

一会儿，计曼苏又继续发问：

"惠德，你在前晚夜半，怎么独自在通州路上？"

"我瞧过了电影，本来打算去看爱莲的，因为爱莲约我去，说有关系你的事情要和我谈。"

"什么？爱莲约你去？"

"是的，伊写信约我的。我走到鸭绿路口，那个强盗就冲出来。他猛力地刺我一刀，又抢去我的手袋。我立即晕倒，也没有看清楚那个人。我本以为今生再没有见你的机会了。到了医院以后，我曾略略地苏醒；后来经过了医生的手术，我又一度昏晕。现在差不多已是第二世了！"

一阵唏嘘之声填补了静默。停了一停，计曼苏的疑讶声调又送进我的耳朵：

"爱莲为了什么要在半夜约你去？"

"伊的信上说，要告诉我关于你的事情。"

"关于我的事？关于我的什么事？"

"我哪里知道？据我意料，也许……"

"也许什么？"

"也许伊布置了什么圈套要谋害我。"

室中又静了一静。接续的是曼苏的感喟：

"可是伊害人自害，终于送了性命！"顿了一顿，他继续说："好了。伊既然死了，我们别再谈这些事。现在你觉得怎么样？可还有痛苦吗？"

"痛还有些，但是比昨天轻得多。……曼苏，你想爱莲的死——"

这时候猛听得隔室中开门声音，接着的是重浊的脚步声，好像不止一个人闯进了二○九号病室里去。

有一个男人高声说："你是计曼苏？……好，请你往警署里去一趟。"

"什……什么事？"这是计曼苏的骇叫。

"要问你几句话，回头你会知道。"

丁惠德的骇呼声浪破空而起："唉，什么事？你们为什么捕他？你们为什么捕他？"

那尖锐而颤栗的声浪，在隔室中颤动，仿佛要波及这二○八号室。我不忍再听，就悄悄地溜出来。

我从同济医院里出来的时候已过午膳时分，因着心有所寄，忘却了饥饿。我先打一个电话到寓所里去问问，霍桑还没有回寓。他往宝兴路去验尸，也许继续着到什么地方去侦查，一时势必不能回来。我打算顺便再往计曼苏家里走一趟，倘然有机会的话，或者可以从仆人们嘴里探听些消息。因为申壮飞被人谋害，似乎就在昨天夜里。计曼苏昨夜离了医院什么时候回家是一个问题。我若能向他家的黑脸的守门人问几句话，也许可以知道昨夜里曼苏是否直接回去的。假使他回去时很晚的话，这里面就很可疑，或者他对于申壮飞的凶案竟也有些关系，也说不定。

我仍雇了一辆黄包车，正午的阳光开始发挥威力，空气都给炙晒得热腾腾的。我虽坐在车上，汗液仍挤过了草帽的皮边流下来。我体会到车夫的脚底上所感觉的柏油路面的热灼，心中很觉不忍。我遐想着我们的国家几时能进入新的阶段，这种非人道的交通工具几时能够废止，一般劳动同胞几时都能够获得较合理的劳动？我越想越觉不安，打算跳下车来步行。

　　唔，我的步行的企图果然得到遂行了。车子转入德州路口，忽见有一个穿短衣的人在人行道上急走。我的眼睛偶然在他的脸上一瞥，好似很相熟的。那人穿一身黑香云短衫裤，头上巴拿马草帽，不像是上流人物。经过一度回想，我不觉怔了一怔。我记得那人就是昨晚上送计曼苏往同济医院去的司机。

　　我无意中遇见这人，心中说不出的欢喜。因为他也是向来和计曼苏相识的。要侦查计曼苏的行动，这个人未始不是一条线路。我忙叫车夫停车，给了他加倍的车资，反使他有些莫名其妙。

　　我悄悄尾随在那司机的后面。那人进了德州路，不到七八个门面，就走入一爿招牌叫作飞马的汽车行去。我走到对面，停了脚步。车行的对门有一爿鞋子店。我装作瞧那橱窗里的鞋子，却偷偷地回头去瞧。那汽车行里面只剩一辆汽车，别的大概都出差去了。我瞧那留着的一辆汽车，恰巧是一〇九二号，就是昨夜计曼苏坐的一辆。

　　我打算就雇他的汽车，回到爱文路去，趁势探探他的口风，也许比向那黑脸门房问话更有把握。主意定了，我就穿过街面，向一个坐在门口的老头儿招呼：

　　"我要雇汽车。有没有空？"

　　那老头儿向我打量了一下，见我身上穿着白法兰绒的西装，白麂皮的鞋子，还像一个坐汽车的人，便立起来含笑答话：

　　"先生，你来得巧，早一刻来，就没有人开你出去。"他说着便回头向里面叫道："秋生，有生意呢。"

　　那时那个穿香云纱衫裤的车夫已走到了里面去。不一会儿秋生已答应着从后面出来，立刻将汽车门开了让我上车。我告诉他往爱文路。他就开动机轮驶出车行，向西面驶去。

一会儿，我就开始搭讪："我向来是坐成利泰车行的，但听得计曼荪先生说，你们公司里的车子有几部很轻快，所以今天来试一试。"

秋生道："喔，你认识计少爷？"

我说："他是我的好朋友。你不是常常替他开车的吗？"

秋生摇头道："不，他是马阿大的老主顾。"

"唔，马阿大？"

"是的。计少爷手面很阔，阿大着实挣了些钱。"

我乘势说："他跟女朋友坐车子的时候酒钱更不会少，是不是？"

秋生忽旋转头来向我笑笑："对。有个庄小姐常跟计少爷一起玩。阿大说，庄小姐的手也很松。"

"唔，他们俩近来也常来雇你们的车子吗？"

"最近可不大来。"

"计少爷也不来雇？"

"唔，昨夜里计少爷也来雇的。我做阿大的替班，开他兜了一个圈子。"

"兜风吗？"

"不是兜风。他到同济医院里去，叫我在闵行路东端停一停，后来我就送他回去。"

"就送他回去？没有往别处去？"

"没有。"

"那么你为什么要停到闵行路东端去？"

"他叫我不要停在医院门口。"

"为什么？"

"我也不知道。"

我未免失望。他和申壮飞的案子显然是没有关系的。并且据我刚才在病房中听得的，前天夜里有人去敲门，就是丁惠德的妈，因着惠德的失踪，差人去探问。他昨天清早出去，也只是到元芳路去探访丁惠德的消息。（霍桑先前假定他到同济医院去，还不完全确切。）那么曼荪不像是凶案的主角，和我们料想的见解不符。他此番被捕不是冤枉的吗？我刚才的电话不是也有些冒失吗？可是他又为什么鬼鬼祟祟，行动诡秘？假使他问心无愧，没有不可告人的事情，又何必如此顾忌？即使人家错误地怀疑他，他也尽可以坦白地说明情由啊。

汽车进了爱文路，我觉得不便让它停在寓所门前，直到开过寓所二十多家门面，才叫他停车。秋生得了并不失望的车钱，便高兴地回去。我也缓步踱进七十七号里去。

拘　捕

霍桑仍旧没有回来。我不再等他，就叫苏妈备饭。我孤独地吃完了饭，吸着一支纸烟，身体有些疲倦。天气闷热得厉害，风好像给热力融化了，消散得没有影踪。我上楼去开足了窗，在榻上闲躺一会儿。这样的热天，霍桑还在外面奔走，他的负责和努力可算是无可疵议的。假使他能够揭破这件疑案，虽然劳碌一些，还算值得，只怕曲曲折折，终于陷进了迷谷，那不是太扫兴吗？而且在舆论方面，不是也会影响他的盛名吗？

我因着夜来失眠，精神很疲乏，又经过了会儿没结果的思索，不知不觉给睡魔乘虚攻袭，把我拖进了睡乡。我醒来时已是五点多钟，听听楼下，仍旧毫无声息。我叫施桂上来问问，据说霍桑已回来过两次，即刻又出去了。

我不悦地说："你怎么不叫醒我？"

施桂说："他第一次回来时，你才刚睡着，我不敢惊动你。第二次回来，我本来打算上楼来叫你的，霍先生不许。他说姑且让你休息一会儿，以便晚上你可以帮助他破案。"

我不禁惊异地问道："他说今晚上可以破案？"

施桂点头道："是的。霍先生说，不出今天半夜，凶手可以就捕。"

我兴奋地再问："谁是凶手？往哪里去捕？"

施桂张大了眼睛："这倒不知道。霍先生没有说。"

我又感到失望："他回来了做些什么事？"

施桂答道："他第一次回来，先在书室里弄了一会儿提琴，打了几个电话，就匆匆出去。第二次回来，他又到化验室里去，不知忙些什么。忽然有一个电话来叫他，他又赶出去。"

"可有别的说话吩咐你？"

"霍先生临走时留一张条子在楼下写字台上。"

我不再多问，忙走到楼下书室中去。果然在书桌上的乱纸旁边有一张字条，给一条雕镂的铜尺镇压着。那纸上写着：

朗兄：

谋害申壮飞的凶手，我已经查明，此刻得到电话报告，已给南区分署捉住，我还须去证实一下。你不妨就在寓里消遣一会儿。据我料想，全案的结束大概就在今夜。

霍桑

谋杀申壮飞的凶手已经捉住了！一个疑团已算打破，不能不佩服霍桑的敏捷。可惜他不曾说明白，还让我困迷在葫芦中。他要去证实一下，大概他所说的凶手还只凭着设想，没有确定，他为审慎计，所以不肯轻易地说出凶手的姓名。他又说全案的结束就在今夜，这话更含混了。所谓全案，是指庄爱莲的凶案和丁惠德的劫案一起说的吗？这两件案子果真出于一人之手吗？他能在一举手间便可以使全部结束吗？我又拓展了思路：这两案的主凶究竟是谁？计曼苏？宋梦花？还是已死的申壮飞？或者竟就是谋死申壮飞的人？或者还有出于我设想的人吗？

太阳已经偏西，热度还减不了多少。我反复忖度了好久，到底寻不出结果。我用吸纸烟的方法来消遣我的无聊。一会儿，我又随手把书桌上的乱纸翻弄。有一张纸上，写着计曼苏、宋梦花和丁惠德的姓名，姓名不止一个，大大小小，正草俱全，中间还用线条纵横错综地画着。另一张纸上写着不少1919的阿拉伯字，显然是信笔乱写的，可见霍桑那时候的心绪还是非常紊乱。那么转瞬间他何以就有把握？我连续抽完了三支纸烟，仍没有头绪。信息也依旧杳然。我觉得耐不住静寂，踱到窗口去闲眺。

天色已渐渐暗下来。西方的天空中，余霞还殷红如火。一队队的归鸦划破了霞光，回它们的老家里去，一路还哑哑地唱着。我目注天空，忽然记得施桂说过，霍桑第二次回来以后，曾在化验室里忙过一会儿，我就转身进化验室去。

化验桌子上有些杂乱无章，显微镜，照相机，铅粉瓶，剩余的照相纸，放大镜，都乱挤在一起。另外有一只白瓷的茶杯，用白纸盖着，好像不是我们原有的东西。我揭开了纸，杯中空无所有。我把鼻子凑到杯子上嗅嗅，嗅不出先前放过什么东西。这是霍桑带回来化验的吗？化验的是什么？这件凶案中难道还夹杂着毒药？我的思索的结果只是加重些我的烦闷。

晚膳时分霍桑仍不回来。我忍耐不住，打个电话到警察总署里去。那个值差的周番回答，霍桑和汪探长到宝兴路那边去搜寻赃物了。

这是申壮飞案中的赃物吗？这一案究竟有关系吗？他们这样子加紧地进行，怎么不让我参加？不，霍桑既然说过要我帮助破案，绝不会让我有头无尾地置身局外。我只索再耐心些等他的消息。

消息直到十二点钟敲过才到。当我将电话听筒拿起来时，几乎要开口就来一阵牢骚：

"包朗，我是霍桑。对不起，劳你久等了。可是事实上不能不等，我自己也烦躁死哩。"

他先来一个道歉，倒使我不便发作，而且也许真有不得不等的理由。

我说："唔，现在怎么样？"

"请你到德州路口去帮忙。"

"帮什么忙？"

"自然是捉凶手。"

"唔，凶手在哪里？"

"德州路飞马汽车行里。"

奇怪，凶手会在飞马汽车行里！

我又问道："凶手是谁？"

霍桑说："此刻我不便说。你到了那里，自然可以知道。"

"哼，你还卖关子？"

"喂，你别误会。你就出来吧，在德州路口会集。"

霍桑的报告既然还隐隐约约，我也不愿再空费心思。我在短时间中装束定当，向施桂说了一声，就从寓所中出来。

夜风习习地活动了，把白昼的炎威扫荡净尽。我步行时觉得凉爽舒适。

我走到德州路时，马路上乘凉的人大半散了，路上已很冷静。有几家店铺已在收市关门，只有那飞马车行的门依旧开着。我从车行门前走过，瞧瞧里面，停着两辆汽车，但估量空着的地位，还有三四辆车没有回来。车行里壁上挂着的一只大钟，已指着十二点三十五分。我走过去以后，向左右瞧瞧，不见有什么守伏的人。只见车行门前那个身体结实的老头儿躺在一张藤椅上乘凉。我离开几家门面，立定在一根电线杆的后面。我挨过了半点多钟，不见什么动静，心里又有些不耐。霍桑约我来了，自己反迟迟不来，这算什么意思？

又过了一刻钟光景，忽有两辆汽车，先后驶进了车行。这时路上的行人也绝迹了，但仍不见霍桑出现。

那凶手究竟是谁？据我所知道的，只有一个秋生，一个马阿大，都是和计曼苏认识的。难道这两个人中间有一个就是凶手？霍桑从哪一条线路知道的？我忽记得计曼苏已给捉进警署里去，霍桑总已向他问过口供。他也许就是唆使的主犯。他既已照实供了，霍桑才知道那凶手就是这汽车行里的车夫。

我从电灯下瞧瞧手表，已是一点三刻，可是依旧不见霍桑的面。两点敲过了，最后一辆汽车，也已回进了飞马车行。接着有几个人就把车行的门关起来，准备要安睡的样子。

我等到几时呀？这不单是出独角戏，还是一出哑巴戏！好像霍桑故意跟我开玩笑，让我一个人来演傀儡的哑戏！可是事实上当然不会如此。

又过了六七分钟，剧情有些开展了。

一个穿黑色长衫的人从北面走过来，在走近车行时，蹑着足尖地走。唔，这一出武剧大概要开场了。我起先以为那穿黑衣的人就是霍桑，瞧他行路的姿态，又觉得不像。我从电杆背后走出来，悄悄地跟在那人的后面。那人到了车行门前略略停步，向门缝中窥探了一下，又继续向南进行。这人大概是一个探伙，本来派在较远的地点，我起初没有瞧见。

我重新走到车行门前，里面电灯依旧亮着，还有谈话声音。我看见有一条很阔的门缝，正想向里面探听一下，忽觉得我的肩膊上被人轻轻拍了一下。我回转头来，看见另一个浑身墨黑的人，是汪银林。他向我招招手，就转身退去。我跟着他走。到街对面的电杆旁边，他方才立定。

我低声问道："霍桑呢？"

银林附耳答道："回去了。"

"回去了？怎么？"

"他另有任务。这里的事我们尽可以对付。"

另有任务？太奇怪！我真模糊了。

我问："现在怎么办？"

银林说："我们就在这里等一等。"

"等谁？等霍桑来了再动手？"

"不是。等凶手。"

这时那黑衣人又从南面回过来，走近汪银林身旁，低声报告：

"电话打过了。"

"打通没有？"

"通。霍先生接的。"

"好，你到那边去等。"汪银林向街角指一指。

那黑衣人听了银林的命令，点点头走过去。我仍旧在闷葫芦中。

我又问："银林兄，究竟怎么一回事？霍桑既已回去，为什么又打电话给他？"

银林说："他跟我约定的，等凶手回到车行，就通知他。"

"为什么？"

"他要通电话给凶手，引他出来。"

我仍摸不着头绪："我们不能进去捕捉吗？"

汪银林摇摇头："不能。霍先生说，一定要等他自己出来。"

这又是使人无从索解的一点。这车行竟是特殊的禁地，连法律的权力都达不到吗？

时间一秒秒地过去，我们默默地等着。凉风飒飒地吹袭，身上感觉的不单是凉快，简直已越过了凉快的限度而有些凛然了。我的满肚子的疑团，在盲目的等待中，几乎要耐不住地爆裂。汪银林频频用手抚摩他的胖颊，显然也感到不耐。我们这样子等……等……要等一辈子吗？

不，剧情的高潮开展了。对面车行的门开了半扇，有一个身材短小穿白色短衣的人，探头出来，向左右望了一望。银林急急将我拉到电杆背后，静伏着不动。那白衣人好像看见马路上并无危险，就提着一只小皮箱，从车行里走出来。另有一个人替他关门。那短衣人再度小心地瞭望了一下，就向南急走。将近到华记路口，他正打算向东转弯，汪银林和我早已急急地跟在后面。银林追上一步，突然发出一个命令：

"阿大，慢些走！"

这命令声显然使那人大吃一惊。他停了脚步回转头来，可是只是一瞥，接续的是一声惊喊，便回头向华记路奔去。转角上早有两个黑衣人埋伏着，这时并肩地闪出来，阻住了阿大的去路。阿大前进的路线断绝了，索性旋转身来，丢下了皮箱，举着拳头直向汪银林扑过来。银林也早有准备，把肩膊一偏，就张着两臂迎过去。一转瞬间，两个人便扭作一团。

我自然不能袖手。可是我走到二人的近旁，汪银林忽然倒在地上，分明敌不过阿大。我挥起一拳，击中了阿大的后颅。他晃了一晃，便回身来跟我周旋。幸而两个探伙早也奔过来相助。阿大的确很矫捷，一个拳头飞起来，第一个探伙不及回手，便仰跌在人行道上。

第二个人又扑过去。阿大把身子一蹲，那探伙反自己覆倒在地上。

我见他连败三人，显见不能轻敌。我虽然会打几套拳术，但时机既急，不容稍许犹豫，力敌似乎不是上策。我摸出手枪，照准他身体的下半部发了一枪。第一弹没有打中。但第二次的枪声一响，阿大刚想拔步的脚已站立不住。他又晃了几晃，终于倒在人行道的边际。

汪银林和两个跌倒的探伙已经爬起来。另有一个人也从德州路那端奔过来。汪银林拍拍他的黑纺绸长衫，俯身将阿大扶起，又取出电筒来照照。我的枪弹打中在他的小腿上。

汪银林低声说："还好。……李庆，快把汽车开过来。"

最后参加的一个探伙应了一声，便急步向北面退回去。我才知德州路的北面，另有汽车和守伏的人。这一次的布置是相当周密的。

银林取出手铐将阿大铐上，又低声说："霍先生要用电话

引这家伙出来，也许就想免除一番殴斗。包先生，你这两枪没有惊动他的伙伴们，还算巧事。"

我不回答，细看那马阿大的面貌，一双怕人的黑眼，给两条刀形的粗眉罩着；黝黑的脸上筋肉偾起，一张厚唇的阔嘴，更象征他的凶暴残忍。他的身材虽矮，却坚实有力，他的裤脚管上染了一摊红色。两辆汽车已从德州路那面驶来。一个曾经跌倒的探伙已将丢在路上的小皮箱拾起来，一只手在抹鼻管里流出来的血。阿大这一拳着实有力。

探伙们将阿大扶进了车子，让银林和我上车，又将皮箱塞进了车厢。他们自己坐上另一辆车。

隔一层纱幕

车子开了，阿大的眼睛闭拢了，身子斜靠在车座的一角。银林不理会他，拿起皮箱来搜索。他从箱中摸出一卷钞票，几件衣服，内中有一件旧竹布的长衫，颜色已变成灰暗。他翻开箱子的夹袋，有一个小纸包，包中是一只镶翡翠的戒指。

银林瞧了一瞧，喃喃地说："唉，这戒指是女子的。……唔，一定就是庄爱莲手指上的东西。"他旋转头瞧我："包先生，你还记得爱莲手指上有个新鲜的戒指痕吗？"

我点点头不答。他又从皮箱子底搜出一个皮做的刀鞘。刀鞘的皮已磨得非常光亮。

我不禁惊呼说："这就是那把行凶尖刀的壳子！"

银林高兴地说："是，是一个最重要的证据。"他吐出了一口气："我想现在署长可以打个回电给庄清夫哩！"

阿大似乎已昏晕过去，闭着眼睛，不声不动，身体也斜得要横躺的样子。

我问汪银林道:"你们怎么知道阿大是凶手?是计曼荪供出来的?"

汪银林答道:"不是。计曼荪一句也不肯说。这家伙是霍先生查出来的。"他的眼梢在那微微呻吟的车夫身上掠了一掠。

我沉吟着,又问:"我已经半天没有见霍桑。他用什么方法查明白的,你可知道?"

汪银林皱着眉毛,说:"我也不大清楚。他只说这两件案子,受着同样的刀伤,刀显然是一个要证。他又从刀上推想,知道凶手是一个下流人,王福看见那个暴徒是乘汽车逃去的,他又假定汽车是另一个要证。"

"他怎样知道阿大在飞马汽车行里?"

"这个我也不大明白。我还没有机会问他。"

我停了一停,又问道:"那么他行凶的动机是什么?霍桑可也说过?"

汪银林摇头道:"没有。不过这一点现在已很明白。"他数着手中的那卷钞票:"这里一共有三百二十多元。这戒指至少也可以值百多元。"

我问道:"你以为他的目的果真是图财?"

汪银林一边把东西放回皮箱中去,一边得意地说:"是啊。我早就料到如此。前天勘查时,我不是就这样说过的吗?"

我应道:"是的,我没有忘记。但据你看,经过的情形怎么样?"

汪银林踌躇了一下,像在整理他的思绪。他又瞧瞧车座角里的斜躺的阿大,又像企图让阿大自己供出来,可是事实上又不可能。

一会儿，他慢慢地说："据霍先生的调查，爱莲常喜欢坐汽车——有时跟计曼荪一起，有时候伊也单独坐了汽车兜圈子，因此伊和阿大认识。阿大知道伊有钱，又知道伊的父亲庄清夫和车夫们都已往庐山避暑去，家中除一个老头儿根林，没有壮年男子。他趁这机会便在半夜里进去行劫。"

我说："但爱莲家里当时好像并没有盗劫的迹象。"

银林忽指着皮箱，说："这里面的戒指明明是从伊指上取下来的。钞票也许是爱莲的私款，所以家中人没有觉察。"

我觉得这个解释不大圆满，但并不反驳。

他又自动地补充："我看他大概先去敲门，因为他是熟人，要进门总容易。不料那时候爱莲恰巧在等待丁惠德去约会，还没有睡。爱莲听得叩门声音，必以为就是惠德。谁知开门后，便被阿大结果了性命。那时门已半开，尽可以容一个人进出。阿大就悄悄地进去，窃取了戒指和钱，随即退出来。那时候既然没有呼声，自然神不知鬼不觉了。"

我继续问道："丁惠德的事怎么样？"

汪银林胸有成竹似的说："这又是碰巧。"他指指上半身横躺而呻吟不绝的阿大："他从庄家出来以后，恰巧惠德要走到转角。他就乘势将伊刺了一刀，随即逃到了岳州路，乘了汽车逃去。"

"有什么理由？"

"理由很明显。他不是专诚行劫，一定是惊惶中撞见了惠德，怕伊发觉他的凶谋，才想干脆地灭伊的口，又乘便劫了伊的手袋。后来又因王福的追捕，他不得不丢了手袋逃命。要不然预备了汽车专劫一只手袋，天下没有这样肯下大本钱的强盗。"

我不表示什么，转了话题问起申壮飞的事。

银林说："那完全是另外一件事。霍先生已经把凶手证实。回头你到了警署，可以看看那个凶手。"

汽车到了总署。我还希望听听阿大的口供，但这希望没有如愿。阿大依旧在半醒状态中，立即被送进市立医院里去。我到拘留室中去看那杀死申壮飞的凶手，是个面目狰狞的赤足苦力。银林既说与庄案无关，我也不感兴趣，就辞别了回去。汪银林表示好意，坚持着用汽车送我回寓。我固辞不获，只得领情。

我到达寓所时三点已过十分。楼下书室中的灯光还是亮着。窗虽开着，烟雾还是氤氲纠缠着。霍桑静悄悄地靠在书桌后面的螺旋椅上，闭了眼好像一半养神，一半又在深思。桌上的烟灰盆中，白金龙烟尾累积得几乎由满而溢。夜已深了，四周都已静寂。疑案虽已结束，我的心头只有凄凉，并无欢愉。他见我开门进去，张开眼睛来瞧我，没有说话。

我先说："阿大捉住了。"

他点点头："银林已经有电话来。有口供没有？"

我说："没有。他的腿部被我打中一枪，现在已给送到市立医院里去。"

霍桑略略坐直了些："怎么？你竟开枪？"

我应道："是的。这个人真厉害，三个人都给他打倒。要不是我开枪，银林这班人也许会吃亏。"

霍桑眼睛瞧着书桌："我所以叫你去，就因着你忙碌了两天，结局时如果不让你在场你准会因失望而怨我。但我想不到你会有这一幕剧烈的表演。"他的语声冷峭刺耳。

我有些懊恼："我开错了枪？"

霍桑微微吁出一口气，又慢慢地说："不是。我的意思是这件案子的最后结局，我们俩越少参与越好。"

"奇怪。为什么？"

"你不明白？我正在考虑，结束时的一切，如果让汪银林单独去处理，那最好。"

"我还是不明白——"

霍桑举起一只手阻止我："慢。你先告诉我，汪银林对于阿大有些什么表示？"

我答道："他在阿大的皮箱中搜出了三百多元钞票，和一只镶翡翠的戒指。"

霍桑仰起身来："还有什么东西？"

我说："还有一个小插子的皮壳。银林认为这是一个重要证据。"

霍桑沉默了一下："唔，是的。汪银林对于这案子的动机可曾发表过什么意见？"

我道："他说他早就料到这凶案的目的只为着图财。"我就把汽车中银林所说的见解重复说了一遍。霍桑仅微微点了点头。

他问道："你没有表示什么？"

我摇头道："没有。什么意思？"

霍桑说："没有什么。我已说过，我们最好是不参加。"他的眼睛俯注着桌上的纸件，不声也不动，神气上有些异样。四周便更静悄悄的。

我问道："但你又怎样知道阿大是凶手？"

霍桑仍呆瞪瞪地向我瞧着，似乎他的脑思正集中在某一个问题，没有听得我的问话。我不知道他在思索什么，又换了一个话题。

我又说："计曼苏也已被捕，你知道了吗？"

霍桑但点点头，依旧不答。我想引开他的话头，先将我再度到医院里去的任务做一个报告，说明了我和惠德的谈话，又偷听曼苏跟惠德会谈的经过，因为我也想知道他在整个下午中干些什么。可是这企图还是失败，霍桑仍低垂了眼睫倾听着，有时偶然点一点头，没有表示，也不加批评。等我的语声终了，室中又静寂得可怕。

我忍耐不住："霍桑，怎么？你在想什么心事？"

霍桑仍不答话，摇摇头，又伸手从烟缸中抽取一支白金龙。

我又说："你为什么不开口？今天下午你跟我在总署里分手以后，你究竟干过些什么事？你从哪一条线路查明阿大是案中的凶手——"

有反应了。霍桑忽把指缝中夹着纸烟的手摇一摇，阻止我再说下去。

他说："你要知道我跟你分别以后的经过？那可以。我先到宝兴路去察验申壮飞的尸体，查明了凶手像是个苦力，便到南区署里去指示了一下。接着我又到晴川路宋家去，同样没有结果。我回来时，你恰巧躺下去休息。我因着这凶案没有头绪，心中着实烦躁，就坐在这里，自个儿弄一会儿琴，又静静地思索。思索的结果之一，断定那个实际动手的人，是个身上常带小插子而会开汽车的流氓。要找寻这个流氓，唯一的线索就是那辆汽车。可是据稽查员徐星侠昨天的报告，这辆一九一九号汽车已因损坏而两天没有出门。这就把这条线索完全斩断了。包朗，你想我那时的闷懑是多么难受啊！"

我同情地说："唔，我想象得到。但这条线索后来又怎样接续的呀？"

霍桑喷出了一口浓烟，脸上现出一丝苦笑。他张大了眼睛瞧我：

"风！"

"风？什么意思？"我不能不认为他的答语太突兀。

"是的。包朗，风指示我那条线索！"

"唔？我不明白。"我的疑团依旧是囫囵的一个。

霍桑不答，忽而仰起身子，用手在书桌面上乱抓，抓取了一张纸，便举起来给我瞧：

"包朗，瞧！"

我看纸上写的是 1919 的阿拉伯字，大小不等，我早已看见过。我把诧异的眼光瞧着他，不知道怎样回答。

他又问："包朗，你懂得吗？"

我说："这是王福报告的那辆汽车的号码，就是你说的线索给斩断了的。什么意思？"

"是的。这纸上的号码是我刚才在无聊中写的，随手丢在桌上。可是好意的风，将它吹落到地上。我拾起来时，线索又开通了！你瞧！"

他放下了纸烟，将手中的纸倒了一个向，仍举着给我瞧。那号码便变作 6161。

我领悟地说："喔，你因此假定那车子的号码玻璃曾给颠倒了一下，目的在掩护它的真号码吗？"

他点点头："是啊。那个人真狡猾。这样轻易地一颠倒，那二〇二号警士王福在仓皇之中自然辨不出真假。可是我未免太蠢了！要不是风的启示，我也许始终给他的狡谋困住！"

"唔，以后怎么样？"

"我得了这个启示，认为值得试一试，马上打电话给徐星侠。今天——唉，应当说昨天了，昨天是星期一，调查上便利得多。不久徐稽查员的回音来了，这一辆出差汽车是属于德州路飞马车行里的。那地点很相近。我自然马上赶出去侦查。结果相当满意。接着我又到同济医院里去看看丁惠德，随后又回来做了些摄影的工作。汪银林的电话来了，叫我去证实那个谋害申壮飞的凶手。我就重新——"

我阻止他说："喂，霍桑，你说得太快，慢一慢。"

他瞧着我说："你要知道我在昨天下午的经过情形啊。"他又将纸烟送进嘴里去。

"是的，不过你说话别像跳浜。你说你出去侦查六一六一号汽车，结果相当满意。满意到怎样程度呢？"

霍桑沉吟了一下，丢了烟尾，说："好，这一点告诉你也不妨。我到飞马里去雇车子，一直开到徐家汇去。那个车夫叫秋生，是个多嘴的家伙，给我不少便利。我知道他们车行里真有一个六一六一号码。在八日星期六夜里，有一个叫马阿大的车夫，曾开了这一辆车子出去，回来时已过半夜。马阿大是台州人，今年三十岁，身材并不高，和计曼苏庄爱莲都很熟悉。前天九日星期日，阿大告假休息，昨天星期一又歇工。从这几点看，都合我设想中的条件。我就初步假定他是行刺的凶手。"他停顿了，又努力抽烟。

我说："既然如此，你为什么不干脆些就把他捉住，反而多此一举叫我去等了好久？"

霍桑忽沉下了脸，反问我道："多此一举？干脆些就把他捉住？证据呢？我不是说我只初步假定吗？包朗，你如果常存着'干脆'的意念，那你就有陷入一般警探们的躁率的漩涡而违反你的本旨的危险哩！"

我的耳朵有些发热。我低声问道："那么你的进一步的假定是怎样成立的？"

霍桑说："我知道阿大白天不在车行，要到收市时才去睡。所以我指示银林到那边去等候；又通知你去看看，以免你觉得扫兴。我之所以不能指定一个时间，就因为我不知道阿大究竟什么时候回去，也许他不到收市时就回去，那也说不定。你在那边等了不少时候，并不是我故意开你的玩笑。这一层你总也可以谅解了吧？"

"你自己为什么不去？"

"唔，我说过了，我不愿参加它的结局啊。……唔，还有一点，我之所以先回来，也有我的任务。"

"什么任务？"

"做进一步的计划。"

"那是怎么一回事？"

"打一个电话，引诱马阿大出来。他一出来，我的进一步的假定也就成立。"

我觉得霍桑的说话处处含有一种若隐若现的意味，使我感到非常不痛快。

我冷冷地说："我真不懂，打个电话，一定要回到寓所里来？"

霍桑忽点头说："对，你当然不懂！"他忽做出一种不必要的谨慎，减低了声浪，说："包朗，你别抱怨。我的电话是不能给别的人听得的啊！"

我困惑地说："你说些什么话？"

霍桑仍凑近我，说："我假冒着声音，对他说：'阿大，我是根林。……你旁边没有人吗？……事情漏了风哩！有人马上要到车行里来找你！……真的，是阿金漏的风！你赶快避一避，越快越好！……喂，别告诉人，更不能说我给你这个消息。懂得吗？……'这几句话果真有效验。他不是马上就出来的吗？而且他还带着许多物证。钱和指环还在我的料想中；可是那个皮壳子，他还舍不得丢掉，那倒是出我意想的。"

我想了一想说："霍桑，我还是不大明白。你为什么冒充根林？那不是庄清夫家的老年仆人吗？而且阿金怎么会漏风——"

霍桑陡地立起来，两只手同时摇着："好了。包朗，四点多了，天就快亮哩。你忙碌了一整天，大半夜，应该休息了。"他走到我的近旁，把我从椅子中拉起来："来，快上楼去睡。有话，还有明天！快上去！"

他将我半推半送地送出书室，又送到楼梯脚下；直到我跨上了梯级，他才回进书室里去。

我进了卧室，疑焰在胸头烧灼，可是事实上绝对不会有立即浇熄的希望。霍桑的说话之间，吞吞吐吐，显然隐藏着某种秘密。仿佛这案子的真相还给一层纱幕掩蔽着，我没法刺破它。读者们要是能够猜想得到，那我只有佩服。我也不愿虚费我的脑力，打算把疑团带到睡乡里去。

我上床以后，霍桑仍不上楼。出我意料的，我听得一种声音，霍桑好像开门出去。真是太奇怪了！可是奇怪终归奇怪，眼前有什么办法呢？

解　释

八月十一日早晨，天气转阴。我到十点钟方才下楼。霍桑已在书室中看报。他的眼白有些发红,脸上蒙着一层霜气。书室中的空气更见阴沉了。

我说:"霍桑,你天亮前出去过?"他点点头。我又说:"案子已经结束了,还忙什么?"

他把报纸移开些:"我在考虑这件案子应该怎样结束。"

我耐不住地说:"霍桑,你越说越模糊了!案子的结束,怎么由你来决定'应该怎样'?"

他微微叹一口气:"是啊,这案子可能有两种结束的方式——换一句话说,除了汪银林所意识到的一种以外,还有第二种方式。"

"那是什么一种方式?"

"唔,对不起,我不便说。"

我苦闷极了。我能强迫他说明白吗?

一会儿,我换一个方向,问道:"现在你已经决定了没有?"

霍桑应道:"决定了。我准让它适用第一种方式。"

"这个决定你今天早晨才成立的吗?"

"是。昨夜里我就有这个倾向。今天我去看了计曼苏以后,才做最后的决定。"

"你在天明以前到总署里去的?"

"是的。我先到市立医院里去问过马阿大,又到总署里去跟计曼苏谈了几句。"

"那么你已跟汪银林商量过吗?"

霍桑忽乱摇着两手:"不,不,我之所以选这个时候去查问,就要避开银林。我告诉你,所谓第一种结束方式,也就是昨夜银林对你发表过的——马阿大是真凶,动机在图财,证赃俱全,罪行已确定无疑。我已决意让银林依照他的意思去处理一切。在结束以前，我不愿意见他。"

"为什么？"

"因为我的意识中既然还有第二种结束方式，要是见了面告诉他，违反我的良心；不告诉他，又觉得当面说谎，对不起朋友。"

这是我和霍桑从事探案以来的一种新的经验。我和他之间从来不曾有过什么避忌或秘密，现在他公然承认，有什么"第二种方式"隐藏着不告诉我。当时我所感到的闷懑，读者们总也可想象得到吧？

我冷冷地说："那么我们俩最好也暂时隔离一下。不然你这样子对付另一个朋友，也许会使你的良心上感到另一种不安！"

霍桑忽仰起了身子，睁着眼睛，现着庄重的脸色。

他瞧着我说："包朗，请你原谅。我不是不肯告诉你。实在因为这一着的关系太大———一个人的性命，一个人的前程，还有第三个人蒙受违法的处分！这第三个人就是你的好朋友！"

我见他如此严重，倒反有些不安。彼此沉默了一下。

我改换了语调，说："霍桑，你总也相信，我并不是一个不能守秘密的人。你也可以相信，我更不会卖友！"

他点点头："我知道。不过你的发表欲相当强。你不会例外地不将这件案子披露出来。"

我接口说："要是我也有个'例外'，你打算怎么样？"

他忽谛视着我。他的一双敏锐的黑眼迅速地转动了几下。他忽微微叹着气，点点头。

他沉落了头，低声说道："好，我告诉你。依照第一种方式结案，多少是有些冤枉的！马阿大不是主凶！"

我略怔一怔："那么谁是主凶？是计曼苏？"

霍桑摇摇头，答道："不是。他对于这案子的真相是有若干疑影的，所以他的行动如此诡秘。他不是主凶，只是一个重要的主角。"

"那么难道是申壮飞？"

"不是。申壮飞虽有相当的嫌疑，实际上并无关系。这事的经过你还没有知道？我索性告诉你。我查勘尸体的结果，知道他是给一个高个子跛足的拉车人勒死的，沟边还有车轮的痕迹——那右轮的车胎是补过的。昨天下午警署里捉到了一个嫌疑的黄包车夫，叫我去证实，果真就是凶手，案情便完全揭露。

"申壮飞在八日傍晚向他的朋友仇大笙借汽车，往江湾去吃喜酒。大笙不答应。壮飞就雇了黄包车去。你知道上海到江湾大约有十八华里，必须经过许多冷僻的地区，何况又在夜间，实在相当危险。壮飞身上穿得相当漂亮，又有金表钻戒，因此引动了那车夫。到了宝兴路尽端冷静的地方，车夫就动手勒毙他，剥了他的衣物逃走。壮飞的一只亚米茄金表还在那车夫住的草棚里给搜出来。"

"他是八日晚上被谋害的，怎么发觉得这样迟？"

"那里已在市区边缘，相当荒僻，掩覆又很周密，所以隔了近二十个钟头才发现，那也不足为奇。"

我默念这种性质的劫案，近来几乎成了报纸上的惯例记载。黄包车夫的劳动很值得同情，但有时也有难宽恕的行为，说得广泛些，这是一个民生和教育的大问题。

我又将话题拖回到眼前的事实。我说道："我不相信这案子的主要凶犯竟会是嫌疑较轻的宋梦花。"

霍桑微笑地说："不错，当然也不是他。他的嫌疑可算是适逢其会。昨天下午我再度到宋家去，梦花的母亲说，伊的弟弟昨天正午从苏州来。上一天——九日——他在观前街看见梦花陪了一个摩登少女闲步。这分明是一出骗了留学费去做'社交活动'的老把戏。"

我疑讶地说："这奇怪了！这案子中明明有三个嫌疑人，怎么都不是？难道还有第四个？"

他立即应道："当然。"

我怀疑地深思。我想起了那天凌晨他强送我上楼前的两个没有解释的人物：一个是霍桑假冒了引诱马阿大的根林，另一个是漏风声的阿金。这两个人怎么会参与秘密？不然，马阿大怎么会帖服地就范？

"包朗，你当真想不出？好了，别胡思乱想。我告诉你，主凶是庄爱莲！"

庄爱莲！霍桑这个揭示实在出于我的意料。霍桑在我的一时呆木之下，忽自动地解释。

他说："我们知道丁惠德和计曼荪是表亲；庄爱莲却是在学生会里和曼荪相识的，时间上还不过两三月。曼荪是个美貌的青年，容易赢得女子的爱好。这两个女子都要俘虏他，结果是惠德占了胜。我们但看他得到凶耗以后，只到庄家里去看了一看，以后就不管什么；同时他虽在嫌疑的监视之下，还是千方百计地冒险到医院里去慰问惠德，便可知道他的心属于哪一方面。我们又知道爱莲的家庭环境太恶劣了。伊是给伊家里的人放纵惯的。你总记得，朱妙香说过，庄清夫是什么都依从伊的，这就使伊养成了一种任性使气的危险的习性。伊在学校里有校花的名称，家里又有钱做伊社交上的支持，这种种都助长伊的虚荣，将伊陷进了刚愎自大的深渊。因此，伊一遇到挫折，便不顾利害地胆大妄为，结果就造成了这件惨案。"

我问道："你的意思可是说爱莲为着要争夺计曼荪，就唆使马阿大行刺丁惠德吗？"

霍桑点头道："是。不过'唆使'的字样还不恰当，应得说'贿买'。因为阿大和惠德根本没有怨恨，他完全是为了钱才犯法。所以那戒指和钱都是爱莲在事前自动给他的酬报，不是他盗窃的。因此我假冒了爱莲家里的根林，又借用了阿金的名字，马阿大就毫不怀疑地进了我的罗网。"

"经过的情形怎么样？"

"很简单。爱莲写信约惠德去，说有关于曼荪的事奉告，预料惠德必会践约。伊用的信封信笺纸质和字迹不同，显然是为着万一被发觉后图赖的地步。伊叫阿大预先伏在附近。他准备出其不意地刺死惠德，乘势抢些东西，掩护这事的真相，使人相信是路劫而酿成命案。阿大是个穿短衣的粗汉，行凶时故意穿了长衫，也是掩眼法的一种。可是事实的发展，并不像伊精密预谋的那么顺利。中间跳出一个王福来，破坏了他的行动；而且惠德是个女体育家，也不像一般女子那么地容易应付。故而阿大顾不得完成任务，只能逃性命了，甚至连抢得的手袋也不能不抛掉。你知道他在岳州路上是预备好汽车的。"

我沉默地想了一想，还是不能"释然"。

我说："庄爱莲既是主凶，目的要杀害丁惠德，但结果伊自己怎么反而给人杀死？杀伊的凶手是谁？论情论势，当然不会是阿大啊。"

"当然不是。"

"但根据物证，两个女子一死一伤，凶器是同一把刀。那不是太矛盾吗？"

"是的，太矛盾！不但你有此感想，我也给这一点困住了好久。可是仔细想一想，这矛盾也容易融解。"

"怎么样？"

"庄爱莲是给丁惠德杀死的！"

"什么？"我喊了一声，身子不由挺直起来。

霍桑仍保持他的镇静，搓搓手开始抽取纸烟。风轻轻从窗口里溜进来，我的胸头还觉得闷热。窗外的天空有些雨意，室中的阴暗加深了些。霍桑的失眠的眼睛中露出静穆的光彩。出我意料的，他默默地吸了几口烟，又不劳催逼地给我解释。

他说："爱莲是惠德的情敌，惠德不会没有预觉。那晚上伊应约而去，当然抱着怀疑。马阿大突然行刺，地点太相近了——这一着不能不算是爱莲设计上的错误——而且先行刺，后抢袋，都足以做惠德的启示。伊在倒地后的一刹那，一定感觉到这不是单纯的抢劫，而是爱莲的阴谋。那时王福追过去了，四周没有人。惠德是体育家，伤处并非要害；伊要报复，就忍痛跳起来；拾起了地上的凶刀，奔过弯角，去叩爱莲家的门。爱莲正惴惴地在等待后果，听得了叩门声音，以为是阿大有什么情报。伊一开门，就被惠德猛力地一刀，结果爱莲毫无声息地送了命。惠德行刺时，伊的左手大概在大门上触摸过一下，所以留下了指印。伊的目的达到了，就奔回被刺的地点去，照样躺在人行道上。这行动是在急速中完成的，大概前后不到五分钟。等到王福追赶不着，召集了另一个警士华启东回过来，惠德也许假装着晕倒，也许是真昏晕过去了。你知道一个女子在经历了这样的刺激以后，神经无论如何坚强，昏晕也不是不可能的。"

我没有说话。室中形成片刻的静默。烟雾给风吹得乱袅。

一会儿，我又问："你说的这一切经过都是事实吗？"

他呼出了一口烟："唔，我相信如此。"

"相信？那么这还是你的设想？"

"是的，不过不是没有根据的。"

"根据是什么？你能不能把你这设想成立的经过说一说？"

他点点头，揉熄了烟尾，另换一支新鲜的点着了，开始把全案做一个系统的分析。

他说："这案子在最初，像是彼此独立的两件，后来案情逐步开展，从地点，时间和凶刀上着想，彼此就联系起来。等到我们发觉了曼苏到医院里去看惠德，又发现了手袋中的信，才确定这里面的关系非常紧密。换一句话说，这显然是一出三角或多角形的恋爱把戏。

"这戏中的两个女主角，一死一伤；嫌疑人有三个：计曼苏，申壮飞，宋梦花；我们得到的线索：一组指印，一个掌印，一把两面出口的插子和一个乘汽车逃走的凶手。

"这三个嫌疑人，虽说都沾染了所谓摩登的习气，在'社交'方面活跃，但究竟还是学生身份，跟那把流氓们常用的小插子配合起来，不大和谐。所以我认为中心点还寄托在那第四个坐汽车逃走的人的身上。

"各方面的侦查逐步有了开展，嫌疑人物也挨次排除——首先是申壮飞，其次是宋梦花——于是那中心人物更见着重。后来风先生给予我一个启示，我就把握了这一条重要线索。我从秋生嘴里探明了这第四个人是马阿大，又知道了马阿大和庄爱莲的关系，便假定马阿大也许就是庄爱莲用作排除情敌的工具。可是矛盾来了，凶器是同一把刀，庄爱莲又怎样被杀的呢？阿大可会受了爱莲的酬报，感到不满，就索性杀死了他的雇主，然后再行刺丁惠德吗？"

霍桑提出了这几个疑问以后，停顿了，半闭着眼睛，连续地吐吸他的纸烟，像暂时歇一歇，又像等待我的批评。

我不由自主地说："不会。这太不合情理了。阿大如果因不满爱莲而杀死伊，那就绝不会再执行伊的命令行刺惠德。不，这矛盾还是存在的。"

霍桑点点头："是的，矛盾还是矛盾。因此我不得不另外开辟一条新线。我就想到了惠德身上。"

"这新线你依据什么开辟的？"

"那就是一组指印和两摊血渍。你总也记得前天早晨我们到庄家去勘查时，在通州路上顺便看过一看丁惠德遭劫的地点。人行道上不是有两处血迹吗？当时我也推想不出，只在脑膜上留下一个印象罢了。但到了我的思路不得不转变的时候，这印象又重新活跃了。那不会是两次倒地的原因吗？惠德第一次被刺倒地，在地上留下了一个血迹；第二次又倒地，却移动了些地位，因此又留下了另一摊血迹。伊怎么会倒地后再爬起来？为报复而起来杀死爱莲，然后仍卧倒了掩护伊的行动，不是很可能的吗？"

他又停一停。我也不接口，默默地在估量他的理论。霍桑又接续下去：

"这个理论我也不是凭空建立的。我还有一个依据，就是那黑漆大门上的指印。包朗，我记得我曾告诉你，那指印的线纹很细，那掌纹却粗得多。所以我假定是两个人印上去的——指印是女子的，掌印却是男子的。

"我凭着这两个依据，加上了恋爱活剧的可能后果，便成立了我刚才说过的假定。于是我就到医院里去看一看惠德，同时又搜寻印合这假定的物证。"

"那是什么？"

"血衣和惠德用过的牛奶杯。"

"喔，就是化验室中那只白瓷杯子？你要印合丁惠德的指印？"

"是的，我向那主任护士张小姐接洽了带回来的。当然我另外有托词，不告诉伊真情。伊还让我看惠德进院时穿的那件细夏布短衫，和那条白纺绸短裙。短衫的左肩部有一个刀洞，前后面都有血渍。但那条白绸的短裙的背部另有一个血渍，不是泄流而成的，而是卧倒时染上去的。我回来以后，赶紧将杯上的惠德的指印摄影放大，洗出来一对，果真和门上的一枚小指印相合。于是我的设想便完全证实，先前的矛盾也自然化解了。"

我想了一想，又问："还有那个掌印呢？可是马阿大的？"

霍桑忽皱紧了眉毛，摇头说："不，不会是他的。你知道指印先印，掌印后印。阿大在刺惠德以后既已逃走，绝不会在爱莲被杀以后再到爱莲家去。这个掌印的确曾困惑我的脑筋。它虚幻地指示我这里面有两个人，可是不能确定那第二个人是谁。现在我相信这掌印是和凶案无关的，也许是汪银林，也许是那看守尸场的警察，也许是何健医生，在开门时无心印上去的。要证明也可以，只要费些功夫，不过现在已没有必要了。"

他的探索的过程，的确入情入理，而且都有实际上的依据，不能不使我佩服他的头脑的敏锐和目光的周瞩。我等他丢去了烟尾闭目养神的时候，又提出了一个问题。

我说："霍桑，你看见丁惠德时说些什么？"

霍桑答道："我只问问伊和曼荪爱莲的关系。我的措辞是非常小心的。伊虽也很谨慎，但口气之间很关心曼荪的被捕。

我的另一个目的，要看一看伊是不是一个标准的女体育家，结果也得到了满意的印证。"

"还有马阿大跟计曼荪说些什么？"

"唔，你问我今天破晓前的结果吗？那也不坏。马阿大已向我承认了受雇行刺的罪行。这原是实情。但汪银林一定不会满意，会把爱莲的凶罪也加在他身上。我已决定让银林去处理了。阿大原是一个用人家性命换取自己享受的暴徒，他本蓄意要预谋杀人，不过没有成就。所以他虽受些冤枉，也不值得可怜。"

"计曼荪呢？"

"计曼荪是无罪的。回头你代我打个电话给银林，叫他赶紧释放他。"

"好。他告诉你些什么？"

"我从计曼荪嘴里知道了他和惠德的恋史，时间已有七年。惠德是一个端庄真挚的女子，曼荪也并不薄幸。今天曼荪对付我的态度和前天不同了。他除了辩白自己无罪以外，还有一种无言的要求，意思是希望我顾全些惠德，显见他对于爱莲的死，多少也有些怀疑惠德的。"

我说："你没有把你所发现的向曼荪说明？"

霍桑突然丢下了烟，摇头说："不！这一点除了你以外，我能随便告诉别的人吗？我一说出来，这案子的结束不是要形成另一种方式了吗？伊是自卫，不是谋杀；在伦理观念上伊是无辜的！"

他说到这里，竟然声色俱厉起来。他的倦容消失了，眼睛里射出正义的火焰，两只手交握着，身体也挺直了。我老实说，我也表示同情，在法律的观点上也许不合，但就人道的立场上看，惠德是被害而报复，爱莲是自作自受，马阿大也是自食其报。这样解决是完全合理的。我准备遵守我的诺言，把这件案子搁起来，不再发表了。不料事实上又有一个转变，这约束终于也无形解除了。

那天中午，一个电话从同济医院里打来。霍桑马上跳起来。

他握着听筒说："喂，我是霍桑。……喔，张小姐。……什么，丁小姐上午回家去了，现在又来了？……为什么？……服了毒？……伊自己服的？唔，唔，我不知道，也许有什么误会吧？……好，我马上就来。"

他的神色突然灰白，眼睛也呆瞪了。

他喃喃自语说："唔，我害了伊！……包朗，你也有份！你去了两次，我也访问伊一次，曼苏又被捕了，才使伊怀疑不安！……唉，太使人扫兴！……包朗，你已经通知银林释放计曼苏吗？……好，我马上去！"他匆匆地奔出去。

灰 衣 人

雨夜枪声

我深信故老们流传下来的俗谚，有好多都是有着强固的心理根据的。譬如酒人们所颂赞的那"酒逢知己千杯少"一句，就是一个明显的例子。霍桑和我都是不会饮酒的。有一次他因着多喝了几杯，竟至闹出一件笑话，我曾记过一篇《失败史的一页》。因此，霍桑平日更难得饮酒。可是也有例外。那天晚上，霍桑因着好几天没有见我，说得高兴，他竟会和我一同上万丰酒楼去小酌。

我们进酒楼时，还只七点钟光景，但谈谈说说地忘了时刻，前后足足消磨了三个多钟头。他和我虽然都没有好酒量，可是你一杯我一盏地彼此也各喝了一斤半光景。

那时已是十二月的尽端，接连两天的细雨，阴霾满空，一抬头都是黑沉沉的，天气也越发阴寒。我们想借酒来消寒，便定意破一破例，放怀多饮几杯。并且事有凑巧，我们的隔桌上有两个白须的老者，正在上下古今地纵谈——一会儿谈到军阀们争夺叛乱，便拍桌狂骂；一会儿忽又把论题转到自由恋爱上去，又不禁声嘶眦裂。霍桑和我听了他们俩的谈话，虽不接他们的口，却彼此举了酒杯，一杯一杯地向肚子里乱送，到末了，桌子上不知不觉地排列了五六把空壶。

霍桑忽警告道："包朗，我们可以停止了。你的脸上的色彩已经很惹目，假使再饮下去，回府后嫂夫人斥责起来，我不能负责。"

我笑道："别取笑我。你自已的尊脸呢？也像泥塑的关帝差不多哩。"

"是，我也知道，今天我已经喝得过量了。再喝下去，万一有什么案子发生，也许要应付不下。"

"这一层你尽管放心。半夜三更，总不会再有人上门来请你探案。"

霍桑的紫红脸上现出微笑："那倒说不定。譬如说你回家去，半路上遇到了什么剥衣的盗劫。我如果得到信息，即使夜再深些，也当然要赶来的啊。"

我也笑道："好，好，你分明在诅咒我了！今夜里我即使遇盗，一准我自己来对付，决不再来请教你！"

霍桑笑了一笑，掏出表来看看："好了，别再说笑话了。十点三刻哩，回去吧。"

我们付了酒钞走下万丰酒楼。霍桑准备坐车子回爱文路寓所，我却定意步行回家。我虽说借酒消寒，但多饮了几杯，身体上却反觉得有些寒凛。因此，我很想借着步行活动活动。

霍桑向我说："我劝你还是坐车子回家吧。这几天路上不很太平，况且夜深雨寒，你身上又穿着这件新做的灰鼠皮袍，怕有些靠不住呢。"

我大声笑道："哈！你当真希望我遇见强盗吗？这个滋味我还不曾领略过，能够尝一尝也好。"

"喂，别再闹笑！我瞧你下楼的时候，你的两条腿也似乎有些不听你的命令！"

"这更是笑话！我完全还没有醉。你如果不放心，我可以和你赌一个东道。我此刻回去，假使半途上果真跌一跤，明天我请你泰东去吃西餐。好不好？"

霍桑见我如此固执，就笑一笑不再多说，彼此点了点头，便分道而行。

我老实说，我刚才虽然嘴硬，其实那时候我的头部确觉得略略有些沉重，背脊上也似有一阵阵的冷气，不过走路时仍安全如常。霍桑说我两腿颤动，却未免含着取笑的意思，形容过甚。

我出了岭南路，穿过花衣桥街，一直向南，到了行云路相近，因着四肢的活动，周身的血液流通了，身上的冷气顿觉消减了不少，头面上受了寒风的刺激，眩重的感觉也好了许多。

细雨仍是溟漾不绝，那一阵阵挟着细雨的冷风不住地迎面扑来。我身上罩着雨衣，戴着雨帽，足上也穿着橡皮套鞋，走路还不觉得什么。一会儿，我已走近三星公所。那里本来很冷僻，日间虽然有电车通行，这时电车已停，街上的行人稀少，路灯为雨气所蒙，光线的透射也打了折扣，越发觉得冷静。我想起了霍桑所说盗劫的话，在这种地方确实是有可能性的。

那时上海市上的盗劫案子的确相当多，每天总有五六起。青天白日尚且不足为意，像这样的雨夜，论势确是很危险。但半路上遇盗的玩意儿，我却不曾经历过。假使霍桑的话果然不幸而中，也好使我增一番阅历。其实事后思量，我当时这种意念委实已带几分酒意！因我那时既没有防身的东西，万一有两三个人上来，我一个人未必抵敌得过。那时灰鼠皮袍剥去了不算，也许还要使我受寒。这种滋味实在也不见得怎样好啊！

我一个人一边胡思乱想，一边迎着细雨寒风，踽踽地向前进行。

砰！

我猛听得呼呼的风声之中，突然有一声枪声。我陡地停了脚步，经此一震，脑中忽清醒得多，但一时间我还不知枪声从哪方面来。枪声不再继续，我前后一望，也不见半个人影。

这地方是大树路中段，已近华盛路的东口。这枪声不会是从那条东西向的华盛路上来的吗？我停足的地方，距离华盛路的转角只有四五十步。我略一踌躇，立即开步奔向华盛路去。不料我刚才奔到转角，忽觉有一个人正从华盛路上转过来，在转角上和我撞个满怀。这个人的来势既疾，我又毫没防备，但觉两足一滑，我的身体竟不由得仰跌在那泞滑的水泥人行道上。这一跌虽然没有跌痛，但我赶紧爬起来时，那个撞倒我的人早已向大树路北端奔去。我立直了远望，看见他奔过远远的一盏电灯下时，觉得他的身材似乎很高大，穿着一件灰色的长袍。但那人奔过了那盏电灯，我便再瞧不清楚了。我在这一瞥之余，也曾拔脚追踪。可是说也惭愧，我才刚跨了两步，我的脚底在水泥径上一滑，又覆面地跌了一跤。等我第二次起立的时候，那逃走的人早已不知去向，我的雨衣上却已弄得满是污泥！

这时我的神智已经清醒多了。我料想华盛路上必已发生了凶案。我既然没法追捕逃走的人，不如就到那去瞧瞧。我回身绕过了转角，抬头一瞧，看见朝南一排的西式房子有十多宅。那屋子的前面各有一小方空地，围着短墙和铁门。这时有几家的楼上，正在开窗瞧视。约莫向西第五六家门前，有一个人正在树下的水泥人行道上，俯身瞧什么东西。

我急急赶到那边，才见有一个穿西装的人躺在地上，旁边那个穿黑色棉袍的男子，正偻着身子想扶他起来。

那人见我走近，呼道："唉！先生，不好了！我的主人给人打坏哩！先生，你可能助我一臂，把他抬起来？"

我答应了一声，忙走过去托住那受伤人的肩膊。

那人穿着一件酱色厚呢的大衣，里面是一套藏青哔叽的衣服，身材约有五尺，呢帽已经丢落，膏抹的头发也已散乱。从电灯光中估量他的年龄，在三十开外。他的面容惨白，紧闭着双目，嘴里的呼吸急促，还不住地哼着。他的衣服既厚，外面又不见血迹，一时却不知道他伤在哪里。我又瞧那仆人有四十岁以上，黝黑的脸带些方形，满脸粗麻，瞧见了似不很讨人欢喜。

我向那仆人说："现在你提起他的两脚，把他抬到里面去再说。"我向墙上的一块铅皮牌子瞧了一瞧："你主人就是董贝锦律师？"

仆人摇头道："不是。我们住在这一家。我主人叫罗维基。现在请你把这扇铁门推开，你先倒退着进去。"

我举起一足回头把那铁门踢开的时候，果见门上钉着一块小小的铜牌，标着"西医罗维基"的牌子。一会儿，我们已把那受伤人抬到一间诊察室中的沙发上。

麻子仆人忽大声道："唉！我主人是带着皮包出去的，怎么刚才没有瞧见？"

他说着又匆匆赶到门外去。一会儿他回进来时，手中只执着一顶黑色呢帽。

他向我说："皮包不见哩，谅必已给那凶手劫去了。"

我已着手把罗维基医生的外衣纽子解开来，又解开了里面的哔叽短褂，才发现他的左肋外面有一摊鲜红的血迹。我才知道那枪弹就是从这地方进去的，谅必还没有穿出。

我回头问道："你想那皮包是凶手劫去的吗？皮包中有什么东西？"

仆人答道："那是我主人诊病的器械。刚才他正要出诊，故而把皮包随身带着去。"

凶手会抢劫医师的诊察器械？这似乎不近情理，但这时候我已来不及追问。

我说："现在他需要别的人给他诊视一下哩。这里邻近有医生吗？"

仆人摇摇头："没有。"

我瞧那受伤的人眼睛仍紧紧闭着，眉峰皱蹙，表示他正感着非常的痛苦。他的有短须的嘴唇开而不合，呼吸比之前更短，哼声也比较低沉些。我私念这个人是否还有挽救的希望，已是难说，但请医的手续当然是不可少的。

我又问道："这里有电话吗？还是打电话去请一个医生吧。"

仆人道："好，我们有电话，就在后面的书房里——"

滴铃铃！……滴铃铃！……

电话铃声却先响起来，沙发上的罗维基医生突然两目大张，又张开了嘴，咽喉中发出格格的微声，好像要说什么，却到底发不出声音。

我急忙问道："你有什么话？谁开枪打你的？"

他似乎没有听得，没光的眸子仍直视着不动。

滴铃铃！……滴铃铃！……滴铃铃！……

电话的铃声仍不绝地响着。罗维基的身子本横躺在沙发上面，忽又手足牵动，似乎因那电话的缘故想要撑起来。其实他全身的神经早已失了效用，除了略略地牵动以外，再也不能动弹。

我会意道："你要听电话吗？好，我代你去听。"

那受伤的人仍直视着没有表示。我立即走到后面书室里去，接了听筒，忽听得电话中有一个女子的声音。

那女子问道："你们是罗医生家吗？"

我急答道："是。你哪里？"

那女子道："这里是吴公馆。太太等得不耐烦了。请罗先生快来。"

嗒的一声，接着又是一阵铃响，那边已挂断了。我本想向接线生查问那边的号数，但摇了几次，没有人答应，分明那接线生的事务正很忙碌，一时来不及兼顾。我重新回进诊室，忽见那罗维基又闭拢了眼睛，脸色也更见灰白。他的两手牵了一牵，两条腿挺一挺，便静止地不动。我凑近他的鼻子一听，才知他已透出了最后的一口气！

这时我才觉得请侦探比请医生更重要了。

我向那仆人说："你守在这里。我来打电话到警署里去报告。"

那仆人目定口张地呆住了，脸上表示一种惊讶的神色，他的右手举一举，又垂落了，仿佛想要阻止我这举动，却又不敢启齿。我不等他的答语，立即回进电话室去。我先打电话给西区警署的侦探倪金寿，不料倪金寿不在。我向署中接电话的人说明了地点电话和发案的大略情形，叫他们立即打发人来察勘。我又想起了霍桑。我觉得这件案子有几个特异之点——凶手劫去的是诊察器械；死者临死时对于电话的注意；电话中又是一个女子的声音，似乎都很有研究的价值。霍桑也许乐于从事。可是我打电话给霍桑时，霍桑还没有回到寓里，我只能照样告诉了他的旧仆施桂。

我连扑了两次空，心中未免怏怏，只得重新回进诊室里去。我看见那麻子仍站在一旁，但和罗维基的尸体距离得很远，脸色也泛白，眼睛里漏出骇光。

我问道："你叫什么名字？"

他答道："我叫曹福海。"

"这里只有你一个仆人吗？"

"还有一个徐老妈子。伊刚才已先睡了。我可要去叫伊起来？"

"慢。你在这里服役了多少时候？"

"还只两个月。"

"唔，刚才你主人是出诊去的吗？"

"是。"

"出诊的地点是哪里？"

"这个我不知道。他没有告诉我。"

"那么，你把刚才他被人开枪打死的情形说给我听听。"

"我主人说要出诊去，叫我先睡，因为他有钥匙。我关上了这里面的一扇门以后，就回到后面我的卧室里去。我刚在那里整理床上的被褥，忽听得一声枪响，大吃了一惊；仔细一听，又听得我主人喊痛的声音，才奔出去看。我到了门外，看见主人已经跌倒在地上，有一个穿灰色短衣的人正飞奔向西。那时我忙着想把主人扶起来，来不及追赶。但主人已经不能转动，他的身体又重，我拉他不起。再过一会儿，先生你也就赶过来了。"

我讶异地问道："你说你看见一个穿灰色短衣的人向西面奔去？"

曹福海点点头："是的。"

"他是穿短衣的？不会是穿长袍的吗？"

"不会。我看清楚的。"

"他会不会是向东逃的，你误会了方向？"

"不会，我不会误会。我明明看见他向右手一边去的。"

那麻子的说话既然这样确定，显见他所瞧见的穿灰色衣服的人，并不是我所瞧见的那一个。这里面显见有两个穿灰衣的人，一个穿长袍，一个穿短衣，一东一西，分两个方向逃去。

我又问道："这个逃去的人，你可认识？"

福海说："我不认识。"

"你可曾看清楚他的面孔？"

"也没有。我只见他的背形，没有看清楚。"

我向那诊室的四周瞧了一瞧，又道："你的确看见你主人出门时是提着皮包的？"

曹福海又点点头："对，我的确看见。在我没有回进房里去的时候，看见他已经提着皮包准备走出去。我问他可要给他唤一辆车子。他说今夜下雨，这里附近太冷静，一时唤不着车子，他不妨自己顺路去雇。接着，他就走出去，我也就到后面去了。"

"他出外时，你没有给他关外面的前门吗？"

"没有。外面门上有锁，他出门后随手下锁。这锁有两个钥匙，我也有一个。后来我听得了声音奔出去看，也曾费过一会儿开锁的工夫。"

"那么他大概是在出门以后，正自回身锁门的当儿，被人开枪打中的。你想是不是？"

"也许的。但我在他出门时，还约略听得他说话的声音。"

"喔？在门外面说话？"

"是。"

我急忙道："唉！这一点很有关系！你听得他和什么样人说话？是男人还是女人？"

曹福海道："我只听得他的声音；是不是和人说话，或是他一个人自言自语，我也不知道。"

这一点可惜没法证实，但自言自语，好像不大会。大概这罗维基出门以后，还曾和一个人谈过话。这个人是谁？可就是打死他的凶手？假使如此，凶手既和死者互相交谈，可见他们俩本来是认识的。这一点在侦查时当然很有助益。

滴铃铃！……滴铃铃！……

后面书室中的电话又响了。我以为是霍桑或倪金寿的回音来了，自然抢着去接。不料又出我的意料，这电话的来源又是莫名其妙。不过因这一次电话，才引出了这案中的一大线索。

我的冒险

我先前第一次接得的电话是一个女子的声音，说有一个姓吴的太太正等待罗维基去。这是不是出诊的一家，我不知道，有没有嫌疑，也完全没有端倪。但这第二次的电话更是觉得奇怪。那是一个男子的声音，操着不很纯粹的上海话，语气又很急促不耐。

他劈头第一句就问我："你是维基？"

我一转念间，便定意暂且冒一冒："是。你是谁？"我防他听出声音，故意咳了两声嗽。

那人答道："我是虎臣啊。我等你好久了。怎么还不动身？你得知道，这件事耽搁不得呢！"

他听不出我的声音，第一重难关总算逃过了；他又说耽搁不得。什么事耽搁不得？我看不像是医务上的事。不是有什么要紧事情吗？我心中不禁暗暗地欢喜。

我又故意低着声音，答道："唉！对不起！我马上就出来了。你——"

那人忽作疑问声道："你的喉咙怎么样？怎么声音这样低？"

我不禁微微一震。他不是已瞧出我的破绽来了吗？但我仍保持着定力，索性再咳了一声嗽，再放胆答话：

"我刚才喝了几口风，忽而咳起嗽来，故而声音有些哑。喂，你此刻在哪里呀？"

那人道："什么！你忘了？昨天我不是和你约定的吗？"

可恶！他不肯说！可是我倒难回答了。但这是个紧急关头，除了冒险试一试外，还有什么别的方法？

我又含混地答道："那怎么会忘记？我只怕你那边发生了什么事故，另换地点。"

那人道："不，眼前外面还没有风声。你赶快就来。"

唔，"外面还没有风声"，这句话显示了我的料想没有错。我一边答应着，一边着急万分。这显然是一条重要线索，这个人明明和死者约定了干什么秘密勾当。但我不知道这人在什么地方，事势上又不容我发问；如果再一问他，难免立即穿破。一刹那间，我又想出了一个救急的方法。

我忙答道："喂，我此刻就要出门了。但还有一个辞不掉的急症，有一个人在这里坐等，我不能不先跟他去走一遭。我到那边后，如果能够立刻脱身，决不耽搁。可是万一有什么留难，我可以打电话通知你。你那边的电话号数是多少？"

那人停了一停，才答道："一九〇四八。"

我的心头突突地乱跳，神经上受了连带影响，竟也不能安定。我竭力镇持着，早把那挂在电话箱旁的号数簿取在手里，急忙忙检查一九〇四八号，才知是大江旅馆。

我乘机再冒一冒："好，别的事我们见了面再谈。……喂！你仍住在五十六号房间里吗？"

那人忽抱怨地道："不，七十一号啊。你怎么也忘了？"

我急道："唉！不错，我弄错了。刚才有个朋友在东方旅馆五十六号打电话来，故而我记错哩。再谈。"

我正要把电话挂断，听筒中忽又有急促的声音：

"喂，慢。你不是说还要去看病吗？那东西又怎么样？"

僵！那东西？什么东西呢？我可能问一声吗？不！绝对不能！这一问也许会前功尽弃，我万万不能冒险。我还是采取含糊其词的策略：

"那不妨事。我有方法，你放心。"

我说完了这句，再不等他发话，突地将听筒挂好，顺手摇了一摇。我回进诊室里时，我的心房还是跳动得厉害。这一次电话显然大有关系，从这条路进行，也许可以立刻揭破这件凶案。据情势而论，这个被杀的罗维基，显见和那个叫虎臣的人有什么秘密勾当。这件事他们本约定当晚在大江旅馆七十一号里解决。我听他的口气，分明情势很急，不能耽搁。他所问的"东西"，我虽不知道是什么，但凭臆想推测，一定是什么秘密的违法东西。这东西本在死者罗维基的手中，约会时似乎要带着去的。因此那人一听我说还要出诊，便关心着它。照此推想，刚才罗维基带出去而被人劫去的皮包，所装的也许不是诊病器械，却就是那人所说的"东西"！

经过了这一度推测，我越觉得这条线索的重要。这时候警署里还没有人来，霍桑也毫无消息，我一个人真有些进退两难。不过这一着棋子万万不能错过，并且又不能耽搁下去，我不如就单身进行。我的主意已定，重新打一个电话到霍桑寓里，他仍旧没有回寓。我又向施桂说明了一声，等他一回来后，立刻赶到大江旅馆七十一号里去。接着我叮嘱那仆人曹福海，叫他去把楼上的老妈子唤醒了，一同看守着，警署里不久会有人来。我说完了就匆匆出来，向大江旅馆进行。

我知道那旅馆的地点在爱河路中部。那时路上没有车子，直走到了国华路转角，我方才雇着一辆黄包车。蒙蒙的细雨还没有停。我在车篷中默自寻念。这个叫作虎臣的人是一个什么样人物？假使我和他谈不投机，动起武来，我身上却绝无准备。我瞧那罗维基的诊室中设备简陋，出门也没有包车，料想他的行医业务未必见佳。他的行医谅必只是虚晃，暗地里一定另有秘密的企图。不过我此刻毫无线索，想不出他们的企图是什么性质。

车子到了大江旅馆，我下车一瞧，门前停着几辆汽车；楼上楼下许多靠马路房间的窗上，电灯还一大半亮着。这原是一爿中等旅馆，共有三层楼，有一百多号房间。

我在进旅馆以前，先把身上泥污的雨衣脱下了，反折了挟在臂上，随即走到里面。我先向旅客一览表上瞧瞧，看见七十一号在二层楼上，写着的姓名叫金汉威。我暗忖刚才他自称虎臣，现在却写着汉威，可会弄错？但这种人既然干着秘密勾当，必不止一个名字。那虎臣的名字也许就是金汉威的真名。

我先走进旅馆的账房间里去探问，看见内中有一个姓江的职员，我本来和他有些相识。经过了简短的招呼，我就问他七十一号的旅客几时来的，有什么职业。

那姓江的给我在簿子上查了一查，答道："这人是昨天来的，福建籍，他的职业只写一个'商'字，我不知道底细。"

"有家眷吗？"

"没有。只有他一个人。"

"他可是常住在这里的？"

"这也不仔细。这里的旅客进出很多，我记不清楚，但他绝不是这里的老主顾。"

我觉得问不出什么，就谢了一声，定意直接上楼去见一见那个人再说。我上了楼梯，走到了七十一号的室前，忽又迟疑起来。我见了他说些什么话？他若使瞧破了我的真相，立即动蛮，那又怎么样？既而我又壮了壮胆。我此刻酒意既消，脑子已完全清醒，一个对一个，当然不必多所顾虑。我引手在室门上叩了一下，觉得里面正有一个人在橐橐走动。那人听得了我的敲门声音，似乎立即停步。我乘势把门钮一旋，室门便应手推开。

一股浓烈的烟雾挟着蒸汽管的热气，直扑我的鼻管。我定睛一瞧，见一个瘦长的人站在室门近旁。那人高出我一两寸，肩膊瘦削，虽穿着胡桃色团花缎子的羊皮袍子，仍掩不住他身子的瘦细。他的颈项特别长，我从他嘴里衔着的雪茄的烟雾缭绕中，瞧见他的颧骨突出，眉毛稀淡，脸色枯黄没血，好像重病新愈的样子。但他那一双黑圆的眼睛却张得很大。我看见他的眼光正和他的身子一般地静止不动，分明正在全神贯注地打量我是什么样人，并且在寻究我有什么来意。我反身把房门小心地推上了，重新旋转来。

我向他点了点头，问道："你是虎臣先生？"

那人仍呆瞧着我不答，略停一停，才向我反问："你要找哪一个？"

"唉，是罗先生叫我来的。"

"罗先生？"

"是。罗维基医生。你刚才不是和他在电话中接洽过的吗？"

那人缓缓举起手来，把嘴里的雪茄烟取下，他的乌黑的眼珠在流转，但仍盯在我的脸上。

他冷然地答道："你说的什么话？我一句都不懂。你这样冒冒失失地闯到人家房间里来干什么？"

我仍保持着镇静态度，婉声问道："你是不是姓金？"

他点头道："是！"

"那么，你的大名不是叫虎臣吗？"

"那却错了。但你是谁？到这里来究竟有什么事？请你先说个明白。不然，我要不客气了。"

他的态度并不慌张，却很镇定。我真误会了吗？不！我不相信。不过我一时也找不出攻击的方式。

我又说："那罗维基医生你不是认识的吗？我就是他派来的代表，特地来和你商量一件事——"

他忽而举起右手，厉声阻止我道："喂，先生，你弄错了。我不认识什么罗维基，更不知道你代表的是什么事。请你回去弄弄清楚，再来找你所要找的人。对不起，我这里不便屈留你！"

唔，他居然下逐客令了，我势不能再挨在里面。但我究竟是误会吗？我敢说一定不是！因为我听了他的不纯粹的上海方言，和我刚才在电话中所听得的完全相同。但他此刻既然不肯承认，我也没有权力强制他承认。况且他的勾当是什么性质，我还没有知道。我毫无依凭，当然不便鲁莽从事地就叫警察把他拘起来。

那时我将计就计地道了一声歉，退了出来，打算另谋对付的方法。我重新到那账房里去找那姓江的职员。

我问道："那七十一号的旅客有些可疑。你们可知道他的来历？"

姓江的答道："包先生，我们委实不知道。他进来时就预付两天房金，别的都不知道。"

"有没有人来访过他？"

"这要问楼上的茶房们，我们这里并不留意。包先生，你要查究这个人，可是他犯了什么案子？"

我正待答话，偶一回头，忽见这个瘦长的人正从楼梯上匆匆走下来。他的身上已罩着一件棕色雨衣，头上戴一顶淡灰色的呢帽，帽边檐压得很低。但他的高颧瘦颊的面孔却逃不掉我的眼光。我急忙把身子闪在一根柱子的后面，避去他的眼目。他下了楼梯，头都不抬，便匆匆地向外。他准备逃走了！

我忽见账柜外面有一辆旅馆中送信用的自行车。我情急没法，便低声向那姓江的职员商量：

"对不起，这车子我借用一用，回头就可以奉还。"

我不等他的许可，急忙取了那辆车子走出旅馆。那金汉威早已出了门口。我先站在门口里面向外一望，果真不出所料，他正在跨进一辆汽车。那汽车是白牌黑字，分明是出租的，号码是六三三。我暗暗地记着，心中不免担忧，不知道我的自行车是否追踪得上。我不等他的车轮驶动，就急急地将污泥的雨衣穿上，撩起了长袍，把自行车推上马路，等到汽车一动，我也就鼓轮跟踪。

雨还是丝丝地下着，路上的车辆也寥寥无几。幸亏那辆自行车非常轻快。前面的汽车似乎因着地面太滑，也并不开足速率。我和那汽车的距离有二三十码，以防他疑心。那汽车驶到了花衣桥街口，竟也转弯向南，一直沿着电车的轨道进行。

他莫非要到罗维基家去吗？如果这样，这个闷葫芦不久就可以打破。但汽车经过了华盛路口，依旧向南，它的速率似乎增加了些，我有追赶不上的危险。我使足了脚力，奋命地冒雨进赶，终觉得越离越远。我的浑身的热汗抵御了一路上的寒风细雨。到了黄林路口，远望那汽车后面的红灯忽又转弯。事情有些尴尬，这一转弯，也许要失踪瞧不见了。但我并不灰心，我的两脚仍一息不停地踏着。等我赶到转弯角时，忽见那汽车正停在角上，刚要掉过头来；再向前一望，前面有一个人正在急步前进。我看见了那人颀长的身材，才松了一口气，料想他一定是为了小心起见，不到目的地就下车步行。我自然也不能不谨慎些，轻轻跳下了自行车，故意远远地靠着路边进行。那人忽又向北转了一个弯，向斜文路去。等我追到转弯角上，却已不见他的影踪。

我向左右一望，见有一条弄叫守德里，街上却没有行人。我奔到弄口一望，果然又看见那人正站在弄底一家的石库门前，似在那里敲门。我在弄口略停一停，看见他已推门而入。唔，他的地址已落在我的眼里，后部的文章也就容易着笔了。

我把自行车在弄口暂放，搓一搓僵木的手指，平一平喘息，随即轻轻地走进弄去。弄中有两三盏电灯，但不见人影，寂静无声。我打算先瞧瞧那屋子的门牌，就一直走到弄底，灯光照见那弄底一宅是九号。但我站住在这屋子的门前，里面没有声息。我又向门缝里窥探一下，竟也沉黑无光。我不禁疑讶起来。我明明看见那人进这末一家的门口里去的，怎么里面没有灯光。我一转念间，不觉微微一震。莫非这个人已经觉察了我在后面跟踪，故而用一个金蝉脱壳之计，此刻他已从这屋子的后门里脱身了？但无论如何，这屋子总是一条线索，我也不能轻轻放过。

我想到这里，我的手不期然而然地在门上推了一推。不料那门并没有闩住，呀的一声，竟自开了一些。我停了一会儿，里面仍旧黑黢黢的没有声音。我索性把门再推开少许，探头向里面一瞧，仿佛黑暗中有一个人站着，目光睒睒地向我凝视。我不由一阵寒凛，连忙向后倒退。那人忽而直奔出来，举着什么东西，直向着我的头部击来！我想要退避，却已来不及了！我但觉额角上被什么东西击了一下，痛得厉害。

砰！

迷糊中我还辨得出那是枪声。我的身子再不能支持，一阵眩晕，我便完全失去了知觉！

线　索

我恢复知觉的时候，已经躺在一张温柔的小铜床上。床对面壁炉中火光熊熊，气氛非常暖和。我揉了揉眼睛，向四周一瞧，看见暖融融的日光，从白框的玻璃窗中透射进来，因着那镂孔的白纱窗帘的间隔，把阳光筛成了一堆堆的花影。原来天已放晴了。那小榻一端的衣架上面挂着我的那件深青色的灰鼠皮袍和那件满染污泥的灰色雨衣。我更瞧四周的布置，方才认出来这所在正是霍桑的卧室。

我撑住两手，从床上坐了起来，头顶上还觉得隐隐作痛，

伸手一摸，有绷带裹着。我的意识恢复了，上夜的经历便一幕幕映上脑膜。我追溯到最后一幕，我明明是因着多饮了些酒，脑思有些迟钝，才被那人击伤了额角，晕倒地上，终于失去了知觉。但那人把我打倒以后，怎么不索性将我打死？我又怎么还会到霍桑的寓所里来？

这时卧室中只有我一个人。霍桑呢？可会在楼下？我忙从床端的椅子上取过我的短袄裤，匆匆地穿好，接着又把皮鞋穿上。我正要向衣架上去取我的袍子，忽听得霍桑已走上楼来。

他说："包朗，你再躺一会儿。时候还早哩。"他强制我重新躺下，坐在我的榻边。他又说："你还不宜乱动。你昨夜的伤势虽然不算厉害，但实际上是很危险的。幸亏事有凑巧，我不先不后，恰在那个时候赶到。要不然，你的性命真难说呢。"

我惊异道："什么？你昨夜也到过守德里的？"

霍桑点了点头："正是。假使我迟到数秒钟的工夫，你的头颅上说不定要再吃一棍子，那时你的性命就危险哩！"

"这样说，就是你把我送到这里来的？"

"是啊。我看见你受击昏晕，额上虽然流血，但颅壳没有破碎。我才知道你没有性命危险，就把你载送回来，凭着我所有的一些急救技能给你裹扎好了。后来我听得你喊了几声痛，便即鼾声如雷地安睡着。我也就放心了。"

"但是你怎样会赶到守德里去？你对于那打我的家伙怎样发落？请你说得详细些。"

霍桑顿了一顿，烧着了一支纸烟，才说明他昨夜的经历：

"昨夜我和你分别以后，本来是一直回寓的。但我在半路上忽和汪银林相遇。我下车和他谈了几句，因此耽搁了一会儿，你两次的电话，我都没有接得。后来我一回到这里，听得了施桂的说话，立即就赶到大江旅馆去。我到账房里一问，才知你刚才骑了自行车跟着一人去了，时间的先后相差不到五分钟。

"那时旅馆门外有几辆出差汽车停着。我向一个司机打听，据说你骑了自行车，跟着一辆六三三汽车去的。我也就雇了一辆，急急追赶。我沿路探问站岗的警士。有一个警士告诉我，刚才见一辆汽车和一个穿雨衣的人骑着一辆自行车，先后向花衣桥街驶去。我就依着他的指示进行，沿路又一再探听，却再问不出什么。因为那条路上行人稀少，无从探问。我的汽车仍一直前进，到了华盛路口，正感到不知往哪方面好，忽见有一辆空车迎面而来，车子的号数真是六三三。我忙问那车夫，送客到什么地方。据车夫说在黄林路上停车，那人步行着向西去的。于是我急急开足汽车的速率，赶向黄林路去。那时我还不知道一定的屋子，但料想总在附近。我在黄林路上仔细瞧视，并无异状，又转弯到斜文路来。我的汽车从守德里口经过，忽见弄口有一辆有大江旅社搪瓷牌子的空自行车，我立即停车跳下来。"

我欢呼地插口说："喔，我想不到那辆自行车真有用，还做了你的路标。"

霍桑点点头，连连吐吸了几口烟，继续解释：

"正在那时，我忽然看见你从末一家的门口中退出来，里面有一个人跟着追出，手中举着木棍向你扑击。我一见这状，觉得危急已极，但我还在弄口，跳下车来，想要奔上来阻挡，事实上又来不及。我不顾利害，连忙摸出手枪，远远地向那举棍打你的人发了一枪。这人立即退了进去，你也跌倒在地上。等我奔到那末一家的门口，门已紧紧关住。我因为急于救你，自然不能兼顾那个凶手。等我将你抱进了我所雇的汽车里以后，再去找那凶手，却见门上有锁锁着，分明那凶手已经逃走了。"

我不禁失望道："这样说，你不曾捉住那个凶手？"

霍桑弹去了些烟灰，接续道："那时我招呼了一个岗警，设法弄开了锁，一同进去。我们在楼上楼下瞧了一周，竟阒无一人，屋中的器具也非常简陋。仓促间我来不及搜查，就退了出来，叫岗警去报告南区警署，派人将这宅屋子秘密监守着。我就把你的自行车一同带到车上，乘便交还了大江旅馆，随即将你送到了我这里。我又打了一个电话给你夫人，只说我留你住在这里，免得伊焦灼不安。现在你虽已清醒，但还得安安静静地休养一会儿才好。"

这一番解释给予我一种寒凛凛的感觉。这件事总算巧极，万一霍桑的举动滞迟一些，或是寻不到我和那恶汉的踪迹，或是时间上略略延缓，那我一定必遭那人的毒手无疑。事后回想，委实是不幸之幸！

霍桑又微笑着说："包朗，昨夜里我早说你有些醉了，叫你坐车子回家，你偏不听。这究竟是怎么一回事？你若使没有醉意，怎么一个人毫无准备，竟敢这样子冒险？"

我答道："我自信并没有醉，不过遭遇的事情太离奇，迫着我不得不如此。"

接着我就把经过的情形，从听得枪声起始，直到接了电话赶到大江旅馆去，和那叫作金汉威或虎臣的会面，又跟踪到守德里第九号的屋子，原原本本地说了一遍。霍桑低沉着头，烟雾轻袅地从嘴里吐出来，似在把我所讲的一番情节仔细忖度。其实这是我的误解。

他缓缓地问："你讲的经历没有漏掉什么吗？"

我摇摇头："没有啊。你想我漏掉什么？"

"你没有和人打过架？"

"没有。"

"那么你的雨衣怎么会如此污脏？"

"唔，我给那个穿灰色衣服的人撞了一撞，连跌了两跤。"

"唔，那么你不曾提起这回事，分明是故意的，原因是想赖东道。"他合着眼缝向我眯笑着。

我也笑道："霍桑，我看这事很严重，你还说笑话。你看这件事是什么性质？"

霍桑又沉吟了一下，丢了烟尾，忽反问我道："这件事你是实地经历的，料想你总已有了什么见解。我应得先听听你的意见才是。"

我答道："我还没有仔细推索过。但据事实上观察，很像是一件同党残杀案。"

"何以见得？"

"死者出门以后，先曾和人谈过话，然后被害，可见那凶手是死者向来认识的。他在临死前听得了电话声音，忽作挣扎惊醒的样子，分明他以为电话是那个金虎臣打来的，又可知他和这虎臣有什么秘密勾当。这两个人彼此是同党，那是显而易见的事。"

霍桑淡淡地说："就算是同党，为什么要自相残杀？你又怎么知道罗维基的被害一定是同党所为？"

我道："这也不难猜想。残杀的原因不消说是为利。那金虎臣曾问起那个'东西'，似乎死者有什么秘密东西要卖给金虎臣。他们本约定在旅馆里接洽。但这件事也许被另外第三个同党知道了。那人想要从中取利，特地守在罗维基的屋外；等到罗维基出来，就出其不意地将罗维基打死；随即抢了他的目的物逃去。据我意料，罗维基那晚所带的器械皮包中，一定还藏着那不知何物的秘密'东西'哩。"

霍桑想了一想，说道："但据你所说，你当时曾看见一个穿灰色长袍的人，那仆人曹福海也说看见一个穿灰色短衣的人逃去。这两个人一东一西，方向是个别的，衣服的长短又不同，显见不是一个人。这一点和你的第三个同党的推想可也合得上？"

我答道："这也许那第三个人恐防动手时力不胜任，另外再约了一个助手，因此发案时便有两个人。"

"那么你可曾看见那个撞倒你的人手里拿着什么东西吗？"

"这个我不曾注意。我被他撞倒了，事实上来不及瞧清楚。后来我在电灯光中，只看见他的灰色长袍的背形。他手中有没有东西，我不知道。"

霍桑立起身来，交抱了两臂，走到壁炉面前，低着头想了一想，又踱到窗口去。一会儿，他忽把身子靠着窗槛，眼睛瞧在地板上面，缓缓地答话：

"你的推想我看还有可商的余地。试想那人的目的，如果只想从中劫取那不知何物的'东西'，又何必行凶打死他？"

"这无非是灭口之计。否则，那同党抢了他的东西，彼此既然是相识的，又怎能免后来的交涉？"

霍桑微微一笑："包朗，这句话你说得未免太轻忽了。那设计抢夺的本人，罗维基虽然是认识的，但那主谋人在行劫时既能另约助手，何必再亲自加入？他难道不能另约一个罗维基不相识的人，专门劫取那计谋中的东西吗？"

我仔细一想，觉得我的推想确有破绽。我点点头："那么你的见解怎么样？"

霍桑仍低着头说："据我料想，这案子绝不会如此浅显。从心理方面推测，一个罪徒的目的如果只在劫夺东西，若非万不得已，他势不会随随便便地同时行凶杀人。我们知道罗维基在一出门后便即被害，显见并不是因着有人劫取他的东西，他却抗拒不放，方才遭杀。不然，他们总得有一番挣扎或叫喊。这样，可知那凶手的目的不专在劫物，却早有谋杀的决心，故而一见面便即开枪。如果我这推想可以成立，那么这案子的内幕必有更深的曲折，那也不言而喻了。"

我道："唔，你的眼光当真比我透彻得多。但你所说的更深的曲折，现在可多少有些把握？"

霍桑摇头道："这却还难说。我现在只有几条进行的线索，以便先搜集些事实，然后再下断语。譬如那电话中姓吴的女人，和死者的仆人曹福海，都应得细加调查。此外还有几条线索，就是那——"

楼梯上一阵子急促的脚步声音，打断了霍桑的话锋。不多一会儿，霍桑的那个机警而忠实的旧仆施桂已匆匆地走上楼来。

他高声报告："西区警署的侦探倪金寿先生来哩。"

霍桑突地从窗边立直了身子："好！快请他上来。我们可以听听他的实际的报告。抽象的推想不妨暂时搁一搁。"

我也很觉乐意。因为我昨夜打电话给了倪金寿，料想他后来必曾去察勘过，现在他一定是带了什么消息来了。两分钟后，那个穿黑绸袍子的瘦长子倪金寿已走进卧室。霍桑移过一把椅子放在炉前，请他坐下。他看见我坐在床上，忽而张着惊诧的目光呆瞪瞪地瞧我。我起初也有些诧异，一时不明白他的惊骇的来由。他走到了我的榻边，方才开口。

他惊疑道："包先生，怎么？你还没有起身？你的头上怎么……"

我点点头，微微笑了一笑，把身子靠着床栏，不即回答。

霍桑抢着说："金寿兄，坐下来，我来告诉你。包朗兄昨夜里已经在这件案子上冒过一次险。"

于是他重新把我们俩刚才的谈话很简约地从头至尾说了一遍。倪金寿的脸色逐渐地沉着，现出一种严重的状态。

他缓缓说："原来如此。这事发生在南区境内，我还没有知道哩。但有这一变，这案子确实很棘手呢。"

我反问他道："金寿兄，你昨夜里已经到发案地点去勘验过了吗？此刻有没有消息告诉我们？"

倪金寿坐下了，说："昨夜我在外面有个应酬，故而你的电话不曾接得。后来署里传信给我，已略略耽搁了一会儿。等我赶到华盛路时，尸屋中只有一个老妇。这老妇是江北人，年纪已近六十岁，耳朵也是聋的，完全问不出什么。"

我急忙道："还有那个男仆呢？"我又坐直了些。

倪金寿摇头道："这个人早已跑了，至今还没有下落。"

我和霍桑的目光不约而同地交接了一下，彼此都感到惊讶。因为这情报是出乎意料的。

霍桑先问道："跑了？你到那里时他已经不在屋子里？"

倪金寿道："是啊。据那老妇说，那曹福海上楼去将伊叫醒了，随即下楼去，等到伊穿好了衣服下楼，福海已不在屋中。后来我等了好久，仍不见他回来。我特地到后面他的卧室里去瞧瞧，才知他已带着铺盖走了。"

霍桑瞧着我说道："我早说这个人也是一条线路，现在却凭空地失去了。"

倪金寿道："霍先生，这不用担忧。我在曹福海的卧室的小抽屉中，得到了他的一张照片，分明他匆匆逃走，来不及收拾。我们利用着这照片，大概还不难把他追寻回来。"

霍桑点头道："唔，但愿如此。昨夜里时候晚了，他谅必还来不及走远。你可还有什么别的消息？"

倪金寿道："我先在那尸身上约略搜索了一遍，那件哗叽短褂的袋中只有那些皮夹、金表、手巾、小刀和墨水笔等一类的普通东西，并无可疑。我随即设法把尸体送到验尸所去，又向左右邻居们去探问。

那右隔壁一家的主人叫陈斐文，是在一个美术学校里当教师的。我去查问时，这陈斐文和他的妻子刚从影戏院里回来，故而发案时的情形，他们完全不知道。我又问过那陈家的一个女仆，据说伊在屋子后面打盹，连枪声都没有听得。左隔壁是一个律师，名叫董贝锦。他的说话虽然多少可以使我们明了一些发案时的情形，但实际上也并无多大助益。"

我忙问道："这董律师有什么说话？"

倪金寿道："他说那时候他刚从外面回家，下了车子，恰见那罗维基提了皮包出来，正站住了在锁门。这两家的门口，只隔着一垛短墙，本是彼此连接的。故而在他们俩一进一出的当儿，曾立定了谈过几句话。"

霍桑便瞧着我说："唔，和他谈话的，就是这个邻居董律师。你所假定的那人是凶手，或者是和罗维基相识的，这推想现在已不成立了。"

我承认道："不错。这个发现的确很重要。金寿兄，他们谈些什么？你可曾问过那个律师？"

倪金寿答道："据那律师说，他只向罗维基随便招呼了一句，问他这样夜深是否还要出诊。罗维基回答，在带锦桥有一家急症，不能不冒雨一行。接着，罗维基就高声唤那律师坐回去的车子。正在这时，那律师猛听得一声枪响，罗维基顿时倒在地上。他大吃一惊，便急急避进他自己的门口里去。他到了里面，还是惊魂未定，就也不敢再出来。"

霍桑插口道："你可曾问这个律师，当时他可曾瞧见那个凶手？"

倪金寿应道："我当然问过的。他说绝没有瞧见什么人，只见那车夫拖着空车，正向西面去，但据他当时感觉到的，那枪声似乎是从马路的对面来的。他一惊之余，立即避进屋子里去，不曾回头，故而并没有看见凶手是什么样人。"

"关于死者平日行为，你可也曾问过？"

"我也问过他。据说他们虽是邻居，但除了见面时偶然招呼一二句外，从来不曾深谈，所以他不知道罗维基的底细。他只觉得罗维基的医务并不见得怎样繁忙罢了。"

"你可还有别的发现？"

"我曾在死者楼上的卧室中搜查过，发现了一小听吗啡和小半瓶可卡因。这些都是犯禁的东西，不过他是当医生的，那似乎不能一例而论。"

这句话忽而触动了我先前的疑点。他们的神秘勾当莫非就是贩卖吗啡？我趁霍桑暂时默想的机会，立即表达我的意见。

我接口辩道："医生虽有需用吗啡的地方，但他所有的分量岂不太多了些？"

倪金寿点头道："是，我也这样子想。这个人也许正干着非法事情。"

"对，我相信一定如此。此外可还有别的线索？"

"我还接得一次电话。"

"唉！这电话是哪里来的？"

"那是一个女子，据说住在带锦桥久远里第六号，姓吴。他们曾请罗维基去医病，因着等了好久不去，故而又打电话催促。"

"这也是一条线路，我觉得有仔细侦查的必要。你去调查过没有？"

"我接了电话马上就赶去的，但也问不出什么。那家的女主人果真患着肝气病，躺在床上。他们以前曾请罗维基去诊治过好几次。这晚上因着肝气复发，又打电话去请他。这一着也并无可疑，故而算不得什么线索。现在就包先生昨夜经过的情形而论，这件案子分明已有显明的线索。我们只向守德里这方面进行好了。"

当我和倪探长问答的时候，霍桑低垂了头，背负着手在卧室中踱来踱去，仿佛在细数地板上的花纹影子，绝不插口。这时他忽在我的榻边立定了，瞧着倪金寿缓缓接话：

"这一条线路当然是要进行的。刚才你上楼以前，我们正谈到着手的方法。不过直接进行也许不能如意，必须另觅一条捷径才好。"

倪金寿问道："捷径？怎样的捷径？"

霍桑道："昨晚那凶手被我吓走以后，那屋子是完全空着的。我虽已通知南区的警察们暗中监视着。但凶手们为避忌起见，谅来不会马上露面。因此，我们要追踪这个行凶的金虎臣，或金汉威，不得不从两个方面进行。"他旋转头来瞧瞧我，一会儿，又移转视线，瞧在倪金寿的脸上；"金寿

兄,现在你姑且往上海各医院去调查一下,有没有新受枪伤
的人——伤在臂部或肩部的。"

倪金寿的视线接触了霍桑的视线,呆住了不答,分明莫名
其妙。接着他又瞧到烟火方面去。

我接嘴道:"霍桑,你可是以为你昨夜发的一枪,曾打中
那个人?"

霍桑点头道:"我自问我的手枪射击有相当准确性,那一
枪也许曾打中那人。不过那时候太匆促又太黑暗,我也不敢说
一定打中他。"

倪金寿领悟道:"那容易办。不消两三个钟头,大概就可
以回复你。"

霍桑道:"还有一点,你最好再往久远里吴姓家去探问一
下。死者到他家去诊病既非一次,他们间的关系究竟怎样。如
果可能,你应设法查明死者的历史,这里有没有他的亲戚。那
都足以帮助这案子的进行。"

倪金寿应允了,随即起身作别。霍桑送他下楼,我却仍旧
躺下来休息。不料霍桑下楼以后,不到五分钟工夫,我忽听得
他的急促的步声重新奔上楼来。我知道这案子一定有了什么意
外的发展。

皮包的发现

霍桑回入卧室的时候,我早已重新从床上坐了起来,把两
个枕头垫在我的背后。霍桑手中执着一张报纸,嘴唇紧闭,两
目大张,脸上露着惊异的神色。

我问道:"霍桑,什么事?可是报纸上有什么关系此案的

新闻？"霍桑皱眉答道："也许有关，也许没有关系，这问题
还难说。你瞧，这新闻的标题很动人。"他把报纸授给我后，
便自己摸出纸烟来烧着，自顾自地坐在椅子上吸烟。我看见那
报纸早已翻到了本埠新闻的一页，第一节新闻的标题便是：

离奇惊怖的暗杀案！
▲新夫妇同时毙命。……▲凶手穿灰色布棉袍。

新闻的标题已经如此惹目，霍桑的惊异，当真不是无因
的。凶手也是穿灰色的棉袍，岂不太凑巧？这个灰色衣服的凶
手，莫非就是和我相撞而打死罗维基的人？我的眼光早已瞧到
那节新闻。那新闻排得很紧密，原是临时插进去的：

　　昨夜十二点后，本报将要付印的时候，忽得一个可惊
的消息。南区太平路中华舞台的厢座中，有一对新婚夫
妇，忽被一个不知谁何的男子用手枪打死。那夫妇俩本并
肩坐着。在十二点相近，忽有一个人从包厢外面走近男子
的背后，先把男子打死；接着连开一枪，又打死那女子。
那男子的枪弹从腰部的背后穿进，女子却伤在胸口。当时
同座的另一个男性观客，曾瞧见那凶手穿一件灰色布的棉
袍，头上戴一顶黑色的西式呢帽，身材似乎很高大。凶手
的举动非常敏捷，接连发了两枪，便即向包厢外面逃去。
那时观客们一阵惊乱，在剧院中引起极大的骚动，大家都
不知所措，有些人夺门逃命，故而那凶手竟侥幸逃走，不
曾被当场捕住。
　　事后调查，那被害的男子叫卜栋仁，住在本城县署

街永贤坊。那女的叫陶秀美，是卜栋仁的妻子，今年才二十四岁，生得非常美丽。他们结婚还只一个半月。一星期前，他们才从西湖回来，回来后差不多夜夜到中华舞台里去。昨夜他们俩忽而同遭暗杀，还不知是什么原因。其余详情，缓日续登。

此外另有一节西医罗维基被害的新闻，是西区警探倪金寿检验后的消息，记载得更是简略。我约略瞧了一遍，觉得这个穿灰衣的凶手，身材和衣服，都和我昨夜所见的那个人有些相同。但这个人为什么在一夜间连犯两案？有什么目的？我当然完全推想不出。

我说："霍桑，这案子果真很离奇。据你的眼光看，两件案子的凶手可会就是一个人？"

当我读报的时候，霍桑半闭着眼睛，静静地吸烟，这时他缓缓张开眼来，脸色沉着，胸中似乎已有了成竹。

他答道："就事论事，确有几点可能。第一，那人的衣服和身材是两两相同的。第二，时间上也觉符合。罗维基的案子，大概发生在十一点左右，这第二案却在十二点光景。他在西区的华盛路做了一案，再到南区的中华舞台里去做第二案，时间上恰巧来得及。"

我应道："不错，不错。这一定是一个人无疑——"

霍桑忽摇手止住我："慢！你又要性急哩。我所说的两点，都是属于表面的。但探案的唯一要点，就在把握犯案的主因。现在你若把这两件案子的性质推测一下，可也找得出联系点吗？"

我默念若论这两件案子的性质，当真绝不相同。那罗维基医生的一案，内幕中似乎有什么神秘勾当。但那剧院里的姓卜的新婚夫妇，却又不像和这案子有关。这一点委实很困人的脑筋。我一再推索，终于寻不出什么联合的关节。霍桑又重新取着那张报纸，似在那里仔细研究。

一会儿，他忽而喃喃自语道："陶秀美这个名字似乎很熟悉。"

他又放下报纸，立了起来，又背负着手在室中踱来踱去。他嘴里的烟雾也四散在卧室的四角。我恐怕打断他的思绪，也默然无语。过了一会儿，他忽而立定了脚步，丢下了烟尾，向我说话：

"包朗，你昨夜究竟流过些血，还得好好地静养，绝不可劳神。我不能在这里坐守，必须往外面去走一趟。"

"你可是要进行这两件案子？你打算先着手哪一件？"

"那罗维基的一案，我已经指示了几条线索，倪金寿可以负责进行。我觉得这卜栋仁夫妇一案，也很离奇。此刻我们除了这报纸上的消息以外，完全没有依据。故而我打算先去瞧瞧南区警署的侦探杨宝兴，听听他关于这新夫妇的消息再说。"

"很好。我希望你能够得到这两案中的互相关锁的事实，打通一条线路，那就容易着手了。"

霍桑微笑道："这个希望我也有的。不过希望还很微，此刻实在没有把握。你现在安睡一会儿，我马上就回来。"

霍桑去后，我先下楼打了一个电话给我的妻子佩芹，只说因着助霍桑侦探案件，暂时不能回家，昨夜受伤的事，我却隐瞒着不说。我回到了楼上，开了一扇窗，安然地躺下，很想养一养神。可是我一闭眼睛，昨夜的事情又涌现在我的眼前——尤其是那罗维基医生临死时手足牵动的惨状，好像深刻地印在我的脑中，一时实不易消灭。

我又想起了那死者的仆人曹福海。这个人当时原也有些可疑的形状。他听说我要打电话报告警署，便现出一种惊骇拦阻的样子。当时我不曾注意，未免粗心。现在他既已逃走，可见就是他情虚的表示。我因思罗维基的被杀，莫非是他串通的？或是虽不通同，却是知情的？无论如何，这个人必须设法追得。倪金寿刚才曾担任，不难把他捕住。但愿他从速进行，立刻把这人追回来，向他问一个端详，这案情也许就可以水落石出。还有那个自称金汉威的，在案中更处于重要的地位。但瞧他的那一副獐头鼠目的容态，便知不是一个好人。这个人的镇静功夫也是不可及的。他起先不承认和罗维基相识，态度上绝无可疑。后来他虽知道我跟在后面，却又不动声色地向我下这一记毒手。这种种都见得他阴鸷而有定力。我们若能进一步查得这一个人，我敢说全案的真相便可以豁然开朗。

我的思绪又飘引到另一件案子上去。这姓卜、姓陶的一男一女既是新婚夫妇，又同时被杀，似乎关系什么恋爱问题。不过那凶手既已当场脱逃，除了含糊的衣色高度以外，又没有可靠的凭借，侦缉时当然也不容易。

末后，我又推想到这两案相关的问题。我觉得这个穿灰色棉袍的人，虽和我所见的那个人形状相同，但罗维基的案中，却有两个穿灰衣的人——一个长衣，一个短衣；一个向东，一个向西。究竟那向东的是主凶，还是向西的是主凶？不过转过来一想，那个穿灰色短衣的人是曹福海嘴里说的。现在他自身既已逃走，他的说话是否可信，实际上究竟有没有这样一个人，当然都还是问题。

这胡思乱想盘踞在我的脑府，不但想不出什么结果，反把睡魔驱走了。我就重新坐起，取了那张报纸，再翻到电报一栏，想借此苏苏我的脑筋，免得徒然空想。我刚把报纸翻开到第一版，忽听得下面的电话铃响。施桂立即上来报告，倪金寿来电话要和我谈话。我慌忙爬起来，下楼去接电话。不料第一句消息，我的希望便告冰消。

他说："我已派人往各医院去探听过，昨夜里并没有伤臂求医的人。"

我懊恼地问道："那么，那个仆人曹福海，你可有什么消息？"

"还没有。但我已通知各警区机关，请他们一体协助，现在还没报告。不过我另外得到了一条重要的线索。"

"喔，重要线索？"

"这线索我们是无意中得到的，但性质非常重要。"

"唔，什么事？"

"我们有几个探伙，专门派在本区的各押店中暗暗侦查，有什么偷儿或盗匪到押铺中去典押赃物。今天早晨在白仙桥的祥泰押铺里，忽有一个人带了一只皮包进去典押，皮包中都是医生的用具。那探伙见那人形迹可疑，不像是自己的东西，上前一问，果真言语支吾，就把他带到了警署里去。这件事我恰巧知道，将那皮包仔细一瞧，忽见皮包的夹里上有一个签名，就是罗维基医生。"

这情报挽回了我方才业已坠失的希望。这皮包实在是一种重要的证物，现在既已得到，这案子当然可以有些端倪。

我忙问道："这真是巧极。但皮包中除了诊察器具以外，可还有没有别的东西？"

倪金寿答道："没有。我已经仔细查过，绝不见有其他的东西。"

"我料想一定有的，必已被那个人取去了。你可曾向他究问过？"

"当然问过的。他说实在没有。"

"那么皮包的来由怎么样？是不是那人抢来的？"

"我们已经查明这个人叫桂荣，本来是一个小窃。据他说，这皮包是他的一个朋友送给他的。故而这东西实在的来由怎样，连他也不知道。"

"这话也许靠不住。你应当追究他所说的那个朋友啊。"

"不错。我已经向这方面进行。现在我已派人押着这个小窃，一同去缉捕那个把皮包送给他的同伴。……但霍先生不是出去了吗？你最好设法通一个消息给他。你和他一块儿到这里来，以便把那主要的人捕到的时候，可以仔细听他的供语。"

我应允了一声，电话便即摇断。但我既不知道霍桑的踪迹，一时无从通知，只有等他回来了同去。我上楼去穿好衣服，仍靠在榻上等候霍桑。约莫过了一点钟，霍桑仍不回来，我心中有些不耐。又过了一刻钟光景，倪金寿的第二次电话来了。据说那个送皮包的人已经捕到，叫我们快去听供。

我那时急不能耐，再不能枯坐着等待霍桑，便向施桂说明了一句，一个人先往西区警署里去。接着我用了十分钟的工夫，装束舒齐，借了霍桑的一顶软胎呢帽，掩住了额角上的创痕，急急地赶去。

我到了倪金寿的办公室里，倪金寿忙立起来招呼。他听说霍桑还没有回寓，就先领着我到拘留室前，瞧那个刚才捕来的人。

他告诉我道："这个人叫作毛三子，也是一个积窃。他穿着一件竹布的棉袄，颜色已淡，很像灰色。你去瞧瞧，是不是就是你昨夜撞见的人。"

我道："你已查问过吗？那皮包他怎样得来的？"

倪金寿道："我已问过一遍。他所说的似乎很实在。现在你不妨听他自己说。"

拘留室中关着的一个人，身材短小而肥胖，一双鼠目骨碌碌地不住转动。他的年纪在三十以外，身上的棉袄虽已近乎灰色，下身却穿着一条黑色的裤子，和昨夜里撞倒我的那个大汉比较，绝不相同。

倪金寿厉声道："喂，毛三子，你把昨夜的事情再说一遍，不可有一句谎！"

毛三子便胆怯地说："昨夜十一点钟光景，我从华盛路的西面向东走，忽听得一声枪响，又见一辆空黄包车迎面奔来，和我擦身而过。同时我看见街的左边，有一个人向车窜逃，一霎眼便即不见。我起先以为是什么路劫的勾当。但我向前再进了几步，忽见右边的人行道上有一个人横倒在地，他的身旁有两只皮包。我一时起了贪念，觉得左右没人，便奔上去取了皮包回身就走。"

我举起一枚食指止住他道："你回身逃走？朝哪一面？"

那偷儿不假思索地说："我本是从西面向东的。后来我拿了两只皮包，重新退回去，仍向西面逃。"

我点点头，觉得曹福海并不撒谎：

"唔，你说下去。"

"我回到栈房里后，把皮包打开一看，一只大皮包中都是些医生用的东西，另一只扁形的小皮包中却装的都是钞票。今天早晨桂荣又来向我借钱，我不敢把得到钞票的事告诉他，恐怕他缠绕不清，就把那只装医具的皮包给了他，想不到竟因此失风。"

"那钞票有多少？"

"钞票一共有五千元，但我还没有动用过一张，刚才已被你们的探伙完全搜走了。"

我回头向倪金寿瞧瞧，用眼光代替了口语，问他是不是当真有这一回事。

倪金寿领会地应道："的确，果真有五千元。"

我惊异地向金寿说："唉！这样看，金虎臣所问起的'东西'，谅必就是指这五千元。但罗维基带了这巨款有什么用？"

倪金寿道："他分明要带到大江旅馆里去会见那个金虎臣。这款子的作用怎样，现在还不容易知道。"

我低声道："你想这个人的说话可完全实在？"

那毛三子忽抢着答道："先生，一句都没有假！这个人为什么被人打死，和那凶手是个什么人，我委实完全不知道。"

我又旋转头来瞧那偷儿："你说你曾瞧见有个人从街的左边逃向东面去。是吗？"

毛三子应道："是。"

"你看清楚那人的衣饰形状吗？"

"这个……我不大清楚……我仿佛看见那个人很高，穿的衣服好像是灰色的。"

"你可曾瞧见他的面貌？"

"也没有。那人起先好像是伏在街的对面开枪的，接着就向东奔逃。我来不及瞧见他的面孔。"

毛三子的神气不像敢在倪金寿的面前弄什么把戏，不过他的所知也有限度。我问到这里，也已碰壁。我觉得这情报对于案子的真相虽说已略略接近些，但仍没有切实的把握，还是空欢喜一场。

我走开一步，又向倪金寿道："既然如此，这条路对于我们也没有多大助益。现在你打算从哪方面进行？"

倪金寿搔搔头，似还没有成竹，一时回答不出。正在这时，忽有一个当差的走过来报告：

"包先生，霍先生有电话给你呢。"

我应了一声，赶到办公室去接电话。霍桑很简单地说了一句：

"包朗，快回来，我等你一同吃中饭。这件案子已有眉目，我已经查得了一种重要线索。"

离合问题

我回到霍桑寓里的时候，霍桑正在他的办公室中忙着翻检那一堆堆积叠的旧报。他一见我进去，便把报纸移过一旁，先向我瞅了一眼，皱着眉头说话：

"你怎么不听我的话，到外面去奔走？我一再对你说过，你应得静养一会儿才好。"

"那是倪金寿叫我去的。刚才他说他已捉住了那个拿皮包的人，你又不在，故而我不能不走一趟。"

霍桑略略有些注意："喔，他已捕住了那个劫皮包的人？有什么口供？"

我坐了下来，就把刚才听得的一番说话向霍桑说了一遍。

末后，我又道："我起先还以为这一着有解决全案的希望，不料还是渺茫得很。"

霍桑沉吟了一下，答道："唔，这也难怪你要失望。我们瞧这一点，足见那凶手是突然开枪的。他把罗维基打倒了后，马上逃走，目的并不在劫东西。"

"是啊，因此之故，那人行凶的目的却更觉没有依凭。"

"是，不过你也用不着太懊丧。"

"现在只有把那个曹福海和那个打倒我的金虎臣二人捕住，才有水落石出的希望。"

"对。眼前你姑且宽怀些。来，我们吃饭吧。"他拉了我走入餐室。

我在餐室中坐定以后，问道："霍桑，你刚才在电话中说，你已查得了一种线索。这是什么一回事？"

霍桑道："这里面说话多呢。我们吃过了饭再谈。"

我素知霍桑的脾气，每逢到了紧急的关头，他总有这种卖关子式的留难。有时他因着案情没有充分明了，不肯轻易发表，那还可以原谅，但有的时候，他明明是故意含蓄，以便在不意中发表，使我惊喜出乎意料。这时候他必要等到饭后才肯说明，我相信也无非就是这个用意。我耐着性子，等到吃过了饭，彼此回进了办公室，坐到了安乐椅上，又各自烧着了支纸烟，我才打算发问。

霍桑忽先自微笑着说："包朗，你不必性急，我来告诉你。我刚才出去已奔走了不少路。杨宝兴的情报比报纸上多不了多少，所以我又往发案地点中华舞台里去探问昨夜的情况，但也没有多少头绪。我但知道死者卜栋仁是他们舞台里多年的老主顾。他在南市有几所市房，家里很有钱，用度也很阔。他是个坐吃惯用的'小开'式的消费分子。他的年纪还轻，面貌又非常漂亮。他的新夫人也长得十分美丽。昨夜里他们俩忽惨遭暗杀，大家都替他们可惜。

"我既不得要领，又到县署街永贤坊卜栋仁家里去探问。我访得栋仁的父亲是一个洋行买办，只有栋仁一个独子。不过栋仁的婚事，父母们都不赞成，故而这小夫妇特地往杭州去结婚。后来因着亲友们从中劝解，老夫妇才勉强允许。他们从杭州回来，昨夜才第八天。

"这节消息，我一半从他们的邻居那里探听出来，一半却是从南区的探员杨宝兴那里间接得来的。但卜栋仁的父亲为什么不赞成他儿子的婚姻，我们还得不到实在的情由。"

我在这几句话里面仔细搜剔，实在找不出这里面有什么重要的线索。霍桑不是近乎"危言耸听"吗？我心中未免有些不耐。霍桑似已从我的容色上瞧破了我的心事，便忙着继续解释：

"包朗，耐心些啊！我就要说到本题上来了。杨宝兴曾告诉我，在那女子尸体上曾检出一粒子弹，我也见过了，那是泊郎林式的 .32 口径弹。接着我又到总署的验尸所去，查问罗维基的尸身上是否也有子弹。我查知果真也有一弹，而且它的式样竟和那陶秀美身上的一粒是同样的。因此，我才觉得这两案也许真彼此相关。这岂不是一种重要的线索？"

我应道："唔，这个发现确实很重要。不过这种泊郎林式的手枪现在私卖的很多，原是很普通的。或者是偶然的巧合——"

霍桑接嘴道："不错。若使只有这一种证据，那也许有两个凶手用着同样的手枪，出于偶然的巧合，那我自然也不能就假定两案有牵连的关系。但我刚才已和你推索过一回，除了这相同的枪弹以外，不是还有那凶手的形状，和发案的时间等两个要点，也同样有关合的可能吗？"

我道："那么，你现在已断定这两件案子一定有关联吗？"

霍桑又微微摇头道："这也不是。这一点还有矛盾，我此刻也和你一样没有把握，不敢断定。因为从此刻所说的三个要点看，这两点虽已有互相关合的可能，但一想到这两件案子的主因，却又困人脑筋。试想罗维基一案，明明关系一种阴谋，或是有什么秘密的交易。但那卜栋仁夫妇，难道也会参与在密谋中吗？他既是一个富家的纨绔，既不缺少金钱，也不像有什么远志，势不会和这种秘密的阴谋有关。假使没有关系，那凶手又何以在一夜之间，同时将他们杀死？这个矛盾点你可也能解释得出？"

我默想了一会儿，觉得这两案的被杀人物，地位各殊，确乎找不出关联的可能。

我又说道："或者被杀的两方虽没有相互的关系，但那个凶手却和这两方面都有怨恨，故而他一口气分别把他们杀死。你想这见解可近情？"

霍桑摇头道："不，这推想怕也不能成立。须知一个人既然因着某一种动机实行暗杀，无论出于怨恨，或有所图谋，他的心意在一段时间内势必集中在一点。若说那人心中怀着两种不相关涉的怨恨或图谋，却在同一时间内分别实行，那是违反心理原则的。"

这句话很切情理。可是除此以外，我委实想不出别的。我觉得这两件案子，若合若离，若离若合，无从剖白，越使人沉闷不耐。霍桑丢了烟尾，把一沓沓先前翻过的旧报重新翻阅。我不知他翻些什么，但他既全神贯注地在那里检查，我也不便惊扰，只得再消耗些纸烟，默坐着等待。

一阵子电话的铃响打破了这沉默的静境。霍桑却似乎没有听得，仍手不释报；同时他的嘴里忽发一种低微的惊呼声音。他的眼光也一眼不霎地瞧在报上，好似已查得了他所要检查的事实。他忽向我挥一挥手，似叫我代他去接电话。我依言去接，又是西区里倪金寿打来的，据说那罗维基的仆人曹福海已被人捕住。当我把这消息告诉霍桑的时候，霍桑似已检查完毕。他一边把报纸重新放好，一边显着惊喜的神气。

他答道："那仆人已捉住了吗？很好，很好。我立刻要去听听他的说话，你再上楼去躺一躺。"

我拒绝了他的劝告，坚持着要跟他一块儿去。霍桑拗不过我，皱皱眉毛也答应了。我们就向龙大车行雇了一辆汽车。一刻钟后，我们已在警署中和倪金寿见面。倪金寿免除了套语，便很得意地向我们报告。

他道："霍先生，包先生，这案子的内幕已经揭破哩。"

我微微一震，忙抢着问道："可是那曹福海已经承认和凶手通同？"

倪金寿摇头道："不是。我所说的揭破，不是凶手问题，却是犯案的主因问题。你可知道那个打倒你的金虎臣为什么事要和罗维基约会？罗维基带了五千款子出外，又有什么作用？"

我呆住了回答不出，只用霎动的眼睛瞧着他。霍桑也静默地并不接口。

倪金寿接着道："这一节我早已疑到了，并且也曾和你们两位说过。原来他们的阴谋就是私贩吗啡和可卡因等违禁品！"

倪金寿说到这里，他的目光在霍桑和我的脸上转了几转，显出一种洋洋得意的神色。霍桑仍声色不动，冷静地点点头。

他问道："这话可是曹福海供出来的？"

倪金寿道："正是。他起初还不肯说，我用好多方法，才使他照实供出来。"

霍桑道:"他对于他主人被杀的事情可也有些供词没有?"

倪金寿说:"这一节他坚说完全不知道。我看他的神气,也不像说谎。"

我插嘴道:"他既然绝不知情,昨夜里他又为什么逃走?"

倪金寿道:"这是他胆小,恐怕被拖累的缘故。因为他的主人平日干私贩的勾当,他是知道的,一朝查明白了,他势不能完全没有处分,故而趁个空儿便掮了他的铺盖逃走。"

霍桑点头道:"这也是情理中事。现在我要见见这曹福海,我要向他问一句话。"

一会儿,我们已和那满面黑麻的曹福海面对面站着。这男仆看见了我,好像又惊又喜,把一种悲忧可怜的目光呆瞧着我,像要向我乞援的样子。

霍桑问道:"福海,我有一句话问你,你若能从实回答,我必设法助你,使你减轻些处分。你对你主人的被杀究竟知道些什么?"

曹福海道:"先生,我实在全不知道。"

"那么,你主人平日往来的人,你总知道的。"

"往来的人也不多。他平日和人家交接,常在外面,难得有人到他寓里去。"

"奇怪!他是当医生的,怎么会难得有人到他寓里去?"

"先生,我老实说,他的诊务并不发达,除了几个熟悉的人以外,别的人来请教他的很少。"

"唔,那么你可知道他有没有什么仇人?"

"先生,我也不知道。"

霍桑顿了一顿,又问:"你主人不是有一个很漂亮的姓陶的女朋友的吗？"

那仆人瞪目道："我却没有见过。"

"可曾有一个美貌的姓卜的少年男子来看过他？"

"也没有啊。"

霍桑的眉毛渐渐紧蹙起来。他的右手摸着自己的下颌，又低头停顿了一下："那么，你可曾听得过你主人说起卜栋仁或陶秀美的名字？"

曹福海又摇头道："没有，我也从来没有听得过。"

霍桑轻轻吐出了一口气。他旋转来向倪金寿点了点头，表示他所要问的已告一个段落。接着他便拉着我离开拘留室。他回到办公室前，不再进去，站定了和倪金寿作别。

他说："金寿兄，这件案子虽然进展得很快，但据我测度，距离破案的时间还远。我现在另有一条线路，打算去尝试一下。如果有什么头绪，我再通知你。"他和我走出了警署的大门，又站住了向我说："包朗，你现在不必再跟我奔波，先到我寓里去，再好好地休息一会儿。我此行的成败，不久总有消息给你。"

他匆匆和我分别，神色上似很着急，好似他已寻得了一条重要的线索，大有稍纵即逝之势，不能不急急进行。

黑夜中的活剧

我常说霍桑在有的时候，常露出一种外表类似卖关子而他自己认为出于审慎的脾气，总喜欢教人处在闷葫芦中。现在他虽说另有一条线路进行，却不说明这线索属于哪一方面，这就未免教人难耐。我回到了他的寓里，照着他的说话上楼去静养。我的身体虽然平贴地躺下了，脑球的机能依旧活动不息。我的思潮翻来覆去，范围也不出这两件凶案。

我深信人类都是有天赋的好奇本能的，对于疑秘的问题，往往因着好奇心的冲动，会本能地产生解疑剖秘的愿望。所以也可说，我们每一个人都是一个天然的侦探。不过这好奇心的发展的程度和方向，有高有低，有正有歧，因着这高低正歧的不同，所以各民族创造能力的强弱，也就因此决定。例如意大利人伽利略（Galileo）因着悬灯的摆动，触发他的好奇的研究，发现了时钟的摆动的原理，使人类有准确的计时器；又如英人瓦特（Watt）看见了壶盖受蒸汽的掀动，也刺激了他的好奇本能，进而利用蒸汽的原理，造成了伟大的工业革命，使全世界为之改观。我们历史的传统，似乎漠视了这个本能。孩子们的好奇本能刚在萌芽时期，非但得不到正常的辅导诱掖，却往往遭受无知的家长们的阻抑和摧残。我们的物质方面的成就所以处处落在人后，这未始不是主因之一。

我常觉当疑秘问题初发生时，好似望见了一团白雾，方向既茫然莫辨，更不知雾中有些什么东西。那时候只有惊奇的心理，我们的探索兴致还不见得怎样浓烈。但进一步踏进了雾中，既已略略辨出了一些方向，又瞧明了几种事物；可是最后的一点，依旧在雾幕笼罩之中。在这时候，我们急于求知的心理，必比初接触时更觉强烈，并且有一种欲罢不能急不可耐的倾向。

譬如这件罗维基凶案，我们逐步进行和发展，总算凑巧而迅速。但最终的一点，那个真凶是谁，却还在虚无缥缈之间，还有那两案的离合的问题，至今也还断断续续，没有确切的证明，想起来也很觉牙痒痒得不能忍耐。

钟摆滴答滴答地响着。阳光渐渐地拖西。壁炉中不时有火舌刺出来。这种种都足摇撼我的忍耐。

我等到傍晚五点钟光景，仍不见霍桑回来，幸而还有一个聊以解闷的消息。倪金寿又有电话来报告，他重新往带锦桥姓吴的那一家去问过。据说他家和罗维基素来相识，每逢有人患病，总请罗维基去诊治。不过他们对于罗维基平素的行径并不深悉；他贩卖违禁品的勾当，更是全不知情。他们但知罗维基有一个姓吕的表兄，在一家恒裕钱庄上办事。倪金寿也曾去访问过这个表兄，也问不出什么端倪。这消息在案子上并无多大进展，简直可以说有等于无。因此我对于霍桑的期望越觉急切。

他已离开了三四个钟头，此刻还不回来，究竟在哪方面忙碌？成败怎么样？到了晚膳时分，天色已经墨黑，依旧不见他回寓。我一个人下楼胡乱吃了些晚饭，心中更觉得焦急。他这样迟迟不归，莫非已经得到了重要的发展，故而一时不便分身？或是他第一步走进了迷途，后来改弦易辙，另寻路径，因此才这样耽搁？

八点钟敲了，电话的铃声忽又响动。我连忙接听，仍旧不是霍桑。那是南区警署里打来的，报告那个凶手已给捉住了，叫我们快去。这是警署探伙受了杨宝兴的吩咐给我们的消息，虽很简单，却不由得使我惊奇出乎意料。我还不知道那所说的凶手是卜陶二人的一案，或是罗维基的一案。但无论如何，这样的消息，在这个当儿送进了我的耳朵，我自然再不肯耽搁。霍桑的叮咛自然更拘束不住。我急急向施桂说了一声，便雇着车子向南区警署里去。

我见了南区探员杨宝兴以后，才知他所说的凶手，并非我先前料想的两案中的正凶，却就是另一个打倒我的金虎臣。这一着虽然使我有些失望，但聊胜于无，我还希望从他嘴里探出那杀死罗维基的真凶。

当我走到拘留室前，微淡的灯光照见了那个瘦长子。他仍穿着那件胡桃色缎子的皮袍，还是昨夜的打扮，不过他的黑圆的眼睛里漏出的光彩，并不像上夜那么严冷镇静。我细瞧他的身上，手足都健全，似乎并不曾被霍桑的枪弹打伤。他旁边另有一个较矮胖穿黑袍马褂的人，分明是他的同伙。金虎臣当然还认识我。他一见了我，把两手背负着，紧闭了嘴，又装出一种傲岸的神气。我一时倒不知道怎样开口。

杨宝兴指着那个瘦人，问我道："包先生，昨夜里打倒你的是这个人吗？"

我点了点头。

杨宝兴道："好，我们外面去谈。"

我们回到了外面办公室中，大家坐定了，杨宝兴才说明经过。

他说："这个人的口齿很凶，不容易向他问话。我们捉捕他的时候，他还绝口不承认。"

我道："你怎样捕住他的？"

杨宝兴道："在一小时前，我们派在守德里的那个探伙，忽然看见有一个穿长袍马褂的人向九号的后门里进去。后门上仍有锁锁着。那人以为没有人监视，就放胆开了锁进去。那人就是那个矮胖的同党。我们的探伙一看见，连忙召集了岗警，掩进去把他捕住。后来又从这同党的嘴里，查明了这个叫金汉威的瘦子避匿在江南旅社里，才设法把他们一起捉来。这个瘦人非常狡猾，绝口不承认有什么秘密勾当，也不承认昨夜曾将你打倒。但刚才霍先生已经通知我们，他们的秘密勾当就是贩卖吗啡和可卡因。"

我插口问道："你曾看见霍桑吗？"

"不是，他曾打过电话给我。"

"什么时候打来的？"

"约在两点半。"

"你可曾问他在什么地方打给你的？"

"问过的。他说他那时候在中华科学仪器制造厂里。"

奇怪。霍桑到这仪器厂里去干什么？探案子？还是访友？我从不曾听得过他有什么朋友在厂里啊。

我又问杨宝兴道："他和你说些什么？"

杨宝兴道："他告诉我刚才西区里捉住了罗维基的仆人曹福海，说明他主人是干私贩吗啡勾当的。"

"还有别的话没有？"

"他还问我守德里方面有没有消息。那时候还早，我回答他没有。但我因着霍先生的报告，故而一捕得这两个人以后，立即再派人到守德的屋子里去仔细搜查。我们果然在地板底下的一个秘窖里面，查得大宗白面红丸，可卡因和吗啡。直到那时，这金汉威才不敢强辩。"

"他怎样供认？"

"他承认把吗啡卖给罗维基，昨夜约定在大江旅馆里会面，准备付款交货。我问他罗维基被杀的事情，他又一口咬定不曾预闻，也绝不知内幕中的情由。因此，我觉得这件事他如果有份，我们必须搜得些实据，或想些别的法子，才能使他吐实。"

我也承认这姓金的瘦子态度严冷而沉静，显然是一个惯于犯法的老手，的确不容易应付，凭空里要教他实说，委实难能办到。但无论如何，他既已被捕，便也难逃法网。至少，他的私贩违禁物品和行凶殴击的罪当然已经充分成立。

这时候忽有电话给我，那是霍桑的老仆施桂打来的，据说霍桑有需要我帮助的地方，叫我立刻回去。我一得这个消息，便即别了杨宝兴回寓。路上我默自寻思，霍桑需要我的帮助，不知是什么样的方式。他已出去忙了半天，又不知有没有结果。现在有这个消息，我总希望案子上已有了显著的进展。

我到了爱文路霍桑寓里，施桂便忙着告诉我：

"霍先生刚才有电话来。他先问你休息了半天，精神是不是已经恢复。后来他听说你不在这里，便叫我转言，请你带了手枪，赶紧往华盛路去。"

"还有别的话吗？"

"他只叫你即刻就去，不要耽搁。"

又是一个疑团。金虎臣已捉住了，为什么要带手枪？我在手表上看看，已是九点十分。我赶忙在霍桑卧室的抽屉中，取出一支黑钢手枪，雇了车子赶去。

这一出悲剧此刻大概已演到最后一幕了吧？这一幕戏，既然还有用手枪的需要，料想情节上一定是很紧张的。不过紧张到怎样程度？是否还要演出另一幕悲剧？我完全没有把握，也不做无结果的空想。我觉得我周身的血液流转很速，心房的跳动也明明增了些速度。我每逢在这种紧张的当儿，往往如此。这并不是惊恐，却是一种精神上微妙的兴奋感觉，在平时是不容易发生的。

一会儿，我的车子已到了行云路相近。我便停车下来，付了车钱。我走到三星公所近边，忽见有一个穿黑呢外衣戴鸭舌帽的人形，突然从电杆柱的背后闪出。我呆了一呆，顿时停步。那人和我距离只有六七步光景，分明要拦住我的去路。我定睛一看，正是霍桑。

他迎上一步，低声招呼道："你来得很早，时机还没有到哩。"

我道："你叫我来干什么？"

霍桑不即答话，但很谨慎地向左右望了一望。他又把身子闪到电灯杆的阴处去。我也退后些。

我又问道："你费了半天的工夫已得到了些什么？"

霍桑道："多着呢。这不是一两句话谈得尽的。如果我料想得不错，不出今夜十二点钟，这案子便可以完全解决。"

"当真？"

"这里是说笑话的地方？"

"那么，此刻我们又准备做些什么？"

"自然是捕凶手了。现在你得多留神，少说话。跟我来。"

他沿着人行道进行。我也缓缓地跟着。走到华盛路口，霍桑便领我转弯。我瞧瞧手表，已近十二点钟了。街上的行人已很稀少。天晴了，风的力量却更见威猛，寒冷的程度也比上一夜更甚。我把外衣的领头竖了起来，两只手也揣在袋中。我们本沿着街的南边走的，到了一根电杆木后面，霍桑忽立定了。我也立即住脚。

他低声向我道："你瞧啊。"

我向左右一瞧，并不见来往行人。我们的对面就是死者罗维基的屋子，这时候楼上楼下的窗上都黑漆没光。霍桑似已觉得我还不明白叫我瞧的是什么，就向对面指了一指：

"你试瞧那罗维基屋子的左隔壁。"

我依言瞧时，见罗维基的隔壁的下层窗上，果然灯光明亮。

我答道:"这就是那律师董贝锦的屋子啊。"

霍桑问道:"正是。你再瞧瞧那窗上可有什么?"

我见那光亮的窗的里面遮着淡色的纱帘,窗上映着一个人影。那人似穿西装,侧面坐着,头部微微下俯,正在那里阅什么书报。转瞬间那黑影变动了方向,忽把背心向外,又可知那人坐的是一张螺旋椅。

我问道:"这个人可就是董贝锦?"

霍桑瞧着对面的窗上,点了点头。

我又道:"这个人和我们的案子有关系吗?"

"关系很大。我们今夜这一幕戏,就要靠他做一个主角!"

"喔,他可就是这案子的凶手?"

"这问句却很难答。罗维基明明是死在他手里的,但又不能归罪于他。"

"我不懂。你能不能说得明白些?"

"我当然要说明白的,不过此刻还不到时候。现在我叫你来,就是要你先瞧瞧这个人。你已瞧明白了没有?"

"我只看见他的背影罢了——唉,他又在那里转过来了!但他的面貌我还没有瞧见啊。"

"那还没有必要。现在我要和你分配职司了。你守在东面的电线杆后面,我须到西面去。但你得注意着,不要被行路的人瞧见,或引起他们的疑心。"

"我守在那里做什么?"

"你若使看见有人奔逃,但听我的枪声为号,不妨就开枪打他。但你得留神,不要伤他的要害。还有一着,你自己也须防那人的毒手,切不可徒手近他。"他说完了话,就向西走去。

我就走到霍桑所指定的那根电线柱背后,站住了等待。

这时街上的车辆断绝，行人几乎绝迹，只有那呼呼的寒风，挟着些稀疏零落的汽车声音，断断续续地从远处送来。我站的地方非常适宜——那是一根三角形水泥的电线柱，站在后面，街上的情景都瞧得见，但行人们若不走近或特别留意，却不容易见我。不过我不知道霍桑究竟有什么计划。他说要等待凶手。这凶手究竟是谁？要等到什么时候？

我又瞧瞧手表，已是十点三十分了。风势既急，夜气越发寒冷，着面像利刀一般。路旁的电灯因着电线被风力击动，也受震颤动，忽暗忽明地更助长凄寒。我因着站住了不动，浑身不由寒栗起来。我站立的地位虽已不和那董贝锦的屋子成一直线，但斜里仍可以瞧得清楚。我看见那黑影依旧映在窗上。我们要等他出来吗？假使霍桑确有把握，怎么不直接进去捕捉，却在这里虚废功夫？现在我们所以守在屋外，难道要等待别的外来的人吗？

这样又过了一会儿，我才见一辆黄包车缓缓从西而东。我觉得这车子特别迟缓，有些可疑，急忙握了手枪准备。但这车子既已从霍桑那边过来，坐着的是一个年老的男子，那车夫也年纪相仿，进行虽缓，却并不停留。我自然不便轻举妄动。霍桑本和我约定开枪为号，此刻他既然毫无动静，显见这个人没有关系。

时间一分一分过去，我心头的惶急，也跟着时间的延长增强了。好容易等到了十一点钟，委实有些不耐烦了。我很想走到霍桑那边去问一个明白，究竟要等到什么时候。可是我在动脚以前，为谨慎起见，先向左右望了一望。

唉，一个黑影从转角上突地闪出来！

我立即站定。这个人已从东口转弯进了华盛路，沿着我站立的一边缓缓地过来。我仔细一瞧，不禁暗暗惊奇。这人身材高大，头上戴一顶西式的黑呢帽子，身上穿着黑色的长袍和马褂，行步时还带着诡秘的神气，不时向前后回顾。这形状已告诉我他将有什么秘密举动。

那人越走越近，我也暗暗地把身子移动，深恐被他瞧见。但我看见那人的眼睛只瞧着街的那边，并不向我这一边。我再仔细瞧时，他的眼光分明集中在董贝锦的窗上！这个人显然就是我们的目的物！

当那人经过我面前的时候，我本可突然奔出去将他抱住。但霍桑曾关照我，必须凭枪声为号，我又不便乱动。那人走近了董贝锦的屋前，霍桑分明也已瞧见，却依旧没有动作。我自觉我的心跳得厉害。霍桑怎么还不发号枪？

砰！

一声枪响，打破了我的疑讶。对面窗上的那个黑影顿时斜倒在一旁。那个穿黑色袍褂的人，也急忙忙回转身来，飞步向东奔逃。

故　事

在这千钧一发的当儿，我再也耐不住了，我明知那一次枪声，必是这黑衣人所发。一霎眼间，他已把那屋子里的董贝锦打倒了！这个人当然不能放过，但霍桑怎样还不发号枪？这思潮在时间上大概只有一秒钟的百分之一，那时候我早已跳身而出，准备把那黑衣人拦阻。

砰！

我的身体刚从电线柱背后窜出，第二度枪声，已从西面发生。霍桑已从那里追过来了！

那黑衣人正自飞跑，陡见我迎面拦阻，分明吃了一惊，我见他的右手一扬，他的第二弹又砰地发射。我急把身子一蹲，避过了子弹，乘势回了一枪，却也没有打中。一瞥间那人已突过我的面前。我心中有些着急，正想再发一枪，霍桑却已先我而发。

砰！

第五次枪声发后，继着的是一声惨呼。那奔逃的人已跌倒在转角上。

我的心神略定，回身一瞧，不但霍桑已经追到，那个瘦长子倪金寿竟也执着手枪翩翩地赶来。我不知他从哪里变出来的，但也不便发问，一同走到那倒地人的旁边。那倒地的大汉正把一只手按着他的嘴，不住地哼着。倪金寿先摸出一个电筒，俯身下去瞧瞧，接着才仰起来说话：

"还好，只伤了他左脚的胫骨。"

霍桑问道："你预备的汽车呢？"

"就在西面的转角上。"

"好，你就把他送到西区警署里去吧。现在你和包朗兄先走。我还要进屋子里去料理一下。"

数分钟后，我和倪金寿已把那伤人扶进了汽车，直接向西区警署驶去。这时霍桑已走进董律师的屋子里去。我不知这董律师伤得怎样，霍桑所说的料理，谅必就是指这一点说的。

我和倪金寿坐在两旁，把那位受伤人夹在中间。他的身材高出我一寸光景，背心贴在车座上，毫不挣扎。我因着贴近他的身旁，车灯的光照射在他的面上，我瞧得非常清楚。他是长方形的脸，颜色略黑，年纪在三十内外；鼻梁高耸，鼻下有两条八字线纹，特别深刻，下颌阔大，修剃得很干净，两目黑色而有威光。这时他的痛楚似已略略减轻，呻吟声减少了，精神上也已振作些。他的那把手枪早已被倪金寿取下，倪金寿正取在手中察验弹囊。

他咕哝着说："唉！只剩一颗子弹哩。"

那人忽似点了点头，厚嘴唇的角上牵了一牵，现出一丝笑容。我不免暗暗诧异。我们所捕获的罪犯已经不少，但像他这样镇静安闲的态度倒也少见。

汽车已到了西区警署，我们仍夹扶着那人，一直送进倪金寿的办公室中。在我的意中，恨不得立刻就听听那人的供词，但倪金寿的意思，必须等霍桑来了再问。好在我们到了只有十分钟光景，霍桑已领着南区侦探杨宝兴一同进来。那杨宝兴和我及倪金寿等招呼了几句，便瞧着那个受伤的犯人向霍桑问话：

"霍先生，你说卜栋仁夫妇一案，就是这个人干的？"

霍桑点点头。

倪金寿忽疑问道："霍先生，他究竟是哪一案的凶手？难道——"

霍桑接嘴道："正是。这两件案子都是他干的。他就是一手打死三个人的凶手。"

那犯人并不拘束地坐在椅上，眉峰紧蹙着，身子不住地牵动，似乎他的胫骨上的枪伤，重新又痛起来了。他听了霍桑的话，向我们四个人瞧了一瞧，忽而鼻子里哼了一哼，自动地接起嘴来：

"你还少说一个哩！我实在已打死了四个人！不过有一个人，我委实是对不起他的。"

我们四个人的眼光，受了这凶手的答话的吸引，都自然而然地集中在他的脸上。

霍桑应道："唉，你倒很爽快！既然如此，就请你把经过事实，详细说一遍给我们听听。现在你不是觉得脚骨上有些痛楚吗？要不要先给你裹扎一下？"

那凶手摇摇头，又微微现着笑容，仍不失他的暇豫神气："不消得，不消得。我本来打算把这件事始终秘密着。现在你们既要我说，我不妨就说出来，也好借着你们把这回事宣扬宣扬，使社会上那班套着法律的面具而昧心作恶的律棍们得到一种殷鉴！"他忽咯咯地笑了一声，笑声里却含着冷气。

我们四个人只把眼光交换着，都保守着静默，专等他继续供述。

他又道："你们可知道我行凶的动机？唔，你们也许要说我是出于复仇。其实这件事，我个人复仇的成分至多十分之三；十分之七却想要替社会上一般受屈含怨的弱者申一申冤！你们可知道那陶秀美和卜栋仁二人是什么样人？老实说，这陶秀美是个有夫之妇；卜栋仁却是这有夫之妇的奸夫；还有那个律棍董贝锦，就是为了金钱的势力，帮着这一对混账的男女压迫一个弱者，使他终于含怨莫申！这个被压迫的弱者就是我！"

他停了一停，呼吸似较前短促，额角上的青筋隆然，脸色也有些变异。我们四个人静穆地团坐着，都仍敛神一志地静听。

一会儿，那人又说："我和陶秀美的婚姻是自由结合的。结婚的时候，我的家境很好，可是安乐之神不久便舍我而去。经过了三年愉快的生活，我们两个人因为滥用无度，又遭了一次火灾的损失，经济状况便一落千丈地降到了困难的地位。我曾受过教育，还有些谋生的薄技。我因此和我的妻子计议，我们虽然穷些，但必要的衣食问题总还有方法解决。只要我们俩想得明白，有钱时大家既然享用过，现在环境变了，但须安贫斯守，彼此劳些心力，原也可以有快乐的希望。谁知秀美享用惯了，沾染了所谓摩登女子的习气，竟有些不甘安贫。在那时候，忽然有个人面兽心的卜栋仁起了歹意。

"这卜栋仁名义上总算是我的朋友，却居心叵测，做了破坏我家庭的仇敌。他家里有钱，又生就一副勾引妇女的嘴脸。秀美正自耐不住清贫，所以不多几时，他们便成全了他们所谓的'自由'！有一天，秀美竟拿了伊所有的东西，一去不回。我知道这事出于卜栋仁的诱惑，正待借重法律的救济，破坏他们的兽化式的自由。不料第二天，那董贝锦律师竟来了一封信，声言秀美因着受我虐待，故而要求离婚，并且还要向我索要赡养费。这种凭空诬陷的说话既出情理，无论哪一国的法律，在势当然不能成立。可是在这个时代，法律好像是有钱人的专有武器——换句话说，金钱的势力尽可以变更法律！一连开了三庭，那董贝锦仗着利嘴，又伪造了几种虚伪的证据，竟使我到底失败！霍先生，我一向听得你的大名，知道你是注重正义公道的。你想我受了这口怨气，有什么对付方法？上诉，要钱；请律师，要钱；我没有钱，有什么法子？霍先生，那时候我几乎要发疯了！我在一忿之余，便打算自杀！"

他说到这里，脸色忽发青白，双眉紧锁。他的身子像要挺直，可是没有效果，他的腰仍有些弯。他的右手也按在他的腹上。我料想他的身体上一定有什么难受；或是他提起了失意的心事，刺激太厉害，才有这种惨变。倪金寿和杨宝兴虽依旧静默，但神气上似也受了些激动。霍桑一边很沉静地听那人讲话，一边却一眼不霎地瞧在他的脸上。

霍桑忽问道："你为什么如此？可是腹中觉得疼痛？你莫

非已经——？"

那人忽把左手乱摇了一阵，接口道："你们别多问了。我的话快要完了。我现在再把我亲手干的这两件案子的情形告诉你们。我起先虽有自杀的意念，后来一想，我这样子默默地自杀，真是白死；不但给这一对狗男女暗笑，别的人知道了，也要说我是没用的弱虫。因此，我就定意先把这几个人处死了，然后再死。这样，不但可以报我个人的私仇，也可使那些和我同样受屈饮恨的人吐一些气！

"我听得这两个狗男女到杭州去举行婚礼，直到七八天前，他们方才回来。我又打听得他们回来以后，每夜要往中华舞台里去。我要下手，再简便没有。

"我一想到那可恶的董贝锦，又打算把他做一个榜样，给一般玩法的律师们做一种棒喝。律师的地位本来很崇高，他们的天职就是保障人权——尤其是一般无产无势阶级的平民，更需要他们的保障。但像董贝锦这样的人，眼中只有金钱，哪里还有法理？还谈得上保障人权？这种人实在不应再让他留在世界上，干那伤天害理的事情！我查得他每夜要到什么总会里去，回家时约在十二点。我定意先把他治罪，然后再和那卜陶二人算账。我把我的衣服卖掉了，设法弄得了一支手枪，就在昨天夜里到华盛路去守候。

"我等到了十一点左右，忽见董贝锦坐了车子回来。那时我因为隔壁有一个邻居的医生出来，还有那个车夫不曾走开，有些顾忌，不敢就冒昧下手。后来我听见那医生高声唤车。我想我若要等这医生走远了然后动手，董贝锦必早已进去，时间已来不及。因此我就匆匆忙忙地发了一枪，接着便拔步向东而逃。我奔到转弯角上，忽和一个人相撞。我虽吃了一惊，幸亏那人立足不稳，倒在地上，到底被我脱逃。我便趁这机会，随即赶到中华舞台去，结果了那奸夫奔妇。

"我到中华舞台时，买了一张厢位票，一直上楼，瞧明了那两个人的座位，便悄悄地进去。说也奇怪，我结果这两个人，前后不过一两分钟，再爽快没有！我的目的既达，仍从容地走下楼来，乘着看客们纷扰的机会，从容地出来，绝没有一个人阻住我的去路。那时我得意已极，走出戏院的大门时，我几乎要纵声大笑！我那时本准备一死，即使当场有人把我捉住，我也决不抗拒。可是我回到寓处，一路上仍安然无事。这半夜我睡在床上非常酣适，实在是一个月来第一次的安眠！

"今天早晨起来，我正自彷徨无主，不知道怎样解决我未来的生命。我又改变了意念，很想逃往远方去另谋一种生活。我买了一张报纸，瞧瞧夜来的事是否已经被发觉。报纸上果真有两节新闻，但我读了华盛路的一节，不由使我大吃一惊，又觉得异常抱歉。原来昨夜死的一个，叫作罗维基的西医，并不是那个董贝锦！

"我才知昨夜匆忙之间，发枪不准，错打了人。那时他们二人并肩站着，面前又有一棵树干遮隔我的枪弹，便误中了那个西医。当时我匆促逃避，所以还不曾知道。我因这件事心中又踌躇了好久。后来我定意，一不做二不休，我若不把这个恶汉结果，心中实不能安逸。所以今天夜里，我又决定再冒一冒险。我在灰布棉袍外面罩了一件黑罩袍，仍到他寓前去守候。我从下层窗上瞧见了他的影子，他正在里面读报。我因此又向窗上发了一枪，立即把他打倒。现在我的目的已达，虽死也可以瞑目。不过我的死，应得由于我的自动。我的良心上既没有犯罪，故而我也不愿意死于法律的罪名之下。"

他的气息咻咻地越发急促了，似有不能继续的神气。他的末后几句话，声音也特别低沉。他的身子越发弯下了，目光也呆定着，面容越发灰白，眼皮已抬不起来，嘴唇上也没有一丝血色。

倪金寿忽作惊骇声道："我瞧他的样子，莫非他刚才中枪的时候已服了什么毒药？"他立起身来。

霍桑也立起来，点头道："正是，他一定已服毒无疑。我看大概已来不及挽救哩。"他走到那人的旁边去。

倪金寿走近那人的面前，问道："那么，你叫什么名字？你还没有说过。"

那凶手的眼睛已经合拢了，短促地喘着。他的头低垂在他的胸口，并不回答。

霍桑喃喃地叹息道："这人也怪可怜！他自己以为他的目的已完全达到，但他怎知道这里面另有曲折呢？"

倪金寿的嘴唇努了一努，点点头表示会意，但我和杨宝兴二人却还莫名其妙。我不知道霍桑所说的另有曲折又是什么一回事。

杨宝兴禁不住问道："霍先生，还有什么曲折？"

霍桑道："他自以为那董贝锦律师刚才已被他打倒了。实际上这董贝锦此刻正安然活着呢！"

这句话一出，那个闭眼的凶手突然又挣扎地抬起头来。他张大了可怕的两目，露出一种惊怪的神色。接着他忽惨呼了一声，他的身子一侧，便从椅子上跌到地上，再也不动弹了。

东 道

这件案子虽已到了终点，但最后的结束却直到第二天的阴郁的下午方有着落。

这天下午，霍桑约请了南区的杨宝兴和西区的倪金寿一同到他寓里来，听他解释破案的经过。我对于霍桑的解释很觉满意。他进行的经过，事前虽兔起鹘落，无从测知，说明了后原没有什么奥秘。他说他起初搜集了枪弹，凶手的形状和时间等几种线索，假定罗维基一案和卜栋仁夫妇一案，也许出于同一人的行动。但再三推索，那犯案的主因却不能互相关合。这关合点在一方面既然碰壁，他就转变目光，另辟蹊径，推想到了罗维基的邻居董贝锦律师身上去。他记得发案时董贝锦恰在罗维基旁边，彼此曾交谈过，黑夜里枪弹误中，不是可能的事吗？他又从董贝锦律师联想到那新婚的卜栋仁陶秀美二人，就觉得更接近了些。因为近几年来，我国的婚姻问题受了欧美潮流的激荡，起了绝大的变动。结婚离婚，往往少不掉律师，所以律师便和"婚姻"二字发生了连带关系。他的脑海中仿佛也还有陶秀美三字的印象。后来一想，这名字似乎在报纸上见过的。他在旧报中翻了好一会儿，翻到了陶秀美的那件离婚案件，果真就是这位董贝锦大律师承办的。他因这发现，再做进一步的推想，合上卜栋仁父母起初不赞成那件婚事，他们俩又特地到杭州去结婚，可见这婚姻的结合一定有着纠葛。内幕中的情节便已非常明了。他又从曹福海嘴里确证了罗维基和陶秀美绝没关系。于是他才确定卜陶的凶案，关合点在董贝锦身上，罗医生的被杀是冤死的。

后来霍桑又去见董贝锦，不料董贝锦已在午前出去。据他的仆人说，他主人临行时并没说明往哪里去，也不知道什么时候回来。霍桑问明了这层，越发觉得近情。他又问那仆人，近来曾否有人向他打听过主人的行径。据仆人说，前几天果真有一个高大汉子问过他主人每夜什么时候回家。霍桑听得了那人身材高大，和两案中凶手的形态相同，他就没有疑惑，确定了两案是同一凶手。他料想这凶手看见了报纸上的新闻，自知他上夜里误杀了一人，怨气不吐，势必要再来行凶。他推测凶手的心理，怕董贝锦起疑逃走，再接再厉，势必就在第二夜下手，绝不会耽搁。霍桑将计就计，便想出了一种计策，使这凶手自投罗网。他取得了董贝锦的一张照片，特地赶到中华科学仪器制造厂去，赶制一个董贝锦的半身蜡型。那蜡型只有他头部和肩部的形象，并不雕刻面目，故而赶制时不费多大工夫。霍桑又通知倪金寿，先把蜡型装配好了，叫他伏在里面，不时将蜡型移动，以便把凶手引到里面，然后再动手把他捕住。但他还不放心，特地叫我同去，在屋子外的东西两端暗暗地监守着，以防那人万一不进屋子里去，可以在外面动手，不致再被他脱逃。霍桑为小心起见，还怕那蜡型露出破绽，特地要借我的眼光试一下子。我果然信以为真，他方才放心。

这件事说明以后，倪金寿和杨宝兴二人，自然竭力称颂霍桑的机智，和感谢他帮助的好意。至于那私贩案的解决，和那金汉威和曹福海二人的发落，自然由倪金寿杨宝兴等去负责处理。我们也不再过问。不过我听了这一篇离奇的故事，心中还抱着一种缺憾，等到那倪杨二人离去以后，我又向霍桑宣述我的意念。

我道："这件案子虽然已经结束了，但不知怎的，我仍觉得不很满意。"

霍桑道："你还不满意？为什么？"

"我觉得这个凶手太可怜。但那董贝锦真是太便宜哩！"

"唔，他的不死真是很侥幸的。"

"原是啊。我的不满，就觉得这样的人偏偏能死里逃生，法律的罗网又罩不住他。天意实在太欠公允！"

霍桑忽叹一口气，说："包朗，人世间不平的事多着呢，你不能事事满意。不过'多行不义'的人，迟早会自食他的后果。你但缓缓地瞧着吧。"

我也叹了几口气。室中便静了一静。

一会儿，我又问道："霍桑，那凶手的姓名，你总已知道了吧？他叫什么？"

霍桑瞧瞧我，忽从椅子上立了起来，低垂了头，在室中踱了几步，又微微地叹气。

他说："包朗，他既不愿意把姓名告人，我们何必多此一举，给他揭扬出来？你将来记载起来，但称他作一个无名的凶手好了。"他停了一停，忽站住了瞧我："包朗，算了吧。人世间悲惨的戏剧委实太多了，我们也不必虚寄我们无聊的同情。只有尽我们可能的力量，替社会大众铲除些害人的败类，使这种惨剧少演几幕。"

我点了点头。天色阴云不雨。我的心境有些相仿，情绪上的烦懑伤感，一时仍没法排遣。霍桑把火炉中的煤块拨开了些，烧着了一支白金龙，走到我的面前，用手拍我的肩膊：

"包朗，现在还有一个问题没有解决哩。

"喔，还有什么问题？"

"问题虽不算大，倒不大容易解决。"

"唔？"

"而且这问题的解决，关键完全在你的手里。"

"奇怪，我不懂。你何必再打哑谜？"

"前夜我们在万丰酒楼门前说的话，你总不见得就会忘记吧？"

我想了一想，不禁笑起来。

我道："你不是说我的东道吗？好，前天夜里我果真不幸跌过斤斗。今晚我就请你到泰东去吃西餐好了。"

霍桑也点头笑道："那就好。你先打个电话回去，告诉你夫人，今夜我还要留你住一夜。……今夜有一个条件，大家都不许喝酒，免得你再弄出什么意外的乱子。吃过了晚饭，我还打算往大华电影院去瞧那新映的《孤雏泪》呢。"他竟得寸进尺，简直带着些竹杠主义。

我道："那也赞成。不过瞧电影应得由你做东。"

霍桑一边吐着烟，一边缓缓答道："这怎么说？你昨夜不是接连跌了两跤吗？那你自然应该做两次东道。"

我笑了一笑，依约实践我的东道。

第二天报上，另有一节意外的消息，竟使我惊喜交集，同时也弥补了我的愤愤不平的缺憾。原来那董贝锦律师上一天在南京下车，车还没有停，他似乎因着什么紧急的事情，心慌急遽，先自跳下来，可是一失足便跌到了路轨上去。他的头颅被车轮辗破了，脑浆都迸了出来。

血 匕 首

萍水相逢

这是我的老友霍桑在早年时代，初试侦探学术时的记录之一。

他这一次的尝试，虽也遭遇了不少曲折困惑，结果到底是成功的；而且成绩的优异，不但使他在侦探界上奠定了不拔的基础，又引起了他服务人群的兴趣，使他获得了发挥他的聆音察理，窥幽抉微的天才的机会，终于在社会间建立了不朽的光荣。因为自从我将霍桑从事侦探的经验公开发表以后，在我国传统上不容讳言的司法界的黑暗面，多少受到一些刺激而逐渐地革新。例如审案注重证据而摒弃酷刑；检验也已采用法医，而那些不学无术的仵作便逐渐归于落伍而淘汰。总而言之，吾国司法界的一般状况，已渐渐从迷信腐化和草菅人命的恶魔掌握中解放出来，而趋向于"凭借理智""利用科学"和"扶植人权""推行法治"的光明途径。这固然是我的老友所企求盼望的，但距离他的始愿还不知相隔几千里！原来所谓"革新"，只限于几处通都大邑，而且还是表面而不彻底的，其他的一般情形，距离霍桑所企求的标的真还差得远呢。

霍桑自从破获了"江南燕"案以后，又结交了一个朋友，就是苏州警署中的侦探钟德，也就是"江南燕"案法律上的侦查负责人。钟德这个人虽没有特殊的聪慧，但他兢兢奉公地勤于职司，也当得起勤慎二字的考语。他因为获得了我朋友的助力，居然把孙家的那件失珠案原贼破获，因此受到了上官们的信任和奖赏。钟德倒也有东方人谦让的美德，并不食德忘报，自居其功。他每次遇到同事们，总要称佩霍桑的智能怎样敏捷，怎样神奇，有时也许还加上些超自然的渲染。

他常说："孙姓的盗案简直是霍桑一个人的功劳，我不过坐享其禄罢了。"

因着钟德这般揄扬，霍桑便得到了东方福尔摩斯的头衔，他的名誉果然震动一时。可是钟德有了这样推功不居的美德，同事们也个个敬重他，他的声名也同样地一天增高一天。这真合得上古语所说"唯不争名，名乃归之"。不过像钟德这样懂得这句古语的人，在现时代的社会间确是很少的了。

不到两月，他署中有一位姓钱的科员调升到北平去办事，就把钟德连带的举荐到北平警察厅里去。

这年夏天，我们还住在苏州。钟德从北平写了一封挂号信来，请我们两个人趁着暑假的余暇，往北平去游玩一遭；他还附了两张船票来，意思很是恳切，似乎有我们非去不可的样子。霍桑得了这封信，非常欢喜，因为他久有游历故都的愿望，此番有这机会，真是投其所好。我也很有游兴，因此也从旁赞助。我曾说道："钟德的盛情难却，固然非去不可，况且今岁学潮汹涌，也发源于北平，我们到了那里，还可以实地考察一下。"不料这考察的愿望没有实现，却意外地遭遇了一件离奇的血案，使霍桑确定了他的毕生工作，又加深了我对于记述案情的兴味。

霍桑就发了一个回电给钟德，告诉他我们启行的日期。我们立即着手料理行装，接着就到上海来候船——那时霍桑和我都住在苏城。等到轮船到埠，我们两人一捎行李，就上了轮船。钟德所赠的船票是头等舱位，起坐很觉舒服，加上气候晴温，风平浪稳，我们也没有患晕船的病。

在船上三日，我们结识了两个同船的朋友。一位是徐品英女士，天津人，是个有健美体格的北方典型女性。伊在上海女校里读书，因暑假回里。一位叫林叔权，是个身材高颀面目清秀的大学毕业生。他往北平去，也是为了游历，和我们的宗旨相同。这两人的年纪都在二十以外，才具也都不凡。

我们萍水相逢地得到了这两位新交，每晚上凭着船栏，享受着飒飒的海风，谈谈说说，很不寂寞。所谈的问题，如文学哩，美术哩，宗教哩，社会问题哩，婚姻问题哩，可说海阔天空，无话不谈。这二人之中，论起学问来，固然是姓林的高些，但是他不喜多谈，有时三言两语，谈言微中，有时竟默默缄口，仿佛别有什么隐秘的怀抱似的。那女友却很有辩才，谈论的时候，滔滔不绝，简直是一位饱受时代教育的女学士。

轮船到了天津，大家各自整装上岸。那徐品英女士就在这里和我们分别。但林叔权仍是同行，一同乘火车进故京。从天津到北平，火车很快，不过两三小时。可是在这两三小时之间，我们反觉无聊起来。那就因为叔权本来是个静穆寡言的人，比较品英女士，正是大相径庭。他起初还跟着我们谈谈，后来距离目的地越短，他的言语也比例地越少。自从登了火车，他只是呆坐着，好像入定的老僧。我猜想他好似怀着什么不可告人的心事，但也不便过问，只得彼此默然枯坐罢了。

火车到了平站，钟德已在站上守候，旧侣相见，当然分外亲热。我们才知道他自从升迁来平，派在总警厅中当一个一等侦探，位高俸厚，他自然很觉得意了。

他引领我们到一个万福旅馆，地点在正阳门外打磨厂，恰当繁盛的所在。那林叔权因和我们有同行的交谊，并且意气投契，就也同寓在万福旅馆。他的房间，恰和我们的相隔不远。我心中很欢喜，因为他虽然缄默而近于诡秘，但旅行时多一个相识的人，总觉比没有好些。

我们到北平的下一天，是国历八月三日，星期一，气候在华氏九十度①以下，阳光也并不太强。我们便和钟德一同出去游览。去的时候，我们也曾邀叔权同行，但他说因着舟车劳顿，身子不适，推谢不去。我们虽觉得他的推辞好像不大真实，但也不便勉强，只得听他。如此一连游了三天，凡故都中的公园，热闹的街市，和餐馆剧院等，都已约略尝试。我们又订定日期，预备畅游名胜古迹。星期四是钟德值差的日子，不能外出。我们一连游玩了三天，蒸发了好几身汗，也应该休息一下，便约定星期五再一同到陶然亭去。

八月五日，星期三晚饭毕后，我和霍桑在我们那间布置简洁而灯光幽淡的卧室中闲谈，忽又想起林叔权来。因为我们出游的时候，他总是托故推辞，不能不有些怀疑。

霍桑曾对我道："这个人很神秘，好像怀着某种心事。你别向他多啰唆。他既不肯把他胸底里的隐事告诉我们，我们自然也不能相强。"

我乘机问道："你看他蕴藏着什么性质的心事？"

霍桑摇摇头，答道："谁知道呢？"他略略沉吟了一下，又补充一句："看起来性质似乎很严重。"

"我们能不能向他问个明白？"

---

① 90华氏度约等于32摄氏度。

"如果有机会，我们或者可以明白，也未可知。"

霍桑这句判断，我也认为很近情。论林叔权的举止果然有些可疑——他虽不和我们同行，却总是一个人独出，每天归寓，总要迟到黄昏时候。据他说，他在北平并没有亲戚。那么他天天往什么地方去的呢？

我们因着约定了星期五游名胜的计划，想给他一个信息。因为我们前三日游的，都是热闹所在，或者和他的旨趣不同，现在我们既然改变了游览的对象，自然不得不再邀他一次。

我计念定了，就拖了霍桑一同到叔权的房间里去。我们走到他的房门口，看见房门关着；我用手一推，却是锁得牢牢的。但那门隙之间，却有一缕灯光透出，不知道内中有人没人。那时我忽有一种奇异的直觉，好像在无形之中，这室中在酝酿出一种诡秘的空气！

凶　案

霍桑谨慎地举起手指，在房门上弹了一下，却没有回答。

他向我说："这里面似乎没有人。他还没有回来。"

我点了点头，举起手表一看，已是九点五十五分。因为我们晚餐罢后，又纵谈了半晌，所以时光已是不早。

我回答道："他此刻还不回来，你想他一个人往哪里去的？"

这时甬道中恰巧有一侍役慢慢地走过来。

霍桑忙招招手，问道："你知道林先生往哪里去的？他要什么时候回来？"

那侍役答道："林先生用过晚饭才出去。他每次出外，总不告诉我们。他回来的时候也是说不定的。"侍者说完了，便又慢吞吞地走开了。

我们也打算回房去。不料刚要回步，我猛见有一个人急匆匆地走来。那人戴着一顶阔边的帽子，身体很高。我定睛一看，正是林叔权。他的面色发赤，颧颊和鼻尖上满缀着汗珠，月光灼灼，气息也咻咻不定，似乎很乏力，又似乎正在发怒的样子。

他一见我们，呆了一呆，接着忙招呼说："两位先生，要找我吗？好，好，请到房里去坐一下。"

霍桑含着笑容，回道："正是呢，你此刻回来，可算巧极。已经十点钟哩。我们不知道你什么时候才回来，正要想回房去了。"

叔权开了房门，我们就挨次而进。坐定以后，霍桑先向叔权端详了一会儿，也不问他。我就把我们约游的来意告诉他。那少年低垂了头，默默地不答，不住地用白巾抹他脸上和颈项间的汗。季候虽然是夏令，但他似乎比较敏感，因为霍桑和我都没有感觉得这样热。接着，叔权忽而叹一口气。

他说："二位的盛意很可感，我屡屡推却，自觉不情已极。现在我告诉二位，我为了一桩心事，身心都被它束缚着，丝毫没有游兴。这是我不得已的苦衷，并非不领盛情。还望你们见谅才是。"

唔，他果真是有心事的，此前我们所料想的，竟不期而中了！但他的心事究竟是为的什么？霍桑所料想的性质严重，严重到什么程度？他可能坦白地告诉我们？

霍桑答道："林兄既有心事，我们自不便勉强。但是探胜揽奇的时候，少一位合意朋友谈谈，未免减少些兴致。"他顿了一顿，接着又道："我不知道林兄所说的心事，可能见示一二？我们虽属浅交，但若有什么可以尽力的地方，我们也很愿意勉效一分绵薄。"

我也附和道："我们同是做客，声气既洽，原不必分什么彼此。"

林叔权向我们俩瞧了一下，忽把视线垂下了，却不答话。

霍桑又说："这几天我见林兄心神不宁，本来想动问，今晚上实在很冒昧，请你宽恕。"

霍桑将目光注射在林叔权的面上，叔权也仰起头来，二人的视线不期地相接。叔权又立即低下了目光，脸色益发通红。

他呆了半晌，方才低声答道："霍先生，包先生，你们肯仗义相助，真是感激不尽。我到这里来，的确有所图谋，不过因着种种关系，不能不暂守秘密。请二位原谅。"

我不禁大失所望，因此不由疑惑起来。难道他会有什么不轨的举动？

霍桑立起身来，答道："林兄既须秘密，我们当然也爱莫能助。但我有一句忠告，做事宜处处谨慎，万万不可使气躁进。此后你若使需用我们，但一召唤，我们都愿意效力。"

那少年略略抬起头来，眼眶一红，几乎要流出泪来。

他颤声答道："霍先生的忠言良箴，真正难得。兄弟的事，不得助力，恐怕终难成就，早晚也许就要求教。不过我的事情虽秘密，却并没有一些暧昧不正当的意味。请两位不要误会。"

霍桑忙道："林兄，你别说这话，我们都明白的。再会吧。"

我们回到了自己的室中，我的手表上已指十点三十分钟。我觉得叔权的话有些藏头露尾，很是难忍。

我向霍桑问道："你听叔权的口气，可能测知他所谋的事究竟是什么一回事？正当不正当？犯法不犯法？"

霍桑忽嗤然地笑道："你问得很奇怪，有些不合理。"

"何以见得？"

"要知道正当的事，也有犯法的；不犯法的事，也有不正当的。这两句话怎么可以并为一谈？"

"那么你先说他的事正当不正当。"

"这很难说。我观察他的情形，有两种可能的假定：第一，他的秘密仿佛关涉国事，因为他的辞色之中，往往流露一种理直气壮激昂慷慨的态度。可是今晚上他的神态忽又改变了。因此，我又有第二种假定。他的脸上满蕴着怒气，又似乎现出羞赧的样子，有什么话不便启齿，很像是一个情场中受挫的败卒，失败了也说不出口。这又似乎他所谋干的，不外恋爱问题。总而言之，二者之中，必居其一，正当不正当，还是你自己去估量吧。"

我说："那么犯法不犯法，你也须下个见解。须知这城中军警森严，上官们宪法，固然不打紧，倘使我们小百姓偶然有什么失错，准教你立刻会讨苦吃。我们远道做客，也应当注意这一层。"

霍桑道："这话不错，但是我也不能断定。你要知道凡是秘密的事，即使未必尽干法纪，但是去犯法的界线一定也不甚远。叔权所图谋的事，他既然说还没有成就，这犯法不犯法的断语，就也不能预下。"

我觉得这话全是空洞的理论，仍旧摸不着头绪。我正想再问，忽见霍桑摇一摇手。

他说："包朗，你别为着旁人的事啰唆不清。我们连日奔波，也不免疲倦，今晚且早些安眠，明天休息一天，准备后天游陶然亭；此外还有故宫、西苑、西山等名胜，也须去玩玩，那才不辜负这一遭。"

他说完了就解衣登榻，使我没法再问。我也把叔权的事丢了，不使它留在脑中扰乱我的神思。果然神思一宁，我着枕便睡，直到次朝醒觉，钟上已指七点。

我起身盥洗时，见霍桑已先起来，正伏在洞开的窗口前的桌子上披览故京的全图。

我问道："霍桑，你早饭吃过没有？一清早起来干什么事？"

霍桑道："我在这里打算明天的游程。你已梳洗好了吗？我们可一同吃炸酱面。"他就顺手把电铃揿了一下，吩咐侍者送面进来。一会儿，有一个管电话的小厮也跟跄地进来。

他高声唤道："三十六号霍先生，警厅中有电话来，等先生回话。"

霍桑就立起身来，随着那小厮出去。不一会儿，霍桑回进来时，脸上忽现出一种急遽的神气。

他不待我问，先开口呼道："包朗，电话是钟德打来的。他说今天早晨发生了一件非常奇特的凶案。他马上要去勘验，招我们同去。你的意思怎么样？"

我暗想我们才到此地，就会有什么凶案；并且这案发现的日子，又恰当钟德的值期；我们的游期不是要被连累了吗？这正是太凑巧了。

我答道："我没有成见，去不去随便。但你的意思可是要去帮助他吗？"

霍桑说："不是，我们不过跟着去参观一下，长长见闻。他这时在厅中等我，一定十分焦急。我们不可延滞，立刻走吧。"

他忙戴了帽子，并将应用的物件塞在袋中，不由我分说，拉着我就走。我没法拒绝，只得忍着饥，跟随他往警厅里去。

一只金表

我们的车子到达警厅时，钟德已迎了出来。

他忙上前招呼道："你们来了！我已等候好久哩。我们不能再耽搁了。"他把手一挥，就有一辆马车疾驶过来。我们见他急不可耐的模样，也没回答，就依次上车。

钟德在开车以后，又气吁吁地说："这件案子发生在化石桥，属于第二分区的辖境。今天早晨六点钟时，区中得到了凶案的信息，立即前往检验。据说这是件谋杀案，情节奇怪得很，因此立刻报告到总厅里来。今天是我的值期，我一得这信息，特地请二位一块儿去。因为据我测度，这案子既然说得上奇怪，少不得又要烦劳霍先生相助一下哩。"

霍桑低垂了头，默默不答。

一会儿车子已到化石桥西。我们下了车，有一个警士奔过来，向钟德行了一个举手礼，便返身引导，走入一条僻巷。巷内有一圈短墙，另有一个警士守在门前，仿佛是人家的后园。

我们进了园门，就见一个穿警长制服的警官，上前和钟德招呼。

他说道："医官才到，正要等先生来一同检验。"

钟德点点头，穿过一方园圃，就随着那警官进入一所平屋。我们也跟着进去。

这屋子就是发现凶案的所在。我们一进了门，便觉阴惨惨地有一种凄黯冷寂的景象。屋中的窗都是半掩着，有一个穿西服的中年男子坐着，就是医官。离医官的座位不远，有一个直僵僵的尸体躺在地上。

死者穿着白色法兰绒的西服，左襟上血渍殷红，瞧了很是可怖。这时我对于尸体的经验还不多，不觉打了一个寒噤，连忙把视线移向别处去，不敢注视在死人的身上。

那屋子是分隔的，不很宽广，一边摆设了一张凉床。靠窗有一张书桌。书桌的旁边，本有一张茶几和两把椅子，此刻一把已翻倒在地，茶几上的一个彩色花瓶也倒在桌子脚旁，打成粉碎。此外除了一只旅行皮箧和一张洗面桌子以外，更别无长物。但那桌子的抽屉和皮箧的夹层，一个个都打开着，分明有人搜寻过什么似的。照情形看来，这屋中显见有人剧烈地打过架。

霍桑和钟德二人并肩站立在尸旁，口讲指画的似在商量什么。接着钟德卷起了衣袖，屈了一足跽下来。他先把尸体的头面侧一个向，我便瞧见死者的面貌。

他的年纪在二十七八岁，皮肤细白，五官很清秀端正，生前显然是一个美少年。但这时候他的两眼豁张，没光的双瞳之中，似乎现出一种怨恨刻毒的神情，煞是怕人；那死灰色的嘴唇也开而未阖，露出一副雪白的牙齿，却又紧紧地咬拢着；仿佛他临死时曾遭受十分痛楚，所以留下了这一副皱眉咬牙的狰狞状态。

那医官也已跽了下来，伸手解开死者的衣服，查验伤处。死者的衣服虽是完整，但他的硬领和领巾都已松解。那领巾本是鱼白色的，但这时领巾的一角已染了血液，变成了深紫，和他的纺绸衬衫粘在一起。那医生既已解开了衣纽，那致命的伤痕立即显现出来。那伤口在胸膛的左旁，血渍模糊，一时也辨不清楚。医生先用了放大镜在伤处照察了一会儿；又用一把小尺量了一量；又用手抚摸他的心窝；末后又就他的四肢审视一遍，似乎没有发现别的伤痕。医生站了起来，向钟德点点头。

那医官低声说："致命伤只有这一处，但不见凶器。我来说明那伤痕，你记着吧。伤在左胸第二肋骨之下，距离心脏约一寸四分。伤口长一寸二分；阔度，左面约三分半，右面近心窝处约一分半；深度，约有二寸。致伤的凶器似乎是一种单锋的匕首，锋利而背厚，故而刺人的时候，刀尖已伤着心脏，因而丧命。但刀锋虽是犀利，却已有些生锈，好似经久不曾用过。你瞧这伤口上面，还留着些锈痕。这便是伤象的实情，你都记明了吗？"

医官说时，钟德握了铅笔，在一本小册上不住地乱画，等到医生说完，钟德也已停笔。

钟德点点头，答道："都已记清楚了。但还有一层，死者在什么时候被害，你能不能计算出？"

医官又把死者的手肢牵动了一下，摸着自己的下颔，答道："约莫有十个小时了吧。此刻已过八点钟，就时间上计算，大约在昨晚十点死的。"

钟德又记下了，问道："这个时候可算得确定吗？"

医官道："我敢说不会有多大的错误。"

钟德答应了，又向穿制服的警长招招手，说道："胡区长，请你把这凶案发现的经过说一遍。"

那区长便道："今晨六点钟时，敝区第二十九号岗位的警士，来区报告，说化石桥西面小巷中出了一件谋杀案。我一听得这个报告，立刻赶来。我到了此屋，所见的情形，和现在没有两样。当下我就问那警士和屋中的一个仆人。因为警士在站岗的时候，听了那仆人的报告，才得知凶耗的。

"据仆人说，死的人叫陆子华，是他小主人许守明的朋友。死者寄寓在此间，已经有三个星期，只有他一个人伺候。昨天晚间，死者用过了晚饭，接客谈话，原是好端端的。不知怎么，今天清早起来，忽已被人杀死。至于他被什么人所杀，又为了什么缘故，我也曾问他，他说毫不知情。刚才我已打发这个仆人往内宅去请他的主母，以便让先生你来问话。停一会儿，你可以细细地问伊。"

钟德且听且执笔记在册上。他停了笔，看看时计。

他皱眉说道："怎么这样慢吞吞的？他们主仆还不出来？"他又回头向医官道："洪医官，你的公务很忙，尽可以先请便。倘有什么疑难之处，我再来请教。"

医官点点头，提起了皮包，举步要走。霍桑忽闪身过来，向医官打了一个招呼，似乎要止住他离开的模样。我们自从进了尸屋，霍桑便静悄悄地站在旁边，努力运用他的敏锐的观察，除了在视察伤口时，低低地发一声"奇怪"的惊呼外，没有发表过一句话。此刻他忽阻住了医官，分明要发表意见哩。

霍桑已走近医官，开口问道："先生的诊断很确切，我很佩服。不过有一节还有些疑惑：当死者被害的时候，从被刺到气绝，这中间约有多少时候？"

医官向霍桑瞅了一眼，讪讪然答道："这个问题一时很难下断语。若从伤势上观测，刀入以后，必经过一番的挣扎转侧，然后毙命。这挣扎转侧的时间，我现在虽还不能证明，但最少总有两三分钟。"

霍桑忙应道："先生的见解很合鄙意，谢谢。"他鞠了一个躬，很谦恭地送医官出去。

在霍桑和医官交谈的时候，钟德似乎等得不耐烦，重新又蹲在尸旁，搜检死人的衣袋。不一会儿，他已摸出了许多东西，如手巾，墨水笔，银钞纸币等等。末后，他又掏出一只金表，那是在死者裤子的前袋里的。

钟德一见了表，忽而高声喊道："霍先生，我已寻得了一个证据！你过来瞧瞧！"

谁是凶手

当钟德高呼的时候，那声浪中也含着得意的成分，似乎已得到了破案的迹兆。霍桑正送了医官进来。钟德便笑嘻嘻地把在尸衣中摸得的一只金表，双手捧给霍桑。霍桑接了表一看，也眉耸目张地现出很惊奇的状态。

他说："这表已经击坏，盖面的玻璃碎了，旋发条的机钮已松动脱落，两枚时针也受损不动，果然很有研究的价值。但是你的意思，是不是说它可以做被害时刻的证据？"

钟德答道："是啊。你瞧，表上的时针恰正停在十点，合着洪医生的说话，岂不是两相符合了吗？"

霍桑点点头："对，对。包朗，你也来瞧瞧。这表确有关系，你得留意着。"

我连忙接过了表。那是一只四号的时式金明表，机钮已松动了，玻璃也碎完，已没有半块存在，但见有细细的碎屑嵌在周围，显见击坏的时候用力很猛，故而坡璃已碎成齑粉。表面上的两枚针也已微微曲损，长的指在十二点略差一些，短的指在十点。这显然就是什么时候用武碎表的显明证据。

我仍将表还给霍桑。霍桑又在表上端详了一会儿，默默地思索。

他说道："钟兄，这表的玻璃碎了。你再摸摸他的表袋，里面有没有碎片留存。"

钟德摸袋的结果，果然得到了几片碎玻璃。霍桑取过玻璃，在表面上拼凑了一会儿；接着，他忽把目光四射，仿佛要寻觅什么；霎时间他用手向书桌底下指了一指。

他说："桌子下面亮晶晶的是什么东西？不是一粒螺钿纽子吗？"他说着立即俯着身子把那东西拾起来，果然是一粒扁圆的螺钿纽子。

钟德忙走近去验视，说道："这纽子像是装在西服的袖口上的。你看怎么样？"

霍桑道："很对，我也这样想。我们看看死者的衣袖，这东西是不是他身上的。"

钟德把死人的手抬了起来，验看那袖口。两袖上各装一钮，都完好无缺。

钟德便道："不是他的。那大约是凶手的了。"

霍桑忽喊道："唉，这里还有一块碎玻璃片！"他就在尸体左边的地上拾起那片玻璃，又在表面上合了一合；接着他便一起交还给钟德："这表和这纽子，你且收藏着，将来或需用它做个证据。"

钟德接过了塞在袋中，也把他的电炬似的目光向四下乱瞧。他陡地奔到屋的一隅去，偻下身子，好似又瞧见了什么。我随着他瞧去，果见墙壁下面有一小堆黑灰。

霍桑问道："这是什么灰？"

钟德道："仿佛是纸灰。"

霍桑道："那么，你也得留意着，这灰或许也有关系。"

这时那二区的胡区长走进来，拉拉钟德的衣角。

他低声说："许姓的主仆出来了。"

钟德点点头，就走了出去。我和霍桑也跟着走到外室。

　　原来这一所平屋本不算小，只因分隔了内外二室，就觉得不甚宽敞。这时外室中坐着一位中年妇人，年纪有四十多岁，衣服朴素，容态很庄重。旁边站一个二十多岁的男仆，灰白的脸上带着惊惶之色，低着头不动。那妇人看见钟德走近去，便离座起立。钟德也上前弯了弯腰。

　　他柔声问道："夫人可是姓许？是这里的主人吗？"

　　那妇人道："正是，自从先夫逝世以后，我主管着家务，向来都是很安宁的。不料今天出了这一件怕人的凶案，真是意外的不幸！"伊的谈吐透示出伊分明也受过相当的教育。

　　钟德说："我知道死的叫陆子华，但不知跟夫人怎么称呼？"

　　妇人道："他是小儿守明的朋友，从前他们俩在上海同过学的。一个月前，小儿往上海去游玩，跟他会面，随后他就带着小儿的手书到这儿来寄寓。我因情不可却，只得允许他暂住。但因家里没有壮丁，小女也年纪大了，未便同居在前面正屋中，所以把这园屋让给他，叫他从园门进出，以免嫌疑。他住在这儿已经三个星期，我派福兴在这里陪他，每日三餐，也是从内宅中送来的。这三个星期中，彼此倒也相安无事。不料今天有这非常之祸，我实在是料想不到的。"

　　钟德又问道："这陆子华交往的朋友是哪几个？他到北平来，究竟干什么勾当？夫人谅来都知道的吧？"

　　妇人皱着眉峰，答道："他来的时候，自己说是游玩，但他交往的朋友究竟有几个，我并不知道。因为除了他偶然到正屋里去和我闲谈片刻以外，我也不常见他的面。先生还是问问福兴，也许可以有些端倪。"

　　钟德道："那么，他在北平有没有什么仇人，夫人也不知道吗？"

妇人道："不错，我和他起先本来没有见过面，所以他所往还的是哪些人，都不认识。他有没有仇人，我自然更不知道了。"

钟德沉吟了半晌，才道："令郎现在在哪里？"

妇人道："小儿还在上海，住在振华旅社七号。"

钟德向霍桑瞅了一瞅，霍桑使一个眼色，似乎叫他不必多说的样子。钟德会意了，就向妇人道一声歉，送伊重回内宅去。

钟德向那少年仆人打量了一会儿，就向他问道："你就是伺候陆子华的福兴吗？"

仆人战战兢兢地答道："先生，是的。"

钟德道："你既然是伺候他的，他为了什么事被害，那个凶手是谁，你总应该有些知觉啊。"

福兴一听，面色越发灰白，颤声答道："先生，凶手是谁，我……我实在不知道。我不能乱说。"

霍桑接口说："那么，你就将你所知道的说出来。"

福兴点点头，说道："昨晚晚饭过后，有一个客人来看陆先生。他们谈了好久，后来不知道为了什么，忽地争吵起来——"

钟德突然插言道："喔！争吵起来？这个客人是谁？"

"他的姓名我不知道，但我已见过他两三次。他来的时候，总是在傍晚或晚上。"

"他的形状怎么样？大约什么年纪？"

"他身穿白色西装，身体很高，上嘴唇上有些黑须，好似燕子尾巴，有三十多岁。他还戴一副黑眼镜，看上去很有些威势。"

钟德一句句记下了，又道："好。以后怎么样？"

福兴道："当下我在房中听得了，就走进这屋子来，瞧瞧他们为着什么争吵。陆先生一看见我，立刻叫我退出去，并叫我先睡，不必再伺候。我自然只能依他就回到房里去，一会儿便睡着了。以后的事，我都不明白。直到今天早晨——"

霍桑忽挥手止住他道："什么？客人还没有去，你倒先自安睡？"

福兴说："这是陆先生吩咐的。他每逢晚上有客，总教我先睡。送客关门，都是他自己出去。先生，这不是我偷懒。"

霍桑诧异道："奇怪！……但你说他们争吵的时候，你曾进去瞧过。那时候他们俩有没有动手？"

福兴道："没有，不过因为他们谈话的声音越谈越高，我才走进来。要是他们动了手，我自然也不敢就回房睡哩。"

钟德接着问道："那么，他们谈的什么？你总应该听得一些。"

福兴想了一想，才道："起先我但听得高声谈话，听不出什么，直到我走近到这里，才略略听得几句。那客人道：'我有凭据的！……准教你没处立足！……'我又听得陆先生厉声喝道：'你敢吗？……你敢吗？……'他们说到这里，我已踱了进来。他们马上停止，别的话我都没有听见。"

钟德道："照你说，你一进来，他们的争吵就也停止。是吗？"

福兴道："正是，当下我听了陆先生的吩咐，就回房里去睡。我睡的时候，还听得他们重新谈话，但已不像先前那么喉咙响。所以我也渐渐地睡着了。"

"你睡了以后，就不再听得吵闹的声音吗？"

"我……我没有听见，就是那客人什么时候去的，我也不知道。"

霍桑忽又问道："你的卧室不是就在那园中的小屋子里吗？假使这里有些声响，你一定是听得到的。是吗？"

福兴期期地答道："先生，你的话不错，不过我若是睡着了，那又说不定一定听得。"

霍桑又瞧着他问道："当你昨夜里进来的时候，可记得几点钟了？"

福兴道："我记不清楚……大约在九点钟的光景。"

钟德一听这话，忽拍着手掌，说道："是了，据我想来，那个客人一定是杀人的凶手！"

霍桑忽回过头来，冷冷地说："何以见得？"

钟德道："莫说别的，单论时间问题，岂不是已两相符合？"

霍桑道："唔？符合？据你的见解，死者是十点钟被害的，那客人在九点钟还留在屋中，你就疑心他行凶吗？但你须知九点到十点，相隔一个钟头。一个钟头时间不能算短，尽可以干出不少事情。你怎知道这一个钟头中间，那客人不离别而去，而另有一个人入屋行刺？"

钟德受了这一次驳诘，略有些扫兴的颜色，怏怏地说："这样说，不但那客人可疑，或者还有别的凶手。但这凶手又是谁呢？"

推究案情

钟德的神情似乎很抱惭不安，停了一会儿，他有气无力地抬起眼睛，向霍桑凝注着。

他婉声问道："霍先生，你所说的固然是很合情理的，但你对于这来客的见解究竟怎么样？"

霍桑沉吟地说："这是很容易明白的。据福兴说，昨晚九点钟时，主客们已有争吵的情形；既然如此，他们俩的感情当然已经破裂；那么那客人若要行凶，势必就在这个当儿。你说对不对？"

钟德道："但是如果大家再僵持一个钟点，等到十点钟然后下手，似乎也可能。"

"不，当那客人开始争吵的时候，福兴曾闯进来过。他既知道仆人就在近边，也应有些顾忌。所以我测度情势，料想那客人必不久便去；这个人既去以后，或者停了一刻再来，或者另外有他人入屋。这问题既还没有实际的证据，我此刻也不能说定。"

钟德默想了一下，连连点头，似乎很信服我朋友的议论。原来钟德有一种脾气，起初受了驳诘，自然未免悻悻不乐；但一经霍桑剖解明白，他也就能幡然服膺。这"服善从长"四个字，在以前他已表现过，也便是钟德的长处。

霍桑又回头问福兴："你说你从回房以后，就渐渐睡着，直到天明没有听得一些声响。这话当真吗？"

福兴两眼望着砖地，答道："真的，只因我很贪睡，一经入梦，便不易醒觉。我实在不敢撒谎。"

"那么，你把发现尸体的情形，再照实说一说。"

"今天早晨六点钟以前，我看见这里的园门一半开着，心中很觉奇怪为什么陆先生起得这样早。我便悄悄地踱了进来，到得此地——"

霍桑突地止住他道："你就踱进了园门吗？"

福兴咬着嘴唇，颤栗着答道："不是，不是，我说我走进这屋子，因为我起身的时候，先向园门一望，见门半开着，便立刻走进这屋子里来。"

霍桑一手抚摸着下颔，又向钟德瞧了一瞧。

他继续问道："你说下去。以后怎么样？"

福兴道："我一进屋子，瞧见了这可怕的形状，吓得掉了魂。我一时没法，忙奔出去报告警士。不一会儿，就有一个警士到这儿来查验防守。我也伺候着没有离开，直到胡区长第二次来，吩咐我去请主母，我才回到内厅去。"

霍桑背负着手，沉吟了一会儿："从这屋子通内宅的门径，平日是否关断，或者随时可以相通的？"

福兴答道："这门并不关断，但陆先生除了偶然进内宅去闲谈以外，所有朋友们往来和他自己出进，都是走园门的，从没有假道内宅。"

"他到内宅里去闲谈有过几次？"

"不多，大约间日一次。"

"他专跟你主母一个人谈话吗？"

"有时候他也跟小姐交谈。"

钟德一听这话，精神陡地一振，便插嘴道："他也和你家小姐交谈吗？谈些什么？你可知道？"

福兴道："他们总谈些学校里的事情。因为我们小姐今年十九岁，也是在一个中学校里读书的。"

钟德道："你家小姐，除了这陆子华以外，有没有别的男朋友来往？"

福兴瞪目道："这事我不知道。但夫人家教很严，男朋友上门是不常见的。"

"那么这陆子华的朋友是些什么样人？"

"有几个年纪大的，像是些做官的老爷们，也有些像学生。不过每逢陆先生有朋友来，他总不许我等在旁边，所以他们谈些什么，我都不知道。"

钟德继续道："此外你还有什么话可以告诉我们？"

福兴搔搔头皮思忖了一下，才道："还有……还有一个人，我不知道他有没有关系。"

"你不要管有关无关，姑且说出来。"

"昨天傍晚，有一个四十多岁的男人闯进园门里来，但那个人立即就退出去了。"

"你认识他吗？"

"不，我没有见过他。"

"怎样打扮？"

"穿一件蓝色团花纱的长衫，有些胡子，像……也像是个官老爷。"

"他来做什么？"

"他说他要找人。"

"可是找陆子华？"

"不，他说他要找一个姓黄的人。我回答没有，他就退出去。不过临走时他还向这屋子里看了一看。"

这时霍桑有些不耐烦的样子。他摸出表来一看，便道："唉！已经九点半钟了，我们还没有进早餐。钟兄，我们少陪了。停一会儿我们在寓中恭候，再见吧。"他向我招一招手，不等钟德的答话，往外就走。

我也跟着出屋，刚走到一所小屋子前，霍桑忽又停了步。

他指着小屋说："这便是福兴的卧室了。"

这小屋是附着平屋造的，过了此屋，就是园门。我正在观察，忽见钟德从平屋里溜了出来，走到霍桑面前，停足听他的吩咐，好像他是受了霍桑暗示的招呼，才溜出来的。霍桑一见他走近，果然凑着他的耳朵说了一会儿，才分别出园。

我们到得街上，唤了两部黄包车，一直归寓。在车行的时候，我心中很觉得纳闷。我们清早起来，饿着肚子来瞧这桩凶案，却毫无结果。因为案情是非常迷离的，凶手为谁，原因为何，一时都摸不着头绪。霍桑也许多少有些见解，可惜他守了主客的分际，不肯多发议论。我虽怀疑，也不便问他，只能到了旅馆再打破这个疑团。车行很快，但因我心中着急的缘故，还觉得十分迟慢，直到钟鸣十下，我们才到旅馆。

我们一进房间，霍桑忙唤侍役送炸酱面进来。这时霍桑似乎饿极，一口气吃完了，方始放下碗筷。食罢，大家吸烟无语，我再耐不住，一时却又不知从哪里说起。

我想了一想，便开口问道："霍桑，你临走的时候，和钟德咬着耳朵说些什么？"

霍桑吐了一口烟，答道："我向他嘱咐三件事。"

"哪三件事？"

"第一，要想个法子找寻一个证人，证明陆子华确在什么时候死的。第二，须得再搜寻死者所有的东西，或者更可以得到些证据。第三，我叫钟德把那仆人福兴拘留着，以备细细地研究。"

"拘留福兴？难道福兴是凶手？"

霍桑略停一停，又皱着眉头道："我何曾说他是凶手。不过这仆人很有些可疑。……至于有没有凶手，我此刻也不能断定。"

我吃了一惊,诧异道:"这是什么话?没有凶手?"

霍桑吐着烟,低垂了头不答,他的耳朵似故意偏向着房门。

我又问:"你说陆子华是自杀的吗?如果是自杀,凶器到哪里去了?况且他屋中的情形,也都能符合自杀的推理吗?"

霍桑受了我一番驳诘,才抬起头来,含笑答道:"老友,你别信口诬人。福兴是不是凶手,和陆子华究竟是自杀或被杀,我并没有下一句断语啊。你如今一个人自说自驳,又何苦呢?"

我想了一想,果然自己有些心急,这些并不是他的意见。

我也笑道:"是的,我委实太冒失。但你对于这案子究竟有怎样的见解,也请你明白些说说。"

霍桑点点头,答道:"见解固然是有的,但你的问题太泛,不知说哪一节好。"

"你看这案子的动机是什么?"

"唔,很难说。"

"会不会是恋爱纠纷?譬如那许家的女儿——"

霍桑忽摇头阻止我:"包朗,别太性急。动机问题,此刻还不能凭空推论。他和许姓女子有过交往,可是他还有官僚模样的朋友。内幕的情形太复杂,我还没有把握。"

我停了一停,又说:"那么你姑且把发案的情形测度一番。好不好?"

霍桑应道:"好。案发的时间,据我们现在所知道的,是在昨夜十点钟。我虽还有一些疑惑,不敢确定,不过相差一定也不很远。

"在案发一个或半个钟头以前,一定有一个人到他的屋子里去。这人的来意,似乎在要求什么东西。陆子华不肯,那人就用武力威吓。但就他接客的时间，他吩咐福兴的说话，和福兴所听得的口气等种种情势上测度，似乎陆子华这个人，行为本来不很正当，并且他本来有什么隐秘的事被那人把持着。

"当他们威胁口角之时，恰被福兴瞧见。据我推度，福兴一退，他们仍必继续口角；口角不决，因而动手用武，也是势所必然之事。室中椅瓶的倾翻，和钮落表碎等种种情形，就是他们打架的成绩。打架的结果，是否一死一逃，或者另有别情，我还不能说定。但无论如何，福兴总有些知觉。据他说他退出之后，他们重新缓和地谈论，他没有听得什么声响。这真是一派鬼话。我所以疑心他，就因着这一层。"

我道："那么可是福兴有通同的嫌疑？"

霍桑不即回答。他把目光向房门那面一瞥，闪动了一下；接着他才压低了声音回答："这也难说，所以我叫钟探员要细细地研究。"

"还有那个找错人家的人，就是穿蓝纱长衫有胡子的旧官僚神气的中年男子，你想有没有关系？"

"找错人家，原是常有的事，不足为奇。那也许没有关系。不过在没有得到其他佐证的时候，眼前也不能轻下断语。"

"此外你有没有其他见解？"

"我对于凶器和墙壁下的纸灰，也有一个意见。似乎那人见陆子华死了，怕人侦查踪迹，所以在各处搜检一遍，将凡与他有关系的文件信札一起烧了，目的自然是要灭迹。等到他事毕离屋，那凶器也就被他带出去了。"

我寻思了一下，答道："你猜度的很近情理。但你现在所说的这个人，可就是福兴所瞧见的有燕尾须穿西装的人？"

霍桑摇头道："我对于这一层真和你一样同在闷葫芦中。

一个人或者两个人，必须有了佐证，才能够说。至于那个有燕尾须穿西装的人，固然也是案中的要角，我们的朋友钟德一定也会注意到的。"

我沉吟了一会儿，又问："你说的大概情形，我很赞同。但你刚才说陆子华死的时间，你还不敢深信，特地叫钟德寻觅证人。这是什么缘故？难道你忘了死者碎表上的时刻恰正停在十点钟吗？"

霍桑但点了点头，并不回答。他突然表现一种出我意料的举动。他从椅子上跳起来，直窜到房门口去。我猛听得砰然一声，房门开了，门外面站着一个穿西装的少年。

我已发现了一个凶手

那直僵僵站在房门外的一个人，就是我们同船的林叔权。叔权定了定神，便低了头走进房来，又悄悄地反手把门关了，露出一种诡秘和谨慎的神气。他两眼睁睁地向霍桑注视着，兀自不作声。这不免使我有些惊异。我从灯光中瞧见他的面色灰白中带青，额角上缀着汗珠，两只眼睛也空洞洞地像含着什么忧戚怨恨似的。

霍桑招呼道："林兄，可是有什么见教？请坐下来讲。"他自己先坐了下来。

叔权不自在地坐了下来，才慢吞吞地回道："正是，昨晚承先生指示，还应许帮助我，所以今天特地来求教。……但……但是……对不起，方才我听得二位所谈的凶案，那死的人可就是住在化石桥西巷许宅里面的陆子华？"

霍桑陡地跳起身来："林兄，你也认识他吗？"

叔权点点头道："不但认识，并且和我很有关系，此刻我来求教就为了他！"

我本来也已坐下，听到这里，也惊诧地站了起来。我们对于这件案子，正苦暗中摸索，没有头绪，不意这位林叔权是和死者熟识的，那真是意想不到。他还说他和死者很有关系。这关系是什么性质呀？

我不禁插口问道："林兄，你也知道陆子华已被人刺死了吗？"

叔权点点头："知道的。方才我听你们的谈论，已经完全明白。我本来是来请教的，因着听得了凶手的字样，就忘了顾忌站住了。我很觉抱歉。"他说时弯了弯腰。

霍桑斜睨着他，说道："林兄，我想你在房门外已经站了好一会儿了吧？"

林叔权羞愧似的低着头："唔，我真该死！不过这件事跟我有关系，我委实按捺不住。请先生们原谅。"

霍桑道："那么你听了我们的谈论，方始明白，起先还没有知道陆子华的死吗？"

叔权道："没有。但他既然死了，我和他的交涉势必愈觉棘手，不得不请求先生们的臂助。"

霍桑慢慢地应道："那么你和他有什么样的关系？你要和他交涉的又是什么？"

叔权抹抹额上的汗液，整理思绪地沉吟了一下，开始说："我和他本来是同学。我此番到北平来，就因受了一个人的嘱托，向他讨取某种物件。不料我和他接谈了几次，他总是推三阻四地搪塞着，没有结果。现在他忽然死了，我所受的委托不是更难成功了吗？"

霍桑道："你的意思，可是因为他已经死了，不能讨回你所要求的东西，因此要我们相助？"

"对，正是如此。"

"那么你所受的委托是什么性质？所谓某种物件究竟是什么？请坐下来先说说明白。"

大家坐定以后，叔权叹一口气，说："论理，我受人家的嘱咐，这事是应当守秘密的。可是此刻情势如此，不得不权宜行事，我只能据实说出来。我是受了一个女子的委托，所要求的东西是一张女子的照片和三封情书。书中的署名是'佩玉'二字。这两件东西本来是一个女子的，误落在陆子华手里，所以要向他讨回。我和那个女子也是朋友，因同情于伊的处境，才远道而来。不料我见了子华，他不肯将书件交出，又不直言拒绝，只是一味地敷衍推诿。今天他突然被人刺死，我当然更没有办法。我想起二位曾应许相助我，况且现在贵友正担任侦查这件案子，倘然肯惠助一臂，我真是感激不尽。"

霍桑摸出纸烟来吸着，低头想了一想，才答道："死者的遗物，我已经叮嘱敝友钟探员仔细检寻，少停就有信息。但我观察情形，似乎案发以后，已经有什么人在室中搜查过；并且屋角里还有一堆纸灰，紧要的东西，大概已经没有取得的希望。我只怕爱莫能助，有负林兄的嘱托。"

叔权忙道："霍先生，倘使你们肯替我尽力，总可以设法。那信件和照片本不一定在死者的遗物里面，最好另外想个法子——"

霍桑接口道："什么？你知道那信件不在遗物里面吗？"

叔权吞吐道："不……这是我的推想。你想他既然不肯把那书信和照片交还我，又怎么肯随便放在室中？因为他那里我已经去过三四次了。"

"你昨天也去过的吗？"

"是的，在午饭过后。"

"昨天只去过一次吗？"

叔权点了点头。他的目光垂下了，又开始抹汗，好像不很
自然。

霍桑道："你往日去见他，大概在什么时候？见了面，谈
的又是什么？"

叔权道："我去时总在日间，见面之后，我除了向他讨还
书件以外，不谈别的。但他总是一味游移。昨天他又约我今
天一定交还，不料他忽而被人谋死。这个人太狡猾了，这可
算得是应得的后果！但我的任务却因此失败了。我又怎能回
去复命？"

霍桑冷冷地说道："我听你的语气，似乎说死者生前，行
为不端，因而被人谋毙。是吗？"

叔权又叹了一口气，摇摇头："先生请原谅，我现在不愿
再提他的往事。"

霍桑吐了一口烟，答道："我问这一层，就为了你要寻求
的信件。因为要寻求书件，既不能在遗物里面去寻觅，就不得
不先谋破案。现在案情迷离，不可究诘，那么你要寻求信件，
又从哪里着手？"

叔权疑迟着道："那么先生的意见，可是说破获凶案和那
寻求信件，这中间有相互的关系吗？"

霍桑斜睨着他，沉着应道："是啊，而且关系很密切。换
一句说，要得到信件，非先破案不可。"

叔权紧闭了嘴，呆视了半晌，分明在考虑怎样作答。

一会儿，他方始说："如此，我可以略举一二。他以前的性情本是很和婉的，近来忽大改常度，一意孤行，往往和同学们争执反对。因此之故，或者有人和他结怨，也说不定。但结怨的是谁，我委实丝毫不知。"

"你可知道他到北平来为了什么？"

"我不知道。"

"除了你以外，有谁常到他的寓里去？"

"我不知道。请霍先生原谅。"

霍桑皱着眉峰，把烟灰弹去了些，静默地吸烟，室中忽而沉寂起来。

一会儿，林叔权又说："霍先生，你对于这凶案的侦查究竟有没有把握？"

霍桑淡淡地答道："还难说，但我已假定了这案子的关键；关键一得，就不难破获真相。那时你所要寻求的东西，或者也就可以一起解决。"

叔权忙道："果真？但你所说的关键是什么？"

霍桑高声道："那关键就是犯案的凶器。"

叔权忽然离座起立，骇异道："凶器？凶器便是关键吗？"

霍桑点点头："正是，我一得到凶器，对于全案便有成竹！"

叔权走到霍桑面前，伸出一只手来，和霍桑紧握了一下。

他用一种极恳切的声音，说道："那么我希望你早得凶器，能够彻究这件疑案，同时为我解除困难。少停贵友的信息来时，遗物里面有没有我那信件，希望你告诉我一声。"他鞠了一躬，就匆匆地辞别出去。

我产生了满腹的疑团。这林叔权和陆子华究竟有什么关系？他的话是否完全可靠？除了他自述以外，还有没有别种隐情？我默想了好一会儿，又有一个人闯进我们的房间里来。我的疑问就不便提出来。

那来人便是钟德。他的一只脚才跨进房门，就高声喊道："霍先生，这案子已经有把握了！我已发现了一个嫌疑凶手！"

霍桑惊怪道："果真吗？那人是谁？"

钟德振着喉咙说："那人叫作林叔权！"

袖口纽子

这话一进我的耳朵，仿佛有一股电力直刺我的神经中枢，我的全身不由得跳了一跳。我回头瞧瞧霍桑，他似乎也很惊异，但不久便即镇静如常，并不像我那么震惊。

他柔声问道："林叔权？你怎么知道的？"

钟德忙从衣袋中摸出一张纸来。我们接过来一看，是一张渗墨纸。纸的一面完全净白，另一面却有几个墨水笔印的潦草不整的反体字，但尽可辨认得出。第一行有四个字："叔权可杀。"第二行有"林林"两个字，下面又有六个字："林贼——可杀，可杀。"除此以外，更有许多墨印，但都纵横复沓，不可辨别。

钟德笑道："霍先生，你看怎么样？"

霍桑疑滞地答道："你可是认为这纸上的字就是死者的手笔？"

"是啊。他写的时候，胸中必定充满了怨气，所以不期然而然地把那结怨人的姓名写了出来。"

"这渗墨纸你是在他的书桌上找到的？"

"正是，在他写字台的抽屉里。不过我们先前勘验的时候，这纸有字的一面，向下覆着，所以我仓促间不曾瞧见。现在我们既已得了这个凭据，岂不能算他是一个嫌疑凶手？"

霍桑摇摇手道："钟兄，你且别急下这断语。方才我叮嘱你所办的事，你都已办妥了没有？"

钟德一团高兴，却得不到霍桑的奖誉，好像一盆炭火骤然间遭受冷水的浇淋，未免显现出不愉快的神气。

他缓缓说道："电报已经拍出了，尸身已经由许家的女人在棺殓，屋子也有人看守着。我已经将福兴拘禁了，但还没有细问。至于找寻证人一事，我已印了几千份白话的赏格传单，派探伙们四处去张贴探访，或者有些效验，也说不定。"

霍桑点头道："这法子也好。关于死者的遗物，你总已仔细搜查过了吧？但除了这一张渗墨纸，可还有别的东西？"

钟德摇头道："没有，我想这一张纸，也尽可以做破案的线索了。"

霍桑低头沉思了一会儿，才道："那么你可知道这林叔权是什么样人？"

钟德很有把握似的答道："据我测度，或者就是那个有燕尾须的家伙——不过这'林叔权'三字，似乎很熟，可惜我一时竟想不起来。"

我的心头突突乱跳，暗想钟德和林叔权虽没有见过面，但他曾听得我们说起过，此刻他竟已忘掉了。叔权的嫌疑罪名，似乎尚可延滞一时，但我不知道霍桑能不能为他隐瞒到底。叔权的命运只能等霍桑来决定了。

我正在反复凝想，心中很替叔权担忧，不料我偶一抬头，忽见眼前一亮，那个穿白帆布西装的林叔权已悄悄地踱了进来！

叔权先向霍桑问道:"我听得侍役说,贵房里有客,谅必是贵友来报信了。这一位可就是钟德先生吗?"

霍桑还没有回答,钟德便站起来答应:

"兄弟便是。请问贵姓?"

叔权不假思索,直截答道:"鄙姓林,草字叔权。"

钟德呆了一呆,大惊道:"唔,你就是林叔权?……就是……唉,林先生,你不是和陆子华有交谊的吗?"

叔权点点头,向钟德呆瞧着,好像还不明白对方所以惊诧的理由。

钟德立刻沉下脸来,瞧着我们俩说道:"对了!现在我已记得林叔权这姓名,以前曾经听得二位提起过好几次。他是你们的朋友!霍先生,你为什么不早些告诉我?……我要对不起了。"他说罢,从袋中取出一张公文,注视着叔权:"林先生,现在请你同我到警厅里去走一遭。这一张就是拘票!"

叔权的面色顿时像死灰一般,退后一步,惊骇地问道:"这是什么话?你要拘捕我吗?我犯了什么罪?"

钟德道:"你有罪没罪,此刻还不能证实。但这拘票上的理由,就是'嫌疑凶手'四个字。"

叔权急得浑身不住地发抖。他靠住了板壁,已无可再退,冷汗从面颊上流下,眼睛也顿时红起来。

他呜咽着说:"我有凶手的嫌疑吗?这真是太荒谬了!霍先生,你难道不能替我做一个见证?"

这时我耳朵中听了他的声音,眼睛里见了他的形状,不由得产生同情,希望霍桑能够说一句公道话,替他洗刷洗刷。三个人的眼光都集中在霍桑身上,专等他发言解决。霍桑却抚摸着他的下颌,神态闲暇,显着毫不打紧的样子。室中完全静寂。

一会儿，他才抬头向林叔权道："林兄，敝友一定是奉了长官的命令来的，我也没法挽回。但你如果当真无罪，我一定搜集了证据，替你辩白。现在你且委屈忍耐一下。"

叔权颤声道："霍先生，你若肯相助，眼前就有确据，何必搜集？刚才我听你们说，昨晚案发的时候是十点钟。那时候我不是和你们两位在敝房中谈话吗？此地距出事的所在很远，需二三十分钟的路程。我没有分身之术，又怎能有凶手的嫌疑？就是这一点，你们岂不能替我证明？"

叔权这几句话原是事实，我当然也愿意给他作证的。若使霍桑能承认一下，那拘票也不难据情销废。不料霍桑的意思却和我相反。

他仍冷冷地答道："林兄，请你原谅。此刻拘票既出，无论怎样，你不得不往警厅去走一下了。辩白的事，如果可能，我一定尽力，请你放心——"

钟德忽发出一阵冷笑，说："够了，够了，不用辩哩。林先生，请问你袖口上的纽子到哪里去了？"

叔权又像霹雳当头似的震了一震。他不知不觉地举起白帆布的衣袖一看，果然只剩右手袖口上的一枚，左袖上的一粒螺钿纽子却已失去。这时他仿佛失了知觉，倚着板壁，两眼呆呆地注视在地上，嗫不作声。钟德又从衣袋中掏出一粒螺钿纽来，送到叔权右袖口上去比了一比。

他便说："林先生，你自己也瞧见了吧？这两粒袖钮，两两比较，竟丝毫无异。我们别说废话，赶快走。"

钟德上前拉住了叔权的手，开始出房。叔权似乎出了神，身体的行动已经失却自主。他并不抗拒，不发一言，跟着就走。但我看见他的面上带着纸灰的颜色，益发凄楚可怜。我见

了很是心酸，但可惜没有解救的能力。那有能力的霍桑，却又
偏偏现着冷静的态度，分明在袖手旁观。我眼睁睁瞧那英爽磊
落的少年被牵进黑暗的监牢里去，我的情感上起了异样的反
应。一种抱不平的观念，不觉本能地从我的心坎中透发出来。

血　刀

　　钟德把林叔权捕去以后，室中形成完全的静寂。凉风习习
地从窗口溜进来，我还觉热灼得像发烧。我满腔里充塞了义
愤，觉得霍桑未免太不重友情。这个少年虽是初交，但他的言
行都很纯正。他到底为什么不肯说一句公道话？我们默坐了一
会儿，已是午膳时候。等到午饭过后，大家吸了一支烟，我不
能再耐下去。

　　我说："霍桑，我刚才看见叔权被捕的情形，很是可怜，
你为什么默默地旁观，不替他辩护一句？"

　　霍桑微笑着应道："这是他自作自受，我怎么能给他辩护？"

　　"自作自受？这话有什么意思？莫非他果真是凶手？"

　　"我不是说这层。但他既然要我们相助，却又满口说谎，
我又怎能助他？这不是他自作自受吗？"

　　"他说的都是谎话吗？"

　　"大半都不可靠。"

　　"你从哪方面知道的？"

　　"他的第一句答话已经不实在。"

　　"唔？"

　　"你问他陆子华被刺死的事他是否知道，他说在门外听了
我们的谈论，方才知道。后来他又说，他仅在日间到陆子华那

里去过。这都是假的。其实他到我们房门外偷听的时候，我们已经谈了一半。他说案情都已明白。我就知道是他早就明白的，并不是偷听了我们的谈话才明白的。"

"你怎样知道他没有完全听得我们的谈论？"

"他来的时候，你正在问福兴有没有通同的一句。那时我忽觉有足声停在门外，接着门钮又微微一动，似乎有人要进来的样子，忽而又停止了。我知道有人在偷听，但也并不在意，略顿一顿，便继续说话。后来我突然开门，才发觉偷听的是他。"

我回想了一下，点点头。我又问道："即此一层，你就断定他是预先明白案情的吗？"

霍桑抹一抹嘴唇，答道："不，还有一层，你也该觉察。他说他来见我，特为着要求我们的帮助，可见他必已预知陆子华死了，没法取回书件，才到我们的房中来商量的。后来他却说他本来没有知道，到房门外才听得的。但你总知道听得是偶然的，求助是特意的。他的话岂不是两相矛盾？"

我不觉连连点着头："那么他所以隐秘不说，可是他自己真有凶手的嫌疑？"

霍桑皱眉说："这一层就是我现在要设法解决的。不过在得到确切的证据以前，还不能说定。"

"据我想来，他的嫌疑固然不能免，但说他就是凶手，我敢说绝非事实。"

"你有什么见解？"

"他不像是个杀人行凶的恶汉。"

"'人不可貌相'。你这话太空泛。"

"我也有证据。"

"唔？什么？"

"因为叔权说得不错，昨晚案发的时候，他的确正在这旅馆中和我们谈论。这就是确切的证据。"

霍桑向我瞧着，反问道："你说的发案的时候，莫非就把碎表的时刻做标准吗？"

"是啊。你难道不赞成？"

"唔，你太粗心了！"

我不禁怀着疑团，瞠目问道："为什么？"

霍桑道："你可记得我们验表的时候，我曾把表给你瞧过，叫你留意一些？我不知道你究竟留意过没有。"

我呆想了半晌，没有话答。室中又静寂了好久。

霍桑又接言道："我告诉你吧。那碎表上应该注意的地方，便在两枚长短针上。你总也看见那两针的尖头，都有些弯曲的样子吧？这是什么意思？那显然是表停了以后，被人将两针向前略略移动过。因为表机既坏，针轴也自然不能活动，那两针便受迫弯曲。因此，我知道表碎的时候，大概在十点钟以前，九点钟以后，并不是恰正十点。"

我暗思针尖弯曲的原因，起初我当真没有留意，霍桑既然注意到，所说的果然很合情理。

霍桑又道："还有一点，可以做表针转动过的凭证。那表被击碎时必定藏在袋里，那是很明白的。论理，表面上已碎的玻璃，一定都在袋中。但当我检验的时候，把碎玻璃拼合了好久，总觉不完全，后来在地上又拾起一块，才算大体合拢了。从这一点上，可知那表被击碎以后，又曾从袋中取出来过的。为什么呢？那当然是为了要移动表针。那不是很显明的吗？"

我应道："对了，对了。但据你的意见，碎表和移针的人，是一个还是两个？"

“当然一个。”

“倘是一个，是不是就是叔权？”

“那自然也不消多说。”

“也有证据吗？”

“你要什么样的证据？你不见他的袖口纽子也落在尸室中吗？这证据你可满意吗？从这一着上，可以推知他和死者必曾有过打架的情形。现在由打架联想到碎表，总也不能算得突兀了吧？”

我注视着霍桑的脸，打算观察他的神色。他的面容沉着，显得他所说的确有把握。

我又说：“那么你更由碎表移针，联想到行凶杀人。是吗？”

霍桑仍毫无表示地缓缓答道：“包朗，你的揣度人家内心的能力，真觉得可惊！你怎么知道我心中有这样的联想？我已经说过，在得到实际的证物以前，凶手是谁，我实不愿下什么断语。”

“你所说的实际证物，究竟是指什么？可有一个轮廓？”

“有两点：第一，凶器未得，尚待搜查；第二，陆子华确在什么时候毙命，还有碎表和移针是否同时，都须确切地证明。”

“还有别的吗？”

“还有那个有须的人到底是谁？并且那仆人福兴和这件凶案究竟有什么隐情？这些都须先侦查明白，才可下最后的断语。你得知道，一句话关系人家的生死，怎么可以轻易乱说呀？”

我顿了一顿，又问道：“福兴这人，就你的眼光观察，是一个怎么样的人？”

霍桑皱眉道：“这个人很不可靠。我瞧他慌张的模样，好像怀着什么鬼胎似的。我的疑点，就在洪医生的一句话。他说察死者的伤势，自被刺到气绝而死，至少须历两三分钟。试想这两三分钟中间，死者受伤既深，一定十二分痛楚，怎会没有呼号的声音？并且当二人殴打之际，也绝不会寂然无声。这些声音福兴自然是应该听得的，他却瞒着不说，使探案的人隔着一层障膜。这是最可恨的！"

霍桑立起身来，走近窗口，深深地吸呼了一会儿，然后取出一支纸烟，引火吸着。他低垂了头，在室中踱来踱去，仿佛在思索什么。我没有说话再问，也摸出了一支白金龙纸烟，静悄悄地吸着，心中忧虑着叔权的命运。停了一会儿，霍桑忽止步归座。我瞧他的面色，似乎已想着了些头绪。

我问道："霍桑，你想些什么？"

霍桑吐了一口烟，答道："我打算进行的方法。"

"你将从哪方面进行？"

"第一步，我们应找寻凶器。"

"那自然是很要紧的。但你往哪里去寻？"

霍桑忽又定神不语，低垂了头，倾耳而听。我也觉得室门上有弹指的声响，就答应了一声。

一个侍役开门进来，手中提着一个小包，双手交与霍桑。

他说道："先生，这是即刻从邮局中寄来的。"

霍桑受了包，那侍役便退出去。我走近去一看，是一个硬纸的纸包，长六七寸，阔二三寸，包面写"交本城万福旅馆三十六号霍桑先生收"，下面寄件人的署名，却是空泛的"骡市街王寄"，但左角上另有"样子"二字。

霍桑很是诧异，细细地视察了一下，便小心将纸包剖开。硬纸里面，还裹了许多厚纸，一连四五层，才发现包内的东西。我和霍桑都不觉大吃一惊。

纸包中是一把犀角柄的宽锋的匕首，刀锋已有些锈，并且隐隐带着血痕！这真是太不可思议了！

电　话

我们呆视了一会儿，霍桑先恢复镇定。他重新搜寻那包裹的纸，但一张张揭开以后，连纸角都没有一片。霍桑又把刀细验了一下，放在桌上，又取过包面的硬纸，审察上面的字迹。

他忽然摇摇头，骇异道："奇了，奇了！这凶器是谁寄给我的？我真意想不到。"

我忙道："你认为这刀是一种凶器？"

霍桑点点头道："正是，就是刺杀陆子华的凶器。"

"当真？"

"自然。你可记得子华的伤势是一寸二分长，三分半阔？这刀的中部有一寸三四分，但近尖处略略狭些，合了一寸二分，恰得其当。并且刀背的阔度，也是三分半。刀尖上的血痕，颜色很新鲜，况且又满是锈痕，合了我们所拟想的凶刀，没有丝毫两样。你还不相信吗？"

"你说得这样有凭有据，我怎么能不信？你起先正要想法寻这凶器，现在这刀忽然生了脚似的送上门来。我想你一定很欢喜吧？"

霍桑却并无欢喜的征象，但沉着脸儿答道："凶刀固是我所急要求得的，但如此得法，却出我的预料，又不免使我惊奇。……包朗，你试想一想，这刀究竟是谁寄给我的？"

我摇头答道："霍桑，你这个难题，我要交白卷了。"

"你难道一些意见也没有？"

"据你起先的推测，似乎这凶刀是被凶手带去的。那么除了凶手本人，别的人是不能有的。可是凶手犯案以后，所以要把凶刀藏去，目的不过要使侦探没有证据，无从着手，因而逃免他或伊的杀人的罪责。既然如此，此刻那凶手为什么忽又自己把凶器显露出来？推论情势，真可说是太自相矛盾了！"

"对啊！这真是不可思议！那人把凶刀寄给我，必也知道我是钟德的朋友，现在正助他侦探。那寄刀人的意思，明明要破露这疑案的真相，比较我先前所拟度的畏罪藏匿的推想，便觉南辕北辙了！"

我一转念间，忽而生出一种猜想：那犯案的凶手，或者有两个人，本是互相串谋的，一个人行凶，另一个人当然知情。现在这二人中忽然生了怨隙，一人意图报复，就把凶刀盗出，要使案情破露，送另一个人到法网里去。因此我们才有这意外的发现。

霍桑忽含笑说道："包朗，你在想什么？不是想这案件中有两个人牵涉吗？"

"是啊。你既然猜中了我的意思，可也赞成吗？"

"不，我毫无成见。因为我们若就这一方面着想，就有种种复杂的问题：譬如这两个人是谁？林叔权？福兴？有燕尾须穿西装的人？那穿蓝纱长衫有胡子的人？还是另外有个不曾被发现的人？这都不容易解决。"

"那么，你有什么见解？"

"没有什么。因为一切太空洞了，不值得虚费脑力。目前我们不妨讨论些比较实际的问题。"

"在你的意中，什么才是比较实际的？"

"我们且就这刀研究研究，或者可以得些迹象。"

"你方才已经把封面验过，可有什么端倪？"

霍桑指着那包皮纸，说："我看见邮票上的邮印是第十三支局，并且就在本日上午寄出，寄时当做样子，并不曾挂号，故而邮局中并不重视，不疑是刀。但是漫不检查，那办事人也未免疏忽。那'骡市街王'字样明明是假托的，不值得细究，但我知道那人所居，必定在近边，故而投寄时就在附近的十三支局中。我还知道那人很精细，熟悉邮务规章，又是个知识分子。你但看封面上标了'样子'二字，欺蒙局员，并且他所用的是铅笔，所写的字迹也怪癖非常，便可概见其余了。"

我接过纸封一看，上面的字迹果然很浅淡模糊。

我问道："你可认识这个字迹？"

霍桑摇头道："不知道。这字很古怪，一定是那人故施狡狯，用以避人家的侦查。"

"那人一方面要使案情显露，另一方面又不愿人知道他是谁，大约是恐怕连累的缘故。是吗？"

"正是。"

"那么这刀的本身可也有些迹兆？"

霍桑重新拿了桌子上的刀，忽提起精神似的应道："有的。这刀很精致，是一种古董。但看它的犀角柄上，镌着'梅鹤世珍'四个精楷，娟秀可爱，可见它的最初的主人，必定非常珍重，因而希望子孙们世世宝守。但欧阳子说得好，'物……聚久而无不散'，这也是一定不易之理。'世珍'二字，不过当时人聊以自慰。若论实际，自古至今，汤盘周鼎，有几个能够永宝无替呢？"

我道："据你的见解，可是说这古刀已经换了主人？"

霍桑皱眉道："这也难说，我不过臆度臆度罢了。若使不是，那么柄上的四个字，就很有研究的价值。"他用手搔搔头皮，又抚摸他的下颌。

我正要再问，忽而房门上又有剥啄之声，接着走进一个管电话的小童来：

"霍先生，警厅里钟先生有电话。"

霍桑沉吟了一下，忽向我道："包朗，你去替我听一听，大约他又发现了什么。我此刻方打算一个计划，很不愿因此中断。你快去吧。"

我急急走到电话房中，握筒一听，果真是钟德。我先对他说明我替霍桑回话的缘故。

他说："我方才得到一个车夫的报告，昨晚八点钟时，有一个穿白色西装的人，在正阳门前坐他的胶皮车，直到化石桥西面的巷口。那人下了车，直入巷中，状态好像很匆忙。这人是有短须的，戴着墨晶眼镜，和福兴所见的那个和陆子华争论的人恰巧相同。这人在晚上还戴着墨晶眼镜，显见有什么不法举动，故意掩避，防被人家瞧见。这个人必和这凶案有关，因此我已叮嘱各区警士，严密侦缉，早晚或许就能得手。"

我答道："这是你的新法广告的效果，可喜之至。此外可还有什么发现？"

钟德道："上海的电报也已接得回复。许守明已离去振华旅社，不知去向，质证的一层，恐不免又多周折。……但霍先生有没有发现什么？"

我也把我们二人所猜度的种种情势和接得凶刀的事，约略告诉他。他很是惊奇，就约我们一同到警厅中去面谈，并且要借重霍桑的力，向叔权和福兴二人，细细地研问一番。因为这两个人都是咬紧牙关，百问不得一答，他真苦没法对付。我答应了他的约，就把电话挂断。

回到房中，我正要将钟德报告的话告诉霍桑，忽见他正一个人在室中踱来踱去，踱时点头摩掌，好似很得意的模样。

他一见我，先高声问道："钟德说些什么？可是叔权已有了口供？"

我答道："不是。他非但没有口供，兀自闭着嘴，连一句话都不说。钟德正等你去替他究问。"

我又将钟德所得到的车夫的报告，和上海回电的事申说了一遍。

霍桑笑道："如此，他对于那有须西装的男子，也已得了些线索。是吗？……不过我对于那人却已能够指实是谁，我不是比他更进一步了吗？"

证　人

我听了霍桑的最后一句话，未免有些怀疑。因为霍桑从未离寓，怎知道那有须的人是谁？莫非他故作戏言，姑以自快？

我答道："你说你比钟德更有进步，是真的吗？还是和我开玩笑？"

霍桑立刻敛了笑容，答道："谁和你玩笑？老实说，我对于这件凶案，不但比钟德有进步，简直已得到了全案的纲领。你听了不是要更加诧异吗？"

我果然十分惊怪。因思当钟德的电话未到之时，他还是在搔头摸耳的状态中，显见尚摸不着头绪。怎么片刻之间，他竟能得到全案的纲领？

霍桑忽又道："包朗，我们为了这件凶案，已足足忙了一天。天这样热，脑力既已竭乏，体力也有些疲劳了。我们的确应该休息休息。我想晚饭过后，同你到天乐园去看一出《南北和》。你的意思怎么样？"

我越发奇怪起来。凶案还没有结束，他竟自安闲起来！

我道："你要去看戏？那么怎样答复钟德？"

霍桑道："他要我去究问叔权和福兴二人吗？这是他的本分，他自己应该细问，我不能越俎代庖。况且证据还没有完备，我即使去了，也不中用。你可以打一个电话回复他，说明我的意思。但有一件事，你代我嘱咐他，就是那悬赏的传单，还须多发几张，若使能在这一层上注意，再找得一两个证人，那才有效用。不然，我也是无能为力的。"

他说完了，从桌子上取起了那张故京全图，重新翻阅。我见他如此，知道我如果再问，结果一定是自讨没趣。我不得已，怀着疑团走到电话间去，依言把话转告了钟德。

这晚上我被霍桑坚邀，只得随着他同去看戏。次日霍桑一早起来，忽又邀我出游。

我又抗议道："疑案不曾了结，你哪里来的这种游兴？"

霍桑道："今天是星期五，本是我们预定游陶然亭的日子。钟德虽因凶案的挂碍，不能如约，我们没有拘束，总可以去的。"

"那么那件凶案的事呢？"

"那自有钟德负责，我们原不过从旁协助，你何必这样认真？"

"但你既然帮助朋友，也应当有始有终，怎么事还没成功，你却中途放手？"

霍桑反问道："谁对你说中途放手？我不是已告诉过你吗？证据没有完备，我也无能为力。无能为而强为，必致劳而无功。你怎么还没明白？"接着他又含笑说道："包朗，我想你的性情真有些奇怪。当案子初发生时，你往往抱着省事主义，唯恐我牵入案中，生出是非。此刻你又急不可耐，恨不得立时抉破案中的底蕴。你须知时机成熟，疑团自然会破，白白地躁急也没有用。你暂且忍耐些吧。"

我听他这番谈话，觉得我的心急好奇，的确被他一言道破，就也不敢多说，只得跟着他去游玩。那一天我们清早离寓，直到上灯时才回。游的时候，天气虽比上一天热些，但霍桑的兴致很高，似乎已把那凶案完全抛在九霄云外。我却总觉得种种疑团，真像骨鲠在喉，不上不落。

这案子究竟如何？案中凶手是否就是林叔权？假使不是他，又是哪一个？叔权所受托的信件是否别有隐情？霍桑在这方面有无端倪？他能否使物归原主？此外如凶刀的来历怎样？有须的西装男子是谁？那穿蓝长衫的旧官僚到底有没有关系？还有福兴是不是通同？种种疑点，横塞在我的胸中，仿佛把我装在闷葫芦里，十二分难堪。因此，我的游兴自然不得不大打折扣。

我们归寓的时候，我已遍体汗淋，十二分疲乏，忽见有一封信留在寓中。霍桑拆开一看，那信是钟德送来的。

他向我点头说道："包朗，据钟德说，他已得到了福兴的实供。那么距结案之时大概可以更近一步了。我想这消息你总是欢喜听的。"

我的疲乏的精神果然因此一振。我们洗澡完毕以后，我忙问他这案子究竟什么时候叫得解决。霍桑回说明天，并嘱我在电话中约定钟德，以备明晨会晤。我当然是欣然承诺的。

下一天八月八日，星期六，天气照样晴朗。我破晓起来，完毕了梳洗早餐的例行事务，立即拖了霍桑同往警厅里去。我因着急于要瞧瞧这凶案的解决，真所谓心急如火。车子到了警厅门前，恰见钟德也正从外面回厅。

他一见我们，便招呼道："霍先生，一日没见，使我望穿了眼哩！"他随即引我们进入厅中。

霍桑坐定以后，方始答道："你昨晚写信给我，不是说福兴已经供实了吗？"

钟德道："正是，今天我一早出去，就为了要证实他的说话是不是实事。"

"结果怎么样？"

"果真是实事。我都已证明了。"

"他供些什么？他有没有与闻凶案？"

"没有。他说当案发的那一晚，他实在是偷宿在外面，没有住在园子里的小屋中。所以屋中出事的情形究竟怎样，他都不闻不知。"

霍桑点头道："唔，他在初供的时候，就露出这一层破绽。那么他先前所说在九点钟时看见陆子华和一个西装来客争论的事，也是伪造的吗？"

钟德道："据他说这倒完全是事实。还有傍晚时有一个穿蓝纱长衫的人找错屋子的事，也不是虚构——不过我觉得这个穿蓝长衫的家伙，也许并无关系。自从九点钟时，他受了子华的吩咐，才悄悄地溜出，往他的情妇家里去。到了下一天早晨回宅，他忽见子华已经被人刺死。他当然很惊恐，又不敢把外宿的事直说出来，因此严守着秘密。直到我用凶手的罪名来恐吓他，他才不得不吐露真情。

"我又问他的情妇的所在，据说距离许宅不远，在巷东八十一号，是一个孀妇。今天我特地去查问了一回，那晚上他在九点过后到伊的家里，偷宿的事果然不是虚造。霍先生，你若要亲自问问他，我可以把他唤来。"

霍桑似乎很失望，摇头道："他既已吐实，何必再问？可惜这一番事实，对于这案子的解决，仍旧没有什么益处。……你可曾细问过林叔权？"

钟德道："说起叔权，真是可恨！我已问过他好几次了，他总是闭口无言。前晚上包先生告诉我移动表针的见解，我觉得他更是可疑。但他既不肯说，我因为他是二位的相识，又不便怎样难为他。我真是没法可施。现在只有仗霍先生的大力，设法叫他实说，这案子才有解决的希望。"

霍桑皱着眉头答道："实说不难，但没有证据，虽是实事，说出来恐也不能使人相信。"

钟德道："找证人的事，昨天我又加派了人四处通告，如果有人能报告关于那晚上凶案的事，赏两百元，无奈直到如今，除了那个车夫之外，没有第二人来——霍先生，恕我冒昧，你究竟怀着什么见解，一定要得到证人？"

霍桑忽直截答道："你要知道我的见解吗？我认为林叔权是没有关系的，在法宜立刻把他释放。你也能听我吗？"

钟德果然呆住了说不出话来。我不禁暗暗替那少年欢喜。

少停，钟德才说道："若使霍先生能有充分的理由和证据，我自然唯命是从。"

霍桑微笑道："来了，来了。钟兄，你不是要充分的证据吗？这个我早已说明，现在还不能小到。"

"那么你姑且随便说说。行吗？"

"好，据我个人的设想——"

这时忽有一个值差的匆匆地走进会客室来。

他向钟德道："钟先生，外面有一个人求见，据称是为了报告领赏来的。"

霍桑忽惊喜地立起身来，说道："好了！这来的人或许就是我意中要找寻的证人。快叫他进来。"

那值差的应声而去。于是室中的三个人都屏息静气地等那报告人的消息。

霍桑的见解

那报告人穿一件黑粗布的短衣，糙米色土布的裤子，身材比较矮小，形状像是工人。他进得会客室，住了脚步，用手抹着汗，向室中人乱瞧，有些局促害怕的样子。

钟德立刻问道："你来报告消息吗？"

那人点点头，仍开不了口。

钟德道："那么你叫什么名字？做什么生意？所见证的又是什么？一件件据实说出来，不得说谎。"

那人又用手背在嘴上抹了一抹，才战战兢兢地说："我叫王谨言，做木匠的，住在化石桥东面金狮巷内。大前天五号晚上，我在我的朋友秦三家里喝酒。我吃罢了晚饭回家，从化石桥经过。我走到桥西小巷口，猛听得有呼喊的声音——'哎哟！哎哟！'地喊了几声，忽而又停止了。我有些汗毛凛凛，忙住了脚步，定了神细细辨认。那声音似乎是从巷中透出来的。但是我回头一瞧，巷中黑漆漆的煞是可怕，我又不敢进去。因此我自譬自解，以为这或者是病人喊痛的声音，没有什么稀罕，便过巷回家。

"到了前天傍晚，我在茶馆里喝茶，听说化石桥的西巷中出了一件命案。我才想起前晚所听得的声音，谅来和凶案总有关系。但我守着多吃饭少管事的主见，仍把那回事藏在肚里，不敢告诉别的人。

"昨天歇工回家的时候，我忽听得人家谈着警察局中悬赏的布告。我想这回事既有关系，报告了官，或者有些用处，我也可以得到……得到两百元的赏钱……"

钟德沉着脸瞧着那木匠道："你的话都实在吗？"

王谨言道："句句实在。先生，你尽可以去查问。"

霍桑掺言道："你听见声音在什么时候？这是我们所必须知道的。你要领赏，必须确实证明这点才是。"

王谨言道："这个自然。我记得那时候是十点钟。"

霍桑轩眉道："十点钟？你果真记忆清楚吗？"

那木匠很坚决地答道："清楚的。因为我从秦三家里出来的时候，他家的小钟上，十点还少五分，秦三家在那小巷的西面八十八号，相去不远，最多五分钟工夫就可以到的。因此我确实知道那时候准是十点。"

霍桑道："秦三家里钟走得准不准？当你告别的时候，秦三可也曾瞧过钟上的时刻？"

王谨言道："他家的钟很准。他是在布厂里做工的，他每天到厂上工，都照着这钟动身。我走的时候，不但秦三瞧过时刻，还有那跟我们一同喝酒的李麻子也一同起身。秦三挽留我们，曾指着钟告诉我们时候还早。我们不肯留，就辞了出来。因此，我才记清楚那时候还没有到十点。"

钟德抬身，像要插嘴诘问，霍桑忽挥挥手阻止他。

他向钟德道："行了，行了，此刻不必多说。你把王谨言和他的两个朋友的姓名住址记下了，等证明白了给赏。"他回头来向王木匠道："后天开庭的时候，你仍须到庭作证，别的就没有你的事了。"

钟德似乎还有些半信半疑，却又不得不依。他就领了王谨言到外面去照例登记。一会儿他又回到会客室中来。

他问霍桑道："你看他所说的可能当得凭证？"

霍桑点头应道："这就是我所要得的确据。"

钟德道："确实的凭据吗？"

"是的。"

"那我有些不明白了。"

"不明白什么？"

"据洪医生所假定的，和表上所指的时刻，加上王谨言的报告，固然是符合的。不过你前天又假定表面的针是经人移动过的，碎表的时刻并不是恰在十点。这中间究竟怎么样，我委实有些模糊。"

霍桑道："这也不能怪你。我告诉你，碎表是一个时间，陆子华气绝呼喊，又是一个时间，你把这两件事分别清楚了，疑团自然明白。"

钟德呆瞧着霍桑，诧异道："霍先生，你的意思究竟怎么样？我真是在闷葫芦中，请你老人家从速说明了吧。"

霍桑微笑着答道："可以，可以。据我的推测，那晚上叔权往子华寓所，是在八点钟以后。他到那里，和子华谈了半晌，就争论起来；争论不已，遂不免彼此动手。直到表既碎了，纽子也落了，这武剧才告结束。随后叔权也就离屋回寓。

当他离去时，大约在九点半钟，陆子华还是安然无恙。后来林叔权第二次再到陆寓去，那时子华却已中刀死了。所以我先前说叔权无罪，根据就在这层。"

钟德仍瞠目答道："你确知子华的死，在叔权争斗离屋之后，和他全没关系吗？"

霍桑点头道："是，果真没有关系。"

钟德寻思了一下，又缓缓说："叔权既不是凶手，那么凶手大概是那个有须的人了。"接着他忽又想起了什么，惊呼道："着了，我起初为了这个人，已密传各区巡警，准备把他缉访到案。但霍先生不是说叔权往陆寓去的时候，在八点以后吗？据前天那个车夫的报告，他送一个穿西装的人往化石桥西巷中去时，也在八点钟以后。如此，叔权和那西装有须的凶手，一定曾在子华的屋中会面过的。现在我们但向叔权细细研问，就可以知那西装有须人的踪迹。对不对？"

霍桑带着微笑，应道："不对，不对，而且也不必。我早已明白，那个穿白西装戴黑眼镜有须的人，不是别人，就是林叔权的化身！"

我又不觉大为惊怪。霍桑说得好像凿凿可证，似乎他曾亲身目击的模样。有须的人真是林叔权吗？他到底有什么根据？这真是玄之又玄！

钟德也惊惶地问道："那人就是叔权化装的吗？这真是太奇怪了！那么你既说叔权不是凶手，凶手又是谁呢？我看你所得到的凶器，来由如此诡秘，可知其中必有一个凶手。但若合了你的见解，这凶手又明明落空！我到底向哪里去找寻呢？"

霍桑忽而立起身来，用手在钟德的肩上拍了一下，说道："钟兄，你所说的种种疑点，我若使一条一条解释起来，不免要费时费话。现在我们不如同去瞧瞧叔权，让他自己说明，岂不更直截了当？请你引导吧，不必耽搁了。"

钟德的神气显着他满怀疑团，和我恰有同病。他勉强引路，低着头不作一声。我跟在后面，心中也很不自在。一则怀疑，一则又替霍桑担忧，深恐叔权也许不肯实说，或者说了出来，却和霍桑所测度的不同，那岂不要被钟德暗笑？

我们到了待质所门前，那看守的受了钟德的命令，便把叔权领到所外。我们一见了面，未免彼此黯然，大家相觑无言。我见叔权虽还没有审实下监，但那待质所的风味，和他心中忧惧的意念，已把他的英俊的气概完全改变了。

钟德把我们引进了一所小屋子，关了门，大家坐下来。钟德正要申说来意，林叔权忽先自发言。

他道："霍先生，包先生，兄弟是个说谎的囚犯，实在没有颜面和二位相见。"

我不禁接嘴说："林兄，你不要说这话，我们也能谅解你的处境。"

叔权叹了一口气，说道："兄弟已受审多次，始终抱定不理会的宗旨。实在因为事势如此，说也无益，倒不是缄口为妙。请二位原谅。"

霍桑向他瞧了一瞧，柔声答道："林兄，你误会了。我们今天的来意，原在使你脱罪。你若不肯实说，岂不自讨苦吃？"

林叔权但摇了摇头，闭口不答。

我又婉劝说："林兄，你就把那晚上出事的始末从实说出来吧。我们必尽力援助。你何必坚持自误？"

叔权冷笑了一声，答道："我还希望脱罪吗？嘿嘿嘿！……好，霍先生，包先生，你们既然要我实说，我就实说了吧。那晚上陆子华被刺，行刺的就是我；凶刀也是我家的珍物。刀柄上有字，霍先生你总已验过。事实如此，我的罪名想必尽可以成立，旁的事情不必再深究。"

实　供

我们一听此话，不禁相顾变色，大家都沉默了。霍桑虽还勉强镇定，但是一缕灰白的颜色已笼罩了他的脸部，竟也没法掩盖。

他向那少年注视了一会儿，才慢慢地说："林兄，你这话一定是违心之论。大概你为了某种隐情，并且还怀疑我们，所以忍心诬服，不肯实说。但你还得三思。你纵然不惜一身，也须为蔡佩玉想想。你不曾托我把伊的照片和信件——"

叔权忽抬起头来，大声道："照片和信件怎么样？霍先生，你已经寻得了没有？"

霍桑瞅了他一眼，故意缓声答道："你若要知道信件的消息，请你先把实在的情形说一遍。这就是我的交换条件。不然，莫说你白白死了，人家还要怨你失信负心呢！"

这几句话很有力量，比钢刀还锋利，竟能直刺叔权的心坎。他呆立了一会儿，眼眶一红，禁不住流出泪来，接着他又低垂了头默想。霍桑也不催促。我们都静默地等着。

一会儿，林叔权才哽咽着说："好吧。霍先生，你既逼着我说，我也再不能隐瞒了。我先说我和子华的秘史：我和他本来是同学，先时彼此很投契。因为子华为人圆滑非常，交际手段，谁也不能及他。那时我先交识一位女友，就是蔡佩玉——"他抬头瞧着霍桑："霍先生，我记得那天我只告诉你佩玉二字，现在你连伊的姓都已知道。想必你对于那信件已有了端倪。是吗？"

霍桑点点头，却不答话。

叔权又说："子华因着我的介绍，就也与佩玉认识。起初他们也不过是论文辩理，笔墨上的交谊；后来他愈接愈近，百计献媚，竟然喧宾夺主起来。佩玉和他的感情一天天深密，自然和我一天天冷淡。那时我心中的苦痛，真是不可言喻。

"霍先生，你总不会嘲笑我吧？实在因为佩玉丰姿绰约，伊的学问既出众，秉性又温婉，绝不是一般寻常女子可比。这样的一个心上人，一旦被陆子华夺了去，真好像剜去了我的一颗心！"

霍桑点头应道："我瞧那女子的面貌，媚而不佻，庄而不冷，果然是一个好女子，无怪你要失意伤感了。"

叔权忽挺直了身子，张大了眼睛，精神陡然振作起来。

他高声道："霍先生，你能下这样的评语，莫非你已见过伊的照片？"

霍桑直截答道："是的。但你且先把原委说明，照片的事往后再说。"

我很觉诧异。霍桑从哪里寻得伊的照片？我怎么毫无所知？或者他所说的出于虚造，不过借此慰慰叔权的心，以便他肯尽情吐露？但评语虽能虚造，那女子姓蔡，他又用什么法子知道的呀？

叔权接续说："那时佩玉和我疏冷的缘故，渐渐地被我探问明白。原因是子华凭着他的利嘴，花言巧语，一面把我毁坏，一面又竭力地献媚奉承。并且他的面庞又好，仗着金钱的魔力，加意装饰，果然连佩玉的慧眼一时也给迷蒙过去。

"不过世间的事，若单靠着作伪，断不能持久，所以在情场上角逐，制胜的工具，也逃不出一个'诚'字。子华虽侥幸一时，赢得了美人的青睐，但为时不久，他的秘密暴露了，立刻成了一个万众共弃的奸贼。原来五四运动以后，各地的青年都从时代的巨浪中觉醒过来，民气勃发，正似太平洋中的怒涛，一起千丈。但是一般昧良的官僚军阀，看见了这种情形，未免有些头痛，因此想出了一个贿买的法子，派人带了金钱，到上海去买通学界。因为他们知道上海是民潮发动最剧烈的中心，学生又是中坚分子，他们的眼光所以就专注于此。

"那时陆子华恰巧赋闲没事，便与北方派来的一个人互相接洽。他就想运动学生界中的败类，打消他们革命的壮志。

"那派去的人就是许守明，从前也和陆子华同过学。那时子华虽已离了学界，但学界里面和他有交谊的人却还不少。他又自仗了交际的干材，便担任此事，预备发财做官。不料他事机不密，不久已被人觉察。于是消息传到了我的耳中。我听了这信息，又惊又喜——惊的是不料子华丧心病狂，竟会干这样的勾当；喜的是预料佩玉若知道他如此，一定要轻贱他的人格而和他绝交。那我也可以申宿怨了。"

他吐了一口气，脸上也透出了一丝红色。顿了一顿，他继续解释：

"我因着公谊私情，便尽力探取子华的秘密。不到一个星期，我已经觅得他的秘密信一封。那信中的意思，要策动同学们，打消他们的爱国运动。我一得到那信，就当作铁证，立刻把原委告诉了佩玉。佩玉果然异常气愤，立誓与他断绝，并向我道歉，声明此前的疏冷，实因误信了子华的谗言。

"那时我心中畅快极了。佩玉随即写了一封信，向子华讨回照片，和从前伊寄给他的信函。子华却置之不复。隔了几天，我忽闻他已经潜来北平，就为了运动的事有所接洽，多分是他亲自来领赏听命的。自从子华来平以后，佩玉终日忧闷，自悔自怨，深思照片落在贼手，一旦他的秘密宣露，伊的纯洁的芳名也不免同被玷污。因此，我不忍伊郁郁抱恨，便自告奋勇地冒险来平。我决意要把伊的照片等取回，交还我的爱人，才完成我这一桩心愿。

"不料事与愿违，我到了此地，忽然遭此变端。我自身遭了无妄之灾，还是小事，但使我的爱人望穿秋水，难求珠还，我真是死不瞑目！霍先生，你若使果真能寻回原物，送交佩玉，我真是万分感恩！霍先生，你能够应许我吗？"

这故事使我们三个人都很动容，但大家都找不出一句安慰的话。

一会儿，霍桑温和地答道："林兄，请放心，我决不辜负你的嘱托。但子华到底是怎么样死的？"

叔权又叹了一口气，才道："霍先生，你要我实说，我本也愿意，但从情迹上说，我委实已有口难辩。现在你一再迫我，我已不能不说，能不能见信，任凭尊裁吧。

"我到这里的第二日，便往许宅去见子华，因为我动身时，已预知他寄寓在许家。第一次见面，他知道我为了信件照片而来，似乎很惊讶。他当下就拒绝不肯，我一时着急，就用言语恐吓他——他若不把信件交出，我立刻要揭露他的阴谋。他听了果然有些惧怕，就应许下一天交还。等到第二次会面，他又说信件不在手边。我怕他脱逃，便假说此次来平，有不少同伴，他若故意规避，或企图潜逃，一定没有好结果。后来我和他虽又见面多次，但他终是游移推诿，没有结果。

"直到星期三晚上，我等得不耐烦，吃了晚饭再去见他。因着彼此的言语冲突，决裂了好几次——有一次竟被他的仆人瞧见。最后我和他就打起架来。他先预备动手用武。我一立起身，他就把手伸入他的裤袋，似乎摸索什么。我防他有枪，立即发出一拳，打中了他的腹部。他也回拳打我，大家就互相挣扎。一会儿，他自知力不能敌，便放了手重新和我婉商，约我下一天清晨，一准交还，说得很确定。那时候我也没有别法，只得再相信他一次，随后我离了许屋回寓，就和你们两位相见。

"那时候你们似乎很注意我的行径，但我因着佩玉的关系，事情既没有完全决裂，还不敢宣布秘密，这实在是情势所迫，并非故意欺瞒。这要请你们原谅的。"

霍桑点点头道："那时我已窥得一二，也曾用微词相劝。可惜你不觉得，以致遭受这一次飞灾。后来我曾问过旅馆的侍役，据说那晚上自从我们回房以后，你一个人又悄悄地出去，直到深夜才回。你不是第二次又到子华那边去的吗？"

叔权应道："正是，我为了那信件和照片的事，心如箭穿，翻来覆去，再也不能睡。我私忖我和他既已决裂过一次，何不趁此机会，索性在他室中搜索一回？因为他约我下一天早晨交出，说不定是脱身之计，仍是谎说。我听信了他，岂不又落入他的圈套？因此我决意乘着夜间再往化石桥去。无论如何，我得向他取回信件和照片，免得他私自逃了，或者别生他计，更多周折。

"我再到那里时，已过十一点钟，但园门仍虚掩着没有下锁。我一进内室，灯光虽有，却很黯淡，又不见子华。我喊了一声，也没有人答应。我更前进一步，低头一看，子华已直僵僵躺在地上！他的白衣上都是鲜红的血渍，煞是可怖！

"我定了定神，伸手一摸，他的额角已经冷得像冰。他已经被人刺死了！"

钟德处于旁听的地位，始终没有开口。这时他见叔权略略停顿，就用带着怀疑的口气问话。

钟德说："照你说，子华的死，似乎是另有一个人行刺，与你无干。那么，刺他的又是谁？"

叔权还没答话，霍桑忽摇摇手插口。

他道："钟兄，你别打断他的话。那行刺的是谁，我早已知道了。"

没法投递的信

霍桑的话是含有强烈的刺激性的，不但我和钟德诧异，连叔权也似乎出他的意料。

他惊怪地问道："霍先生，你果真知道吗？那么我还有一线生机哩！"

霍桑点点头："你尽管放心，不必忧虑到这一层。你再说下去。那时你发现了子华的尸体，怎样处置的呢？"

叔权继续道："我看见子华既死，屋中又不见一人，料他必已被人谋害。至于谋害他的人，我猜想或者就是他的仆人，或是别有一客。因为子华和我婉商的时候，曾告诉我那晚上还有他客要来，叫我快去，并且当决裂之前，他的仆人也曾一度进来。这时我叫唤不应，连那仆人也不见，我因而怀疑这两个人。但这是我在事后推想的结论。

"当时我心中很慌，又怕遭嫌疑，急于想逃回。同时我又想到佩玉的信件，何不趁势搜一搜？我因此放大了胆，四处搜检，不料劳而无功，不但没有寻得信件，连和他有关系的一切函札，也不留一张。我没法可想，正要退出，忽见子华的胸口露出一把犀角的刀柄。我仔细一看，又不觉吃了一惊。"

钟德乘林叔权略略停顿的机缘，问道："为什么吃惊？行刺当然是有刀的啊！"

霍桑接嘴道："这刀是林兄的东西，差不多留着姓名，怎禁他不吃惊呢？"

叔权连连点头道："是啊，这是一把古匕首，是我家世传之物。当初我和他同学的时候，他偶然见了此刀，十分喜欢。他曾向我道：'他日疆场有事，我若能身怀此刀，为国宣力，倒也是男儿快意的事！'我听了他的豪语，很钦佩他，就把这把刀赠送了他。不意未上疆场，他自己倒死在刀下。

"那时我一见之后，就想这刀起先必在子华的身上，后来或被凶人夺去，他便反遭其害。我因此想我出入此屋，虽很神秘，但难保无一二人知道我的踪迹。现在他忽然被刺，我已难免被连累；若使侦探们以此刀为证，柄上有我家'梅鹤堂'的堂名，蛛丝马迹，岂不要加重我的嫌疑？我就决意把刀藏过，免得后来牵涉。"

霍桑瞧着他道："你藏刀以后，不是还有过其他的举动吗？"

叔权点头道："是的，我把刀拔了出来，裹藏好了，又在他身上摸索一遍，瞧瞧有没有关系我的东西。我忽又在他的裤袋中摸出一只碎表。

"这表停在九点三十二分，那是当我和他挣扎之时被我打碎的。我想论起时刻来，这表和我又很有关系，不如索性将针移到十点。因为在那时候，我记得正和先生们在寓室中谈话，万一我不幸被疑，也可请二位替我做个见证。"

钟德冷冷地说："你这样子设计周到，足见你真是聪敏！"

林叔权受了这句讽刺，但向那侦探瞅了一眼，仍自顾自说："当下我自以为设防甚周，没有破绽，便悄悄地回到寓中。不料当我和子华争扭的时候，我的衣袖上的纽子被他拽落，我自己却并没觉察，后来就被这位钟先生当作凭证。那是我想不到的。"

霍桑微笑着道："这就是所谓'百密一疏'。凡作伪的事，无论如何，总不能免意外的疏忽。你当时来往陆寓，行踪既秘，并且用假须和黑眼镜乔装着，可算得周密极了，但到底难逃人家的觉察。"

叔权张目道："我乔扮有须人，你也已知道了吗？"

霍桑道："不但这一点，就是你和我谈话时，你虽竭力掩饰，不肯吐露真情，其实你的神色语气，却早已把你的秘密告诉我了。"

叔权的脸上一阵通红，很抱羞似的说道："正人面前说谎，惭愧！惭愧！不过这也是出于不得已。霍先生，请你原谅我的苦衷。但眼前我所说的话，我敢用良心作证，没有半句虚伪。"

钟德也不觉现出悟解的样子，点头道："你这一席话，若和霍先生的推想印证起来，果然符合。但那把刀既已回到你的手中，为什么又送给霍先生？这东西不是你寄给他的吗？"

叔权道："是的，是我寄的。因为案发以后，我因关怀着信件，愈觉得没法可施，特地求霍先生相助。据霍先生说，要得信件，必须先查明案中的真相；而案中的关键，又在那把凶刀上面。我一时急昏了没了主意，利害如何，不暇考虑，等到谈罢回房，我就把刀拿出来裹好，交给侍役，教他送到邮局里去。我希望霍先生得了刀，立刻能把真凶查明，那时我的信件和照片也可以物归原主。其实这举动和我先前的把刀收回，分明是两相矛盾的，可是我当时因着急待破案，竟顾不到。但即此一层，也可见我的心迹，子华的死实在不干我事；不然，我自己既已行凶，又岂肯把凶器给人，自露我的罪迹？"

钟德沉吟了一会儿，才答道："论你的供词，果然已合了关节，但真凶既不是你，势必另有一个，须待霍先生指明白后，这案子才可结束，你的罪嫌也才可解除。"

霍桑缓缓答道："要指明也并不困难。"

钟德道："不但要指明，还得把他缉获到案，方称圆满。因为现在案情的一部分既已显明，我们知道那有须的人就是林君。林君既非真凶，福兴又没有关系，那么行凶的人究竟是谁，我们反没有把握。霍先生，我怕你虽能够指明，而逮捕的一着，或者还要费些手续，对吗？"

霍桑微微笑了一笑，答道："钟德兄，请你不必担忧。那行凶的人委实已不劳你逮捕，他早已伏了法哩！"

钟德忽变色诧异道："喔？这话是什么意思？你不是又闹玩笑？"

霍桑道："这事关系人命，谁敢闹玩笑？难道你至今还没有领悟我的意思？"

钟德又急又惭，两只手在身旁东摸西捏，脸上的颜色也变得忽红忽白。

他讷讷地说道："你不是说行刺的就是那穿蓝纱——"

霍桑忙接着说道："不是！行刺的就是陆子华。"

"什么？"

"换一句说，陆子华的死是陆子华自己下手的！"

这话一出，我们都惊奇出神，大家想不到他会有这一句断语，彼此的眼睛里仿佛在交换着一句疑问："陆子华竟是自杀的吗？"钟德更是诧异。他的双目瞪住了，汗在面颊上流，口也张开了，呆呆地向霍桑瞧着，连一句话都没有。

霍桑又接续说："你们不是有些奇怪吗？其实论情究势，原是很显明的。子华既已为叔权揭发了秘密，他的前途也就完了，而他所爱的女子又被叔权夺了去。他在羞惧交并的心理状态下，不得已而出于自杀，也是情理中可能的事。试瞧他把古刀藏在身上，初意也许本想用来刺杀叔权的。后来他因力不能敌，没法对付叔权，等叔权去后，才愤而自杀。但当他自杀之时，还故意留叔权的姓名在渗墨纸的后面，并且就利用叔权给他的刀，那可见他虽自杀，却不是没有嫁祸于叔权的用意。他分明有'吃砒霜药猛虎'的意思，用心也相当险恶。你们若把这种种疑点细想一番，就也不致把'自杀'两字当作稀奇的名词了。"

我这时惊喜交集，心中的感想纷乱已极。因为疑障既经剖白，叔权的杀人的罪名当然可以洗刷，这原是我所最盼望的。但据霍桑的推想，陆子华竟属自杀，这又不是我的意料所及。他的理论上的理由虽很充足，但没有实际的证据，非但在法律上不能定谳，即钟德也未必就能信服。

钟德果开口问道："霍先生，你的论断真是出我意料。我想你总有物质的凭据可以证明的吧？"

霍桑点了点头，应道："正是，我若没有确切的证据，也断不敢贸贸然发表这种看似骇人的议论。钟兄，子华自杀的证据，就是他的伤痕。当时你虽也验过，但因为不见凶刀，使你立刻抱定了一个被杀的见解，对于那致命的伤痕，便不去仔细研究。我常说当侦探的人，耳目要灵，心思要细，而胸中却万不可预存成见！你在这案子上就不免犯了成见的病。"

钟德的颊骨上有些红斑，眼睛里也漏出怒光，但不答话。我和叔权也忍制了呼吸静听。

霍桑继续道："现在先说说那伤痕。它在他左胸的第二胁下，自上下斜，长一寸二分；那凶刀的阔度，左端阔约三分半，右端阔约一分半，又明明是刀背刀锋的分别。从这伤势观察，可见他执刀自杀之时，必定用的右手；刀锋向着掌心，和寻常人执刀的姿势没有差别。因为我们的左右两手，就生理上讲，本来没有强弱之分，但大多数人，多习用右手，故一切举动，都是右手居先；执刀时更不必说。并且我们执刀时，刀锋必多向外，那自然就对掌心，这也是一定不移的。因此可知凡人右手执刀而自杀，那伤处必居于左，而锋口又必向右。这是可以试演而明的。钟兄，你试把子华的伤痕，印合我的理论，不是恰正相符吗？"

室中没有人答话。钟德更开不了口。

霍桑停了一停，又道："若说他人夺刀行凶，情节上便有冲突。因为若像这样的伤痕，必是那人左手执刀；行刺之时，子华又须在睡梦中，那凶手才得从容反刺。可是就情势测度，事实上断不会有此事实。

"更进一层，子华死时，身穿白法兰绒西装，但他的硬领和领巾，却已松解着——似乎他自杀时，先把领巾解开，以便下刀。若是被杀，那行凶的人，又哪里能够这样子自由自在？这也是一个显明的证据。总而言之，子华的死是出于自杀，此刻已可以说没有疑义了。

"现在我对于信件一事，尚需请林兄原谅，因为此物已无法寻觅。据我测度，当子华死以前，必已把那照片等烧了。但瞧屋角的纸灰，可为佐证。林兄虽不得原件，但他日回上海时，说明了缘由，谅来也可以圆满复命了。"

林叔权忽瞠目道："霍先生，你不曾寻得照片和信件吗？那么你又怎么能知道佩玉的姓氏和面貌？"

霍桑正要回答，忽有一个穿制服的警士，气喘喘地闯进门来。他一见钟德，立正了把手举了一举。

钟德立即问道："黄升，你今天不是在尸屋里面看守的吗？可是有什么消息？"

"正是。我得到了一封信。"

"一封信？寄给陆子华的吗？"

那警士随手摸出一封又厚又大的信来，答道："不是，这信是陆子华寄给一个在上海的叫许守明的，但那人改了地址，所以退了回来。"

霍桑突地跳起身来，将黄升手中的信夺过，急忙看了一看。

他大声叫道："好了，好了！这案子可算得完全解决了！"

结　案

我们又是相顾诧异了一阵，不知道那信中藏着什么玄妙。我走近看时，信面上写明"上海振华旅社七号许守明收"；下面写了"北平正阳门内化石桥许宅陆子华寄"字样；左边一角，又标了"快邮"二字，后面粘了二角二分邮票，并且印了许多印章。

这时霍桑已擅将那信拆开，忽又高声呼道："唉，原来他还有这种奸计，真是谁也想不到的！诸位，请读了这封信，就可以明白他用心的险恶，和自杀的情由了。"他就将信交给钟德。

我一眼瞧去，忽然看见一张女子的照片。那女子的年纪，在十七八岁，圆脸润姿，盈盈含媚，身上装饰朴素，越见得妩媚天然。照片的右角上，写了一行蝇头小楷"蔡佩玉小影"五个字。照片之外，还有佩玉具名的情书三封；书中的语意，无非是些卿卿我我相慕相悦的情话。这玩意儿青年们有过经验的很多，想必自能体会，不必我把它背出来了。我一见这照片和信，便知这就是叔权所要寻求的东西。但方才据霍桑的料想，此物已经被子华烧毁，现在怎么又在信中？

钟德高声说道："唉！这一张信纸是子华寄给许守明的，让我来读一遍，解解大家的疑团。"

他放声念道：

守明兄鉴：我到得这里，已是三星期了，虽曾晋谒过他们几次，却终是因循敷衍，没有一个着落。他们言外之旨，似乎要先见功效，然后取酬。但你想空口白话，怎能成事？我远道冒险而来，舍了声誉，背了良心，非但一文不得，反要自掏私囊。这真是太使人难受！此刻我后悔已晚，不但声名扫地，没有颜面再见旧日的同伴，即我的心坎中人，也已被那可杀的叔权夺去。

叔权是我的情敌，现在他忽已来平，向我索回佩玉的书信和照片，气势汹汹。据说他已挟得我的秘证，倘不还他，他将宣布我运动学生界的阴谋，加我以大逆不道的罪名。我受了他一番奚落，又羞又惧，实觉难堪。我问心内疚，觉得这世界中再没有我的立足地了！

但我若白白而死，使叔权志遂意满，赢得娇妻，奏凯而归，我虽死也不瞑目。因此我已想得一个报复之计，特把那女子的照片和信寄给你，请你代我印成铜版，分发给佩玉的亲戚朋友。如此，佩玉的名誉扫地，伊的未来命运也可想而知，而我的被弃的私怨，也可发泄一二。

至于叔权方面，我自有相当的方法处置他，决不使他逍遥自在。唯此奉委之事，你必须为我尽力。须知我今日有此结局，虽由我自己贪利忘义，然若非你做引线，我或不致出此。我并非怨你，但希望你依言而行，成全我报复的计划，那就感激不尽了！后会无期，前途珍重！

八月三日陆子华白

我等钟德读完，不禁咋舌骇异，暗想这贼设心狠毒，竟要破坏蔡佩玉的终身。幸而此信退回，伊的名誉可全，否则伊一生蒙辱，后果正不忍设想。我因此想到当这教育尚未普及新道德尚未建立的时代，青年女子，智力既未健全，交际之间，真是不可不慎之又慎。

霍桑整了整衣襟，伸手向钟德道："钟兄，恭喜你。此案的翳障既揭，证据也已齐备，后天开审，若能据情而断，当然可以了结。那时林兄的嫌疑，也可以昭雪，我们应当迎接欢贺哩。"他说完了，热烈地和钟德握一握手，便辞别了叔权，拉着我离开警厅。

我们回到寓中，我已急不可耐，立刻要求霍桑详细地解释一切——他怎么能够预知案情，竟如此洞若观火。霍桑被我再三诘问，才烧了一支纸烟，把案中的蕴微一件一件替我剖解。

他说道："当我验尸的时候，一看见那特殊的伤痕，就已疑为自杀。但那时候不见凶器，室中又有争斗的情形。有此疑问，我便不敢立时指他自杀，免得人诧为奇谈。

"我当下审情度势，知道子华既属自杀，无论争斗和致命，不会是同时，即碎表和移针，也必在两个时间。

"后来叔权忽来自陈，我一听他的话，便知他说谎。其实他上晚和我们相见时神情慌张，显见有过斗争之事。那时他一定方从陆子华处回来，他却谎说只在日间去过。这真所谓掩耳盗铃。后来他忽为钟德所捕，这倒出我意料。但当时我知道他确与凶案有关，爱莫能助，自然不得不袖手旁观。

"我又向旅馆中的侍役查问，才知星期三晚上，叔权送我们回房以后，自己又悄然独出。我更觉得所料的不错。叔权和子华必先有争斗；争罢以后，叔权回寓，就和我们相见。后来他又出去，似乎已在子华自杀以后，故而他能自由移动表针。但子华的死究在何时，凶刀又在何处，都没有确证，一时还不能索解。所以我仍不能即时宣布。

"后来我很想得到福兴的实在供语，并请钟德注意悬赏的事，求一个见证。因为子华死时，必有呼号的情形，我前已说过。福兴虽不可靠，或者有行路之人闻声报告，也可破其疑团。因为那巷中虽没有邻居，但幸而不深，如果有声响，必能送到行路人的耳中。后来果然如我所料，这疑点才得到了解释。"

我会意地说："你既已早知陆子华出于自杀，种种疑点自然都能迎刃而解，故而对于那有须的人和那穿蓝纱长衫的人，和陆子华的朋友们，无怪你都不大注意。但那有燕尾须的人就是叔权所乔装，你又怎样知道的？"

霍桑吐了一口烟，笑道："这很容易，说破了不值一钱。我起初就疑心那个人或就是叔权改扮的。等到我接得凶刀以后，从各方面推索，觉得那寄刀的人除了叔权再没有别人。

因为包面上写'样子'二字，可见那人是受过教育和有邮政常识的人；并且字迹掩避，分明那人是和我们相识的；还有刀柄上'梅鹤'二字，显见是梅妻鹤子林处士的出典，和姓林的显有关系。当下我乘你去接钟德电话的时候，忙向侍役说明了原因，就到他的房中去搜索了一回。"

我诧异道："你曾到叔权房中去搜过的？当时你为什么秘而不宣？"

霍桑弹去了些烟灰，答道："你没有问我，我何必多说？并且事实上我也没有马上说明的必要啊。"

"那么搜索的结果怎样？"

"我在他的箱中寻得一片菱角式的假须，一副黑眼镜和一方染血的手巾。那手巾是裹刀所用的，因此刀的来由更可不言而喻。除此以外，我还发现一张女子的照片。"

"佩玉的照片吗？"

"自然是蔡佩玉的。照片上面还标着姓名，不过那是蔡佩玉赠给林叔权的，不是赠给陆子华的。"

我又问道："那么，那陆子华所有的佩玉的照片，你也没有见过？子华把信件照片寄给许守明，你当时也不曾料想到吗？"

霍桑皱紧了双眉，微叹道："正是，惭愧得很！这是出我意想的。起初我以为子华在自杀之前，必已把照片信函等烧毁，墙壁下的纸灰，可算凭迹。其实我并没有把灰验过，贸贸然指说，真是未免荒唐。我只想到子华既死，照片的存在与否，似乎已没有多大关系。不料他死不改悔，竟有这种毒谋。他真可算得穷凶极恶！幸亏守明迁了住址，才把这险恶的局势挽回过来。不过我自己的鲁莽疏忽的过失，也是不能宽恕的。"

我又问道："还有一件事。许守明为什么改迁寓所？并且迁往哪里？为什么不留示地址，才致那信退还？这几点你有什么见解？"

霍桑答道："这也不难推想而知。许守明往上海去，本也是受了官僚们的贿赂，企图秘密地打消学生运动，他的行踪自然是鬼鬼祟祟的。他所以朝迁暮改，也是情理中应有之事。据我臆度，或者他也受了人家的攻击，不能安居，此刻已离了上海，或是更有意外之事，也未可知。这个人我们回去以后，总也可以查明白的。"

法庭开审的那一天，我和霍桑都到庭质证。因着证据完备，案情不辩而明。林叔权果然以无罪开释，那信件和照片等也都归给了他。林叔权脱了罪嫌，感念霍桑的好意，真是不能用言语形容。

这案子发表以后，平津二处的报纸，虽因着牵涉政界的内幕，不敢把案情尽量宣露，但那一般明白详情的人都交口地称赞霍桑。不但如此，钟德的身价也因此增高了几倍。后来我们补足了故宫西山诸名胜的游程，同船回到苏州。林叔权和他的意中人蔡佩玉相见，自然有一番悲喜交集的情况，我这里也不必多费笔墨哩。

虱

自　首

　　霍桑正背窗吸着纸烟。那挟着雨丝的晓风一阵阵从窗口里飘进来，把烟雾吹得团团地打旋。我从烟雾缭绕中，瞧见他笑嘻嘻地向我说话：

　　"包朗，'五鬼搬运法'的秘密，现在你已眼见了！你这一次抛弃了笔墨，跟我回苏州来，也可算不虚此行哩。"

　　所谓"五鬼搬运法"，是我国古旧社会中的一种传说，相信一般江湖术士、游方僧、茅山道士、算命、关亡、捉牙虫之流，有一种神秘的法术，能够凭着画符念咒，驱使什么鬼灵，无影无踪地盗取人家的财宝。所谓"樟柳人""铁算盘"也就是这一类的流亚。一般人都深信，只要让这类人踏进门口，喝一口茶，他们锁在箱底里的珍宝饰物就会神不知鬼不觉地不翼而飞。这种传说，文人的笔记中固然记载得不少，而渲染铺张推波助澜的，是那些所谓武侠名义的神怪小说和近年流行的连环图画。这种迷信的传说封锁着我国的无间南北的旧社会。时代尽管推移，科学尽管提倡，但是相信这荒诞无稽的传说的人还是盈千累万！

　　那时我和霍桑面对面坐着，手中正拿了一枚牙签，在剔去我的齿缝中的面屑。旁边坐着我们的东道主王耀林。他是吴县警署的侦探长。

我也含笑答道："这件事确很有趣，我也早已料到，是一出作伪的把戏。至于五鬼搬运的话，我本来怀疑——"

霍桑忽接嘴道："包朗，你到了苏州，怎么连说话也'苏州化'起来？这种超乎物理现象的事，在科学眼光中，彻头彻尾是虚伪的。没有就没有，你何必用这种滴溜圆的'怀疑'字样？"

我经霍桑一驳，觉得这话会使王耀林难堪，我不能不辩护几句。

我丢了牙签，带笑道："霍桑，'怀疑'正是科学家的态度，你怎能就算我圆滑？你的话不免近于武断哩。"

王耀林似乎防我们俩会开始辩论，急忙丢了吸残的纸烟，解围似的从旁接口。

他道："算了，你们不要说笑话。这件事总是我太缺乏科学知识，才小题大做，劳你们二位的大驾。现在你们坐一坐，我去打发人雇一只船，我们一同往天平山去散一散。"

这一番话是在吴县警察总署侦探长王耀林的办公室中谈的。那是初冬的季节，革命的战事正在尽力进行，后方的社会未免呈露些不安状态。苏城的裕昌钱庄上忽而出了一件窃案，失去了七万五千元钞票，情节非常奇怪。那钞票本藏在一只很坚固的铁箱中，案发以后，箱门和锁完全没有损坏，箱中的钞票不翼而飞，却换了五个白纸剪成的纸人。

苏州虽说是个文化水准较高的都市，而且有着历史性的渊源，可是它的文化还是停滞在封建的阶段，跟不上时代，地方上的风俗习惯也还是早一世纪的典型，比较我们离开前也没有多大变化。"老爷""少爷""少老爷"一派的封建称呼，只要你的脚一踏上这古老都市的土，你的耳朵就会充溢这种声浪。一般上层的所谓"爷"字辈的作风，除了极少数年轻和觉醒的以外，大半还是一贯地不顾现实地优游自得。"潇洒""圆活""多礼节""假谦虚""说风凉俏皮话"是他们的独特的态度；"赏花""看竹""饮酒""品茗"是他们经常的风雅课题；"明哲保身""自扫门前雪"又是他们传统的人生观。下层的是"懦弱""谄媚""迷信"，更是要不得。说得干脆些，迷信的势力简直笼罩了整个社会。所以这件失钞案发生以后，引得满城风雨，大家都说这一定不是寻常的偷儿干的，定是有江湖术士运用了什么"五鬼搬运法"搬去的！

那侦探长王耀林担任了这件案子，竟也受了传说的迷蒙，信以为真。他慌得无所措手，便急急拍电报到上海来请霍桑帮忙。我们和王耀林本来已有好几年交谊，又因着好奇心的驱使，便赶来应约。我们在十一月十一日到苏州，侦查了两天，这一出假戏便完全穿破。到了十三日午后，案子就轻易地结束了。所谓"五鬼"，实际上只有"一鬼"，原来是那裕昌庄的副经理彭祖荫监守自盗！他深知苏州人的迷信的沉痼，又因着近来报纸上常载着许多引人迷信的鬼怪新闻，便想利用着玩玩把戏了。

这时霍桑笑一笑，答道："耀林兄，游山我们本是最高兴的，无奈天公不作美，昨夜里星月皎洁，今天一早忽然下起雨来，上山未免减兴。你如果有心做东，留在下一次吧。"他掏出表来瞧一瞧，又道："我们打算今天就回上海。现在才七点三刻，乘第二班车还来得及。"

王耀林忙道："那不行。今天才十四日，无论如何，还须屈留你们一天。即使下雨不便游山，也不妨就去附近的名园玩玩。霍先生，包先生，你们今天决不能走。"

耀林挽留我们的意思本是非常诚恳的，但我知道霍桑的脾气，说走就走，一定挽留不住。不料正在这时，霍桑还没有再度表示他的辞谢，另外发生了一件事情，竟自然而然地把我们留住了。

一个听差匆匆地走进办公室来，向着王耀林报告：

"外面有一个军官，一定要进来见探长，我们拦阻不住——"

听差的话还没有说完，办公室门口里早已奔进一个人来。

那人穿一身灰布的制服，却已变成了酱油色。他的肩上横着一条武装带，左手中执着军帽，帽上除了泥迹斑驳以外，更罩着一层细细的南珠。他的个子很高，形状非常可怖，方阔的脸消瘦而焦黑，头上短发也好久不曾修剪，颈项以下，皮肤上的积垢还没有完全洗干净，分明都是战地上辛劳奋斗的成绩。因此，若要揣度他的年纪，确乎不容易。最奇怪的，他的两只深棕色的眼睛瞪瞪地直视，似乎也和平常人不同。

他一走进来，挺直了腰部，仿佛是立正行礼的样子。他那狞厉的目光先向王耀林呆视了一会儿，又回过来瞧霍桑和我。霍桑已坐直了身子，虽不开口，目光凝射在来客的身上，神气很紧张。我更惊疑不定，不知道这个人的来意是善是恶。因为我瞧见他的腰后还挂着一只手枪皮袋。王耀林也从椅子上立了起来，正要开口，那来客忽抢先发问：

"谁是警官？嗯，谁是侦探长？"他的声音带些嘎，不大清楚，口音是杭州一带人。

王耀林应道："是我。我是侦探长。你有什么见教？"

那军官突地举起两手，发口令似的大声道："手铐呢？快把我拘起来！"

我怔一怔，也不由自主地站起来。王耀林的血色忽而完全泛白，两足兀立着不动。霍桑虽仍坐着，也丢了烟尾，挺竖了身子，现着莫名其妙的神气。办公室中立即归于沉寂。

少停，王耀林反问道："为什么事呀？"

军官说："我已经杀了一个人！"

王耀林愣了一下，又敛容问道："杀了谁？"

军官道："他叫鲁柏寿，住在万安桥。"

王耀林重复他的话："鲁柏寿？当律师的鲁柏寿？"

那军官似乎没有听得，忽挥动他的右手，屈到腰部去，从他的腰背后拔出一支手枪。我不觉吃一惊。他要自杀吗？本能驱使我奔过去，握住了他的执枪的手臂。

军官又高声说："好！你拿去吧！这就是我打死他的凶器！"他的手一松，那手枪便落在地上。

王耀林赶忙离开座位，把枪拾起来，瞧一瞧，随手放在桌上。他神色紧张地走到军官的面前。

他又问："你在什么时候打死他的？"

那人忽呆住了不答。

王耀林再问："今天是十一月十四日。你几时杀死他的？"

军官略停一停，才答道："昨天夜里！"

王探长道："在什么地方？"

军官的身子似向斜侧里一晃，把左手中的军帽一丢，举起左手来抚摸他的额角：

"唉！我……我不记得了！大概在公园里吧？喂，别多说，你快把我拘起来。我站不住了。"

他的身子果真越发摇摇不定，若不是我和王耀林把他扶住，势必会倒在地上。霍桑也起身走近来。他用手指在军官的脉息上摸一摸，又把他闭着的眼睛翻开来瞧一瞧。

他说："这个人有病呢。让他躺一下再说。"

王耀林忙叫了两个听差进来，吩咐把这个军官扶到别一室去，小心地看守着，一面去请医生来诊察。

这是一幕出我们的意料的怪戏。杀了人到官中自首，事实上已不大多见，何况像这样子的自首，更使人诧异。

霍桑说："这件事很蹊跷。"

王耀林应道："是，我也觉得奇怪。昨夜里公园中既然出了凶案，怎么此刻还没有报告？"

我建议道："你不妨打一个电话到公园里去问问。"

王耀林赞成了，立刻打电话到公园里去。不料那公园的管理员回答，并没有这一回事。公园的各部也绝对没有发现尸体。

我又说："我瞧他的神经已有些错乱。行凶的所在地，他本已记忆不清。现在你不如打电话往各警区去问一下，或者有些消息。"

霍桑插口说："慢！耀林兄，刚才他所说的那个被害人鲁柏寿，你不是也认识的吗？"

耀林说："不，我只听得过他的姓名。他是本地人，是个留学生，也是个红律师。今年夏天本城潘家的九太爷死了，好几房子孙为了遗产打官司，鲁律师代表小房胜了诉，红极一时。"

霍桑点点头，说："那么眼前最简捷的办法，我们不如就到他家里去走一趟。"

王耀林似乎给提醒了，连连点着头："不错，他家里一定有电话。我来查一查。"他把电话簿翻开来检查。一会儿，他便道："唉！果真有的。我们姑且先从电话中问问。"

在紧张的静默中，我们看王探长打电话。不一会儿，电话果然接通了。

王耀林问道："你们是万安桥鲁柏寿律师办事处？……鲁律师怎么样？……什么！在楼上卧房里？……唔……唔……当真？……好！快请他来接电话！"

两种推理

事情有些奇怪。我听王耀林的谈话，分明说鲁柏寿还在卧房里并没有被杀。王耀林也拿着听筒，露着诧异的目光，向我们呆瞧。

他说："霍先生，包先生，这岂不是怪事？据鲁柏寿的仆人说，鲁律师此刻仍好端端地在房里！"

霍桑答道："慢，这话还不能作凭，且看他能不能实在答话。"

王耀林道："那仆人还说在一刻钟前，他曾送早餐进去，当然不会变得这样快。"

我说："莫非弄错了人？"

王耀林摇头道："那也不会。万安桥的鲁柏寿，怎么会有第二个？"

他瞧瞧霍桑。霍桑紧皱着双眉，凝视着电话机，似乎也解释不出。

电话听筒中似乎又有声音。王耀林忙将听筒贴紧在耳朵上。

他问道："你是鲁柏寿律师？"

霍桑和我都受了好奇心的冲动，不约而同地走前一步，也把耳朵凑近听筒。我果然听得有一个人回答，口音是本地的：

"是。你哪里？"

"这里是警察总局……我是王耀林探长。喂……"

听筒中静一静。王耀林有些着急。我的心也乱跳。霍桑仍宁静地站着。一会儿，我才听得听筒中继续响起来：

"唉！王探长，什么事？"

"鲁律师，这里有一件事很奇怪。有一个人到局里来自首，说昨夜里他已将你杀死。你昨夜里可曾遭遇什么事？"

电话线又静寂了一下，才继续答话：

"笑话！哪里有这种事？昨夜里我在苏州大戏院瞧戏，在十二点钟敲过安然回家。莫非你那里来了一个疯子？"

王耀林用手掩住了话筒口，扮着鬼脸，回头向霍桑说话：

"奇怪！霍先生，你听清楚吗？"

霍桑和我都点点头。

王耀林说："这是什么一回事？鲁柏寿明明活着！怎么办？"

霍桑不答，用手摸着自己的下颌，定睛瞧着电话箱，分明一时也不知道怎样对付。

电话筒又继续发声，不过声浪已有些颤动：

"喂，王探长，那个人叫什么名字？"

"嗯……这个……我们还没有查明他的姓名。他是穿军服的，是个军官，个子很高，年纪在三十以外。"

"唔，穿军服的？他不是有个瘦黑的方脸吗？"

"是，正是。"

"唉！他叫奚莘耕。是的，他果真是我的仇人。"

"喔！"

"昨天早晨他曾到我这里来过，的确要向我寻衅。现在他怎么样？"

"他自己承认是凶手。他说他昨夜已经用手枪打死你，故而我们已把他看守着。但这里面究竟有什么曲折，你能不能立刻到这里来一趟？"

话筒中传来一些喘息声，接着才是鲁柏寿的继续的答话：

"好……好，我就来。……喂，王探长，这个奚莘耕确有害我的意思，你们千万不可轻放。"

"那自然。你就来。我们在这里等你。"

电话线断了。王耀林挂了话筒，又回过来向霍桑问话：

"霍先生，你瞧这件事究竟怎么样？"

霍桑沉吟了一下，答道："据我看，有两种推理：第一，这个奚莘耕确和鲁柏寿有深仇宿恨，昨夜里他也许把别的人误认作他的仇人，因此误杀了一个人；第二，或者行凶的事并非事实，只是他的脑室中的一种幻觉。一个神经衰弱的人往往有这种心理上的错觉，原不算稀罕。譬如一个人神经不健，又事繁多思，忽然想起要写一封信，转瞬间忽又忘怀；但事后他会觉得那封信已经写好发出了。我瞧这个人的神经确乎已有些错乱的征象。"

王耀林蹙紧着眉峰，说："这件事倒又麻烦。"

霍桑不答，把那刚才王探长从地板上拾起来放在办公桌上的手枪拿起来，旋开了枪膛，检验里面的子弹。

他作惊喜声道："唉，这是一种新式的九响枪。这里面的九粒子弹完全没有缺少啊。"

王耀林道："那么他怎么说这手枪就是行凶的凶器？"

"霍桑，我看你说的两种推理，第二种近乎事实哩。"我耐不住插一句。

霍桑还没有答话，先前那个听差又走进来，手中拿着一张片子和一个污暗的白巾小包。

他报告道："王探长，这东西都是从那个人身上搜出来的。据医生说，他此刻已经失了知觉，应得立刻送医院才是。"

霍桑把名片接过瞧了一瞧，说："唔，他果真叫奚莘耕，是个连长。事情更明白了。……对，现在他既然失了知觉，当然问不出供，不如就送他到医院里去。"

王耀林赞成了，就吩咐听差把那军官马上送公济医院里去。听差退出去。王耀林将手巾包展开来，内中有小钱夹、铅笔、小电筒，皮夹中有十多元钞票。

他又问霍桑："霍先生，你说事情更明白了，明白了什么？"

霍桑道："我看包朗兄说得对，我的第二种推想大半已经证实。这个人完全是神经作用，实际上并没有行凶的事。否则他即使误杀了别的人，此刻一定也早已发现，各警区中应得有报告。何况他所说的凶器，子弹并没有缺少一粒，更是一种显明的证据。"

王耀林吁一口气，说："那么这件事也是一件小题大做的玩意儿，是不是？"

"唔，这还难说。我看这奚鲁两人之间一定有某种关系。"

"你想有什么样的关系？"

霍桑摸摸下颌，说："从眼前的情势看，这里面的情由似乎很曲折，我们当然不能凭空猜想。好在鲁柏寿快要来了。我们姑且耐一会儿，不久就有分解。"他回头向我嘻一嘻："包朗，你看了'五鬼搬运法'的把戏不算，也许还有好戏看哩！"他又看看表："第二班车我们当然乘不成了。不过假使因此你再得到一种有趣的资料，那也不能算不值得。"

一个白虱

我们等了半个多钟头，还不见鲁柏寿到来。霍桑所应许我的资料，一时还不能如愿以偿。纸烟的消耗量颇可惊，三条连续不辍的烟缕氤氲成满室迷雾。

霍桑再度摸出表来，说："万安桥到这里，坐车子一刻钟大概足够了吧？他怎么会耽搁？"

王耀林道："他说他要来说明情由，一定不会失约。我们再等他一会儿。"

时间一分一分地过去，烟灰盘中的烟尾一枚枚地叠起来，等候的人的焦灼的情绪也一分一分地紧张，可是总不见鲁柏寿来践约。到了相近九点钟光景，霍桑再也按捺不住。

他立起来，说："耀林兄，我怕这里面也许另有问题。鲁柏寿不会来哩！"

"喔，那么……"王耀林吞吐着。

霍桑说："我们不如立刻到他家里去走一遭。"

王耀林又略略沉吟，应道："也好。……慢一慢，让我再打一个电话。"

电话的结果，据说鲁柏寿已经出来了一个钟头。

王耀林诧异道："奇怪！他既然已经出门，又到哪里去了？莫非另外又有什么岔子？"

霍桑坚决地答道："无论如何，我们应得立即到他家里去瞧瞧，不可耽搁。"

王耀林不再犹豫。我们三个人便一同向万安桥去。我们坐车子经过了两三条泥泞而高低不平的小巷，果真只有十多分钟，就到达目的地。

鲁律师办事处里有一个二十多岁的像患贫血症的瘦长少年，和一个年在五十以上弯腰曲背戴铜边眼镜的男仆。那少年穿一件灰哔叽薄棉袍，名叫常学初，是鲁柏寿的书记；那老仆叫金福，就是刚才和王耀林通电话的人。

王耀林先问那书记道："你可知道鲁律师往哪里去的？"

常学初道："我不知道。我来了还不到一刻钟。金福告诉我，鲁律师是往警察局里去的。"

王耀林道："我们就从总局里来，没有看见他。"

那戴铜边眼镜的老仆也说，他的主人接过了电话，就戴了帽子，穿好马褂，匆匆出门，临行时他还说明往警局里去。

王耀林迷惘地说道："奇怪，他究竟往哪里去了？"

霍桑在那布置相当华美的办公室中瞧了一周，也参加谈话。他先问那老仆金福。

他问道："你主人出门时可是一个人？"

金福答道："是。那时候常先生还没有来。这屋子里也只有我一个人。"

王耀林忽插口道："他莫非走到什么分署里去了？我姑且到邻近的第四分署里去问问。"

霍桑点点头："也好，我们在这里等你，趁空还可以问几句话。"

王耀林重新冒雨出去。霍桑在一只花绸套子的沙发上坐下来，继续向那老仆问话。我也坐在另一只沙发上。那焦黄面庞的书记似乎拘守什么礼节，仍呆呆地站在那柚木书桌旁边。

霍桑道："你主人出去时可曾坐车子？"

金福道："他没有叫我雇车子。他在出门以后，有没有雇车，我不知道。"

"你在这里有多少时候了？"

"唔，好久了。……我算算看，四年半了。"

"那么你对于你主人的情形　定很熟悉，是不是？"

"唔，是。不过他在外面做的事，我也不仔细。"

"现在你告诉我，你主人的业务怎么样？"

"近年来他的律师生意很好；所以很忙。"

"他的性情呢？"

"往常的性情很和气，但发脾气时也可怕。自从上月里太太死了，鲁律师每夜总在外面，不到半夜不回来。昨夜回来时更晚，并且有一种怒气冲冲的神气，见了很可怕。"

"今天呢？"

"今天他起身很迟，还是很生气的样子。我告诉他有电话，他冷冰冰地爬起来，不想接电话。他接电话时，又挥挥手叫我走开，像是老大的不高兴。"

霍桑沉吟地想一想，话题移转到一个新的角度：

"金福，他们夫妻间平日的感情怎么样？"

金福忽把铜边眼镜推一推，近视的目光垂落了，现出疑迟的样子。

霍桑婉和着声调，催道："你尽说不妨，用不着顾忌。"

金福吞吐地说："他们……他们的感情好像不……不很好。"

"喔，你说得明白些，怎么样不很好？"

"他们……他们常常吵嘴。"

"为了些什么事吵嘴？"

"鲁律师常常在夜里出去，一礼拜总有好几次，回来时太太盘问他，常常会这样子闹起来。"

"那么鲁律师的朋友一定不少，是吗？"

"是……唔，这个我不仔细，你问常先生。因为来往的人很多，我不知道谁是他的朋友，谁是来请他办案子的主顾。"

霍桑果真回头去向那呆立在一旁的常学初问话。据这书记说，鲁柏寿善于交际，朋友的确很多，男的女的都有，感情也都很圆融。只有他的内兄似乎和他没有好感，上一天曾来闹过一次。

霍桑问道："他的内兄是谁？"

常学初道："他叫奚莘耕，在军队里当连长。"

话入了彀。霍桑的眉毛掀一掀，似乎已得到什么要点。我的兴趣也给他提振了。

霍桑道："他们闹的时候，你是眼见的？"

常学初道："是，我也在场。"

"闹的原因是什么？"

"我听他们的口气，似乎那奚莘耕觉得他的妹妹的死，是由于鲁律师亏待伊。"

"唔，闹得可厉害？"

"是，大家提高了喉咙，谁也不让谁，很可怕。后来那姓奚的几乎拔出手枪来行凶，幸亏我在旁边解劝，才把他们分开。"

"以后那姓奚的可曾再来？"

"没有。不过他临走的时候，我看他的怒气还没平，鲁律师也觉得坐立不安。"那贫血脸的顿一顿，又胆怯地补一句，"你们不是说他没有到警察局里去吗？嗯，我想万一他有什么三长两短，这姓奚的一定有关系。"

这人对于奚莘耕自首的事还不知道，才有这个见解，但他所说的话，确和事情相合。霍桑一边敛神听他，一边用冷眼默默地端详。我从旁观察，觉得这少年除了声音低弱些以外，应对如流，绝没有丝毫迟疑，可见他的话都是实情。

一会儿，霍桑又说："常先生，你的话很有意思。但你想鲁律师除了他的内兄以外，会不会另有别的怨仇？"

常学初沉吟了一下，才道："这个很难说。鲁律师平素做人，除了金钱问题略略看重些以外，和人家谈论，是非常和易圆到的。他不大肯得罪人。我看他不像会和别的人结怨。"

霍桑的视线又在四周打转。他瞧瞧这两个律师的雇员，又瞧瞧我。他的眼珠在转动，似乎他对于这回事已经把握着一个轮廓，此刻正在寻觅新的话题。我始终采取旁听态度，乘这暂时的静默，也模仿着霍桑的动作。这办公室相当宽大，除了那精致的书桌、沙发、螺旋椅以外，还有一口装满西书的玻璃书橱，一只同样柚木的文具箱。墙壁上还挂着一张律师执照和一张美国西北大学的法学博士证书。另有一张十二寸的鲁柏寿博士装半身照，方帽垂穗，浓眉秀目，生得英挺不凡，年纪还只三十内外。

霍桑又提出问句："常先生，你在这里任事多少时候了？"

"才半年。"

"晚上你不住在这里的？"

"不住的。我早晨九点钟来，下午五点钟回去，天天如此。"

"还有一句话，这姓奚的你以前可曾见过？"

"没有，昨天还是第一次看见他。"

霍桑点点头。他的眼光忽而凝注在一处，又引手向柚木大书桌上指一指。

他问道："这一张女子照片不会是鲁律师新丧的夫人吧？"

常学初回头一瞧，他的唇角忽然牵动了一下，仿佛露出一丝笑容。我的视线也射到书桌上面去。桌上有一座意大利石刻的裸像，一组银质的笔插连墨水盂。就在那裸像旁边撑着一张金质框子的照片，照中是个装束摩登的少女，年纪约在二十，面貌很美丽。

少年摇摇头，道："当真不是。这一位也许……也许可以算是他的未来夫人。"

霍桑的目光闪一闪，但仍竭力蕴藏他的情绪。

他淡淡地问道："莫非鲁律师已经重新订婚了？"

常书记道："不，还没有。"他也指一指照片："这是大通银行刘行长的小姐，叫刘丽娜，近来常在这里出进。他们虽还没有正式订婚，但也相去不远哩。"

王耀林从外面进来，霍桑的询问也告一个段落。我看见了王探长的懊丧神气，便料他不会有什么好消息。

他一边用一块白巾抹拭他的脸上和衣上的雨点，一边说："他不曾往第四分署去过。我已经打电话向各区中问过，都说不曾见过鲁律师。"

霍桑道："你可曾顺便问起，各区辖境里有没有尸体发现？"

王耀林道："我也连带问过的，都说没有这一回事。"

霍桑低下了头，右手摸在书桌边上，手指按着节奏似的在弹弄。他的嘴里也低低地哼出一种曲调。

他忽抬头问我道："包朗，这件事好像比'五鬼搬运法'的玩意儿更耐人寻味。你以为怎么样？"

老实说，那时候我的脑室中除了诧奇以外，实在说不出什么见解，因为我看不透这把戏的内幕。好在霍桑的问句也似心不专属地随意发出的，并不一定期望我答复。我也就用点头的动作来塞责。

他又向王耀林道："据我看，在短时间内鲁律师也许不会出现。你少停得多打发些人出去探访，也许才有下落。"

王耀林道："霍先生，你想他会到哪里去？"

霍桑摇头道："我不知道。现在我们不如趁势在这里检查一下，倘能得到什么线索，对于他的失踪也许容易解决些。你先在这里查查他的文件，我们到楼上去瞧瞧。"他立起来，向那近视很深的老仆招招手："金福，你主人的卧室是在楼上吗？你领我们上去看一看。"

金福便依言引导，曲了背先向后面的楼梯那边走去。霍桑向我点一点头。我马上立起来跟着。

我们踏进了那地毯温软的卧室，目光所接，又是一种景象。一切陈设很富丽：箱、橱、椅、桌、床榻和用具，都是西式的红木质的，并且还是簇新；镜台上排满了高价的舶来化妆品；壁上有两幅裸体油画；窗上挂着镂孔的纱帏；床上铺着白绒毯，有一条银红色和一条淡蜜色的绸被，虽是叠着，但不很整齐，一端有一个雪白的野鸭绒大枕头。霍桑走近前些，把衣橱的厚玻璃门顺手拉开，橱中挂着不少西装衣服。

他回头向老仆道："你主人是穿西装的？"

金福道："中装西装他都穿。近来他常穿中装。"

霍桑说："今天他穿的什么衣服？"

金福眯了眼睛，想了一想，才道："他穿的是玄色直贡呢马褂，袍子——唔，我不清楚——似乎是栗壳色法兰绒的。"

霍桑俯着身子，从衣橱中取出一双皮鞋，和一双橡皮套鞋来，细细地瞧了一瞧。

他又问金福道："他刚才出去时穿什么鞋子？"

金福眯了眼，摇摇头："我不知道。我没有留意。"

霍桑想一想，又问："我想你主人的衣饰是很考究的，是不是？"

那老仆也凑近来瞧一瞧，点头道："不错。先生，你可是说这双皮鞋的价钱很贵？是的，鲁律师的皮鞋都是来路货。我听说这一双要三十多块钱呢。"

霍桑不答，放了皮鞋，把橱门关上。他的眼光又射向卧床上去。他走到床边，偻着身子，瞧那野鸭绒枕头，像在用嗅觉。忽而他的身子震一震，双目一闪，仿佛无意中发现了什么重要东西。

我问道："霍桑，你瞧见了什么？"

霍桑俯下些头，闭紧了嘴，伸出他的右手来，在那雪白的毛绒毯上摸一摸。

他低低地自言自语："奇怪！"

我跟上前去，又问："什么东西？"

霍桑仍不开口。他挺直了腰，闭紧了嘴唇，神情很紧张。他把左手的掌心向天，又将右手中在床上摸得的什么东西，放在掌心中，更将手掌凑近眼睛去仔细瞧察。我瞧不见什么，心中越发纳罕。

"一个虱！"

他的声音好像从他的齿缝中进出来。我也凑近去细瞧，才见他的掌心中有一个白虱——六只细足，一个肥胖的肚子，还在蠕蠕地动着，看见了会使人产生一种肉痒而不快的感觉！

发现是新奇的，可是我仍莫名其妙。霍桑似乎非常重视这个虱，他的过度郑重的神气，仿佛他认为这小小一个虱含着什么不可思议的神秘，简直像前后的关键就系在这一个小生物的身上。这到底有什么意思呢？我完全捉摸不着。

闷葫芦

当我们从鲁律师寓里山来以后，王耀林把在鲁柏寿书室中搜得的几种文件给霍桑瞧。霍桑唯唯诺诺，并不发表什么意见，分明他意有所属，不愿分心在旁的事上。不料在这紧张的当儿，霍桑的表示竟使我十二分失望。

霍桑说："耀林兄，我看这件案子一时还不能够解决。但我们不能留待，今天必须回上海去。以后有什么发展，你若能给我们一个消息，我想包朗兄一定很感激你。因为这一种绝妙的小说资料若使没有结局，他未免要抱怨此番的徒劳跋涉了。"接着他又回头向我道："包朗，你跟耀林兄回警局去，赶紧把我们的行李收拾好了，直接往火车站去等我。我去买些东西，就可以到车站。"他说完了，不等王耀林留阻，掉头便去。

他为什么急急回上海？上海有什么其他的重要案件吗？我可完全没有头绪，感到老大的不快。因为这件事才刚引起了我的兴味，不意案子未破，霍桑忽然急着回去。他虽关照王耀林，事情有了结果，必须通知我们。但这样一件疑案，要是能亲身经历，岂不更有趣些？他怎么轻轻放过了，反间接从人家嘴里去探信息？可是霍桑的意志既决，谁也不能挽回，我只得依着他的话，取了行李，和王耀林作别。王耀林坚执着送我上车，直送到车站，彼此方才握别。

那时已近十二点。我在车站上等了一会儿，饥肠雷鸣，便随意先进些小食。到了十二点四十分钟，火车已经到站，我才见霍桑急忙忙地赶来。我们就一同上车。

火车开了，我才禁不住问道："霍桑，你刚才说去买东西的，买了些什么？"

霍桑摊开了两手，说："没有买什么。"

"那么你在干些什么事？"

"我空费了一个钟头，很失望。"

我乘势道:"你希望些什么?"

他向我嘻一嘻,摇摇头。

我再问:"霍桑,你究竟有什么意思?在这紧张关头,你怎么把这一件不可索解的疑案轻轻放过?"

霍桑的嘴抿一抿:"包朗,你太老实了。这种案子,我们怎肯错过?你总知道我所以始终保持我私家侦探的地位,绝对不肯受官家的任何高俸厚禄,目的就要保全我们的自由,贯彻我们为公道正义而努力的主张。此番我所以如此,也就要恢复我们的本来面目,以便自由自在地侦查这件疑案。假使我们和王耀林一块儿合作,这一点一定就办不到。"

这几句话像一枚尖针刺破了我的迷惘的疑障,我的闷气立刻得到发泄,不觉又提起了精神。

我忙道:"既然如此,我们此刻为什么又急急地回上海去?"

霍桑道:"这案子一天两天谅来不会发展。我们何必在这里坐等?并且若使留在这里,我们就也不能自由行动。"

我道:"那么你对于这件案子谅必已有一种见解,是不是?"

霍桑说:"是,见解是有的,我已经表示过。"

"你刚才不是说鲁柏寿在短时期内不会出现吗?这句话根据什么?"

"根据我先前的观察。"

"唔,你说得明白些。我还像在黑暗中迷惑。"

"我本料鲁柏寿和奚莘耕有怨嫌。今天鲁柏寿忽然听说奚莘耕自称已将他杀死,他自然会因此惊恐起来。他虽已答应了耀林,但一转念间,又临时变了主意,便悄悄地逃避开去,不敢到警局里来会面。当时我假定这转变有两种可能:一、他畏惧奚莘耕,怕迟早会吃他的亏;二、或是他自己有什么亏心的事，深恐一经和奚莘耕面质，他的黑幕给拆穿了，不免受法律的处分。"

"唔，很合理。"

"不！恰正相反！"

我诧异道："什么？相反？"

霍桑点头道："是。这一个推想已经给一个小生命完全推翻了！"

我顿一顿，又问："一个小生命？不就是你在鲁柏寿床上发现的那个虱？"

"对！"

"我正自奇怪得很。这究竟是个什么样的虱？它会有这样的大力，能够推翻你的推想？"

霍桑脱口应道："我相信这个虱是案中的一个重要枢纽。我因着这个，才想到——唉！真狡猾！"

他说到这里，忽而愣一愣，顿住了。他的闪动的眼光飘到车窗外面去，似乎在欣赏那奔赴眼前的田野风景。

我忙道："霍桑，你想到什么？怎么不说下去？"

霍桑皱着眉头，答道："包朗，请原谅，不要逼迫我。我刚才费了一小时工夫，就想证实我的重建的推想，但是到底没有证实。故而此刻我还不便发表。"

读者们大概也都很深悉，霍桑有时有一种卖关子似的脾气。此刻他又要玩老把戏吗？

我仍耐不住，继续问道："霍桑，你的推想虽然没有成熟，还不能发表，但这一个虱——"

他摇摇手："虱是我的推想的引子。你要谈虱，就不能不牵引到我的未成熟的推想。对不起。"

我的嘴给堵塞住，我抱着闷气也瞧到窗外去。

一片辽阔的田野，田中只有未掘割的稻根，树木都寒碜得赤裸了。小桥边的水车棚是空虚的，没有牛，当然更没有桔槔声。初冬的野景是从绚烂归于平淡，缺乏吸引力的。

"霍桑，你难道不能随便把可以发表的说一说？"我终于耐不住。

霍桑忽摇摇头："唉，你又来了！你的躁急的性子真是没法改变的了！唔，我不说，你终会不甘休。好，现在我把我推想中最后一点告诉你。据我料想，鲁柏寿律师此刻大概已经不和我们呼吸同一的空气了！"

霍桑说完了话，从无甚可观的田畴间收回了视线，把他的头仰靠着坐垫的背，随即闭上了眼睛。车声虽隆隆地震耳，他却很安闲地养神打盹起来。

他的表示太惊人。我当时自然又发过几句"鲁柏寿死了吗？""怎么死的？""你怎么知道的？"一类问句，但是结果不但没有得到他一句答话，连他的眼睛都不曾张开来。

第二个关键

我处在这个闷葫芦中，不消说是十二分难受的。但我们到了上海以后，霍桑仍绝口不谈，我也仍没有打破这葫芦的机会。我回到我自己的寓所以后，足足闷了一夜，绞尽了我的脑力，到底解释不出。

霍桑的推理有什么根据？鲁柏寿一去不返，虽觉可疑，但若没有充分的根据，就料他已死，岂不近乎武断？我相信霍桑的脑子是完全科学化的，当然不至于如此武断。他一定是有根据的。这根据是什么？不就是那个虱？但是这个神秘的虱，在我的眼中，实在想不出什么。

第二天十五日早晨，我又赶到霍桑寓里去瞧他，问他有没有苏州来的消息。

霍桑仍否定地答道："没有。你姑且耐性些。这案子的发展也许不是一两天内的事。"

消息又使我万分失望。但事实如此，焦急也没用，我只得勉强耐着性子等待。那天晚餐时分，我正和我的妻子佩芹在寓里晚餐，谈论这个神秘的虱，霍桑忽然打电话给我，声言苏州已有报告来了。我正渴望着打破我心中的疑团，一得这个信息，便丢了饭碗，赶到霍桑寓里去。不料霍桑竟故意作弄我似的一个人出去了。我不禁有些发火，独自在他的办公室中顿足不耐。

旧仆施桂走进来，说："包先生，霍先生往电报局里去的。请等一等，他立刻就会回来。"

我问道："你可知道苏州来的什么消息？"

"在断黑时来了一封快信，是苏州警察局里姓王的发的。"

"那封信呢？"

"他带出去了。"

"你可知道信中说些什么？"

"我不知道。"

我又不觉使性道："好了！我还是不问你的好！"

事后回想，我用这种态度对付施桂，实在是不合理的。幸亏施桂知趣，立刻退了出去，否则我也许会有其他失态的举动。人的情感压制了理智，行为的后果非常危险。我自恨我的修养太欠缺。

我等了约十分钟光景，兀自对着炉火发呆，还不见霍桑回寓。我正要负气而出，准备明天和霍桑算账，但是走到门口，忽见霍桑恰巧从外面进来。

他一见我，便笑嘻嘻地说："包朗，你要走了吗？……唉！走不得！我想你不如打一个电话回去，就在我这里耽搁一夜。也许明天一早，我们就要动身回苏州去。"

霍桑这几句话很像诱鱼的香饵，不由我不上钩。我的满腔怒火，顿时平息了一半。

我问道："可是这案子有了新发展？"

"是！"

霍桑点点头，便拉着我回进办公室。他卸了一件黑呢外衣，去拨火炉中煤块。我也在沙发上坐下来，破案的希望扑灭了我心头的残余的怒火。

"包朗，我知道你闷得受不住哩。可是我也跟你一样焦灼。你不能怪我。现在我可以告诉你，我的推想已经证实了。"

我心平气和地说："证实了什么？"

"鲁柏寿的确死了！"

"唔？"

"刚才王耀林有快信来，说今天早晨鲁柏寿的尸首已经发现了！"

我惊讶吗？不。我本来相信霍桑不会凭空乱说。

我又问："鲁柏寿死在哪里？"

霍桑道："他的尸首被发现的地点，在金鸡桥的河里。那条桥是从万安桥到警局所必经的，地点很僻静，河水又比较深些。所以直到那尸体浮了起来，方才被人发现。"

"他怎样死的？"

"还不知道。据王耀林的察验，尸体上并无伤痕，并且直贡呢的马褂、栗壳色的法兰绒袍和衣袋中金表钱币，也完全没有遗失的迹象。此刻仍在侦查期中，他们还没有具体的见解。"

"那么你的见解怎么样？他可是被人谋死的？还是……"

霍桑又垂着目光，答道："我在一个要点证实以前，还不便发表，你不能说我卖关子。好在这个要点的证实，至多不会出十二个钟头。无论如何，你总可以耐一耐。"他伸手从衣袋中摸出一张纸来，授给我："我刚才出去发了一个电报，就要证实我所说的要点。这是电报的底稿。你自己瞧吧。"

我接过那电报稿一瞧，只有十二个字：

来函悉。死者足穿何鞋，盼速示。

电报稿不能给我任何启示，反而使我更深地陷进迷雾中去。

我问道："你为什么问起他的鞋子？"

霍桑答道："这是这案中的第二个关键。只需这个问题解决，全案的情由便可以完全明了。"他抽出两支纸烟，一支给我，一支自己烧着："包朗，眼前我还有一个要求，你能否再原谅我一夜？不要逼着我解释。你得知道我在这关键证实以前，正像一本小说中间缺了一章，说出来也没有意味。你姑且再耐一耐。只要等回电一到，我们的行动马上就可以决定。"

我的嘴再度给封住了。可是有什么办法呢？这一夜我果真睡在霍桑寓里。睡到床上，我再也不能合眼，恨不得使那时计上的秒针加速地过去，立刻就到天明。直到半夜过后，我正要蒙眬地睡去，忽听得下面门铃声响。

我突地跳起来，叫道："霍桑，回电来了！"

霍桑也早已听得，便也从床上坐起来，但是并不惊惶。

他低声答道："是，我也料想如此。但半夜三更，你不要如此发狂。我们坐一坐，施桂会送上来。"

五分钟后，施桂果真送了一封电信上来。我一手抢过，拆开米一瞧，偏偏还是电码，没有给译出。我又足足费了六七分钟翻译的工夫，才知道是"圆口，小方格直锦缎、骆驼皮底番鞋"几个字。

霍桑舒一口气，很安闲地说道："好了。包朗，你再睡一会儿。明天第一班车，我们可以走了。"

惊人的揭露

霍桑的话我表面上果然只有依从，但要叫我再安睡几个小时，我的神经却不肯服从我的命令。好容易挨到了东方发白，我便起床漱洗。到了六点半时，我还不见霍桑起来，便老实不客气地催他起床。

霍桑笑嘻嘻地说："第一班车要七点五十分才开。你何必这样子着急？"

到了七点钟，我们俩一同进早餐。早餐既毕，霍桑拿出了两支手枪，一支给我，一支他自己藏着。我们刚准备出门，忽见一个邮差又送进一封快信。

霍桑接过了瞧一瞧，说："又是王耀林发的。这案子他们已经解决了，那未免太心急些哩。瞧这邮局印章，这封信是昨日傍晚发出的。现在我们果真不能不赶紧些了。万一错过了第一班车，说不定要徒劳往返。包朗，快走，这封信很长，到车上给你瞧。"

这又是一个新发生的疑团，但为经济时间起见，我只索再忍耐一会儿。

我们上了火车，霍桑的心似乎方才放定。等到火车开了，霍桑才把王耀林的第二封信授给我瞧。他自己开始抽烟。

信当真很长，王探长把案子的经过报告得非常详细。我现在只能略述大意。

他说鲁柏寿的尸体已经由检察官检验过，也不见什么伤痕，加着身上的衣物完全无缺，便断定绝不是出于谋害。他们假定他在十四日早上接了王耀林的电话以后，心中不无惊慌，就匆促赶到警局中去。当他经过金鸡桥时，因天雨泥滑，足力不稳，便落到河里去。那里本是僻静的所在，清早时行人更稀，故而落水后没人瞧见搭救，直到下一天，他的尸身才浮上水面。至于那个军官奚莘耕，恰合霍桑的推理，果然是有神经错乱病的。因为奚莘耕的一个同伙李栋，也是一个下级军官，特地到警局里去证明。奚莘耕曾在前线受过炮弹弹片的伤，神经因而衰弱。长官见他如此，便叫他请假到后方来休养几天。那李栋也请假回里，所以陪着他同到苏城。他们在十二日晚上到苏州，一同寄寓在北寺前大新旅馆。下一天奚莘耕一早赶到万安桥去瞧他的妹妹。不料他的妹妹已经在一个月前过世。他因责备妹夫鲁柏寿默不通报，彼此曾口角过一回。奚莘耕的神经既然有病，自然容易发怒，但事实上他并没有行凶的行动。因为十三日那天晚上，李栋确实和奚莘耕同榻而睡。到了十四日清晨，奚莘耕忽失踪不见。李栋吃惊不小，四处寻觅，才知道他竟投到了警局里去。所以他的话完全是神经错乱的征象，不足为凭。王耀林觉得这一番事实和霍桑所料想的完全符合，案子尽可以结束。所以法院方面已经准许李栋把奚莘耕和他的手枪领回去，以便销案了结。

我把那信读了一遍，思索了一下，才向霍桑诘问：

"你刚才说王耀林结束得太心急，分明你还表示不满，是不是？"

霍桑点点头。

我又说："但官方这样解释，确实符合你先前的推想。你现在到底有什么意见？"

霍桑缓缓地吐吸了几口，才答道："不错，这当真是我先前的推想。但我的推想给小生命推翻了，已经一变再变。你难道不知道？"

我说："是的，你曾经说过，你的推想已经因着那虱，发生过变动。但怎样一变再变，你不曾漏过一句，你现在反而责我，我怕你的神经也许也有些不怎样健全吧？"

霍桑不禁扑哧笑了一声，答道："唉！包朗，我实在太自私了！现在时机已经成熟，我不妨告诉你了。我最初的推想，以为鲁柏寿既然无恙，谅来是奚莘耕的神经错乱。接着我知道鲁柏寿失踪了，便又料他是故意避匿。后来他床上的毛绒毯上的一个小生命吸住了我的视觉，推翻了我以前的假定，我的推想就彻底变动了。现在我既然得到了那虱和鞋子的印证，又知道奚莘耕果真另有一个同伴。所以我敢说王耀林的判断太急促。你总知道急促的后果往往是错误啊。"

我疑惑地说："错误？什么意思？"

"意思很简单。我敢说鲁柏寿的溺死，绝不是自己失足，他是被人谋死的！"

"喔？你确信如此？"

"是！"

"那么凶手是谁？"

霍桑忽竖起了食指，作势警告我：

"喂，低声些。这车中不是只有我们两个人啊。"

我减低些声音："那个凶手是谁，你总也已经知道，是不是？"

"是的，我们一到苏州，你也就可以瞧见他。"

"那么你此刻还不能先告诉我？难道你还有什么推托？"

霍桑微微一笑，道："嗯，逼功真厉害！好，我起先因着那关节没有证实，未便发表，现在不妨就老实说，凶手是奚莘耕！"

"奚莘耕，这怎么可能？"

我惊疑得简直不敢相信。

霍桑反问我道："怎见得不可能？"

"鲁柏寿是十四日早晨死的。那时候奚莘耕早已在警局之中；后来他从警局被移送医院，当然也有人看守。难道他会有分身术？"

霍桑点点头，说："对，从事实上看，你的逻辑确实不错。不过这案子的设计的狡猾就在这一点。要是我没有料错，我深信行凶的是他……唉，这回事相当曲折，证实起来也不是三言两语办得了的。好在不到两个钟头，这秘幕便可以揭破。包朗，你且养一会儿神。我应许你的比'五鬼搬运'更妙的资料，大概不会食言了。"

会 面

我们下了火车，霍桑便雇车直接往桃花坞公济医院。不料据医院中人回答，就在这天清早，奚莘耕已经被人领回去了。

霍桑呆一呆，不禁作失望声道："包朗，我刚才的应许也许真要食言哩。他们如果已经动身走了，你的资料当然也要没着落。"

我说："你想他们已经逃走了？"

霍桑皱一皱眉，说："很难说，不过现在还有一线希望。他们住在大新旅馆。我们姑且赶去撞撞木钟，在不在要看你有没有幸运！"

从医院到旅馆的路程原只有十多分钟，但我的心理上的感觉，这十多分钟的时间足有一百倍长。我们一踏进旅馆，先在旅客姓名表上一瞧，看见奚李二姓还赫然留着，房间号数是二十四号。

我欢喜地说："还好！他们还没有走！"

霍桑道："且慢快乐。客人走了，这牌上的姓名不一定立刻就会给揩去的。"

我们走进了账房，我首先向一个秃发的司账发问。

那账房答道："一个留着，一个已经走了。"

我忙道："走的一个是谁？"

司账的似乎弄不清楚，疑迟道："好像是姓奚的吧？"

又是一个失望的袭击。我向霍桑瞧瞧。霍桑还没表示，忽然旁边有一个茶房接嘴。

他道："不，这个姓奚的今天又进来了。"

霍桑忙道："好，这两个人此刻都在里面吗？"

茶房点点头："他们进来得不久，在楼上二十四号。可要我领你们上去？"

霍桑摇头道："不必。我们自己上去瞧吧。"

霍桑匆匆出了账房，走上楼梯。不会再有岔子吧？我带着一颗惶惑不定的心，也三级两步地跟着上楼。霍桑一路在房门上寻觅号数。二十四号在一条甬道里面。我仍紧随在后面，一同在二十四号的门外站住。我听得室中有谈笑声音，分明两个人还同在。

霍桑向我点一点头，附着我的耳朵说："你把枪准备好，也许用得着。"

我点点头。他就握住门钮，不再犹豫地突然推门进去。

里面的两个人陡出意料，都直跳地立起来。那个方面瘦黑高个子的正是奚莘耕。还有一个比较胖些，两粒乌黑的眼珠智黠而有威光，面容也比较丰腴，身上穿着挂武装带的军服，酱油似的颜色也和奚莘耕身上穿的仿佛，不过头发是新修的，皮肤上也不见垢污，显然已经不止洗过一次澡。我估量这个人分明就是那同伴李栋。

奚莘耕向我们俩略略端详，立即认识了。他的脸上一阵泛白，嘴里也不由自主地发出一种低低的惊呼：

"唉，你们是……？"

那旁边的同伴似已会意，突地旋转身去，翻开了枕头，要拿什么东西。

霍桑不等他回转身来，便冷冷地说："李同志，干什么？你要取手枪？用不着，用不着！我想你们在前线的工作是十分辛劳的，前两天又玩了那出把戏，当然更辛苦了！……喂，同志，大家坐下来谈几句，用不着再空费心力了！"

李栋从枕头底下取出来的东西果真是一支黑钢的手枪。不过霍桑冷静的态度把他的一股火气镇住了。他拿了手枪，向我们俩呆瞧，一时却不敢乱动。我这时早也准备好，右手握住袋

中的枪，万一他轻举妄动，我会扑过去先发制人。我看见发愣的奚莘耕并无异动的倾向。

霍桑又说："李同志，你把这东西放下来吧。前线的战事很急，一颗子弹瞄准一个敌人，还嫌浪费，你何必想在这里虚耗掉？我告诉你，我的同伴包朗先生也早已戒备着。我说一句不是夸张的话，他的射手枪的技术也许不输你！"

奚莘耕的眼珠转一转，忽现惊异色道："那么你就是……？"

霍桑微微点了点头，应道："正是。兄弟姓霍，单名一个桑字。"

李栋的脸上也陡地变了颜色，从青筋暴露的火赤泛成了较浅淡的羞红。

霍桑含笑说："李同志，我们的来意很简单，只要证明几个疑点。第一，你的那件栗壳色的法兰绒袍和玄色直贡呢的马褂，来路确很神秘。我在旧学前的各衣铺中足足费了一个钟头，终于探问不出。这套衣服，你到底从什么地方弄来？"他的眼光在室中溜了一周。

李栋脸上的颜色的感应力非常迅速，那浅淡的红色一眨眼又变成雪白。他的执枪的右手仍直僵僵地垂着。

霍桑继续道："这出把戏玩得着实巧妙。若和前几天裕昌庄上的'五鬼搬运'的玩意儿比较，巧拙之间真是相差不可道里计！不过我还不知道哪一位是这把戏的设计人。这一点我也要请教的。"

霍桑这一番话，在我还是半明半昧，但进了那两个人的耳朵，忽而你瞧瞧我，我瞧瞧你，一个都开不了口。我细察他们的眼光中只有惊奇，却绝无恐惧的意味。霍桑反身把室门关上了，又轻轻插上了铁闩。

他又道："喂，我们还有一番谈哩。这样木头人似的站着，不像样子。大家坐下来谈吧。"

这个命令不但我急急遵从，那两个人也各应声地坐在榻上。李栋把手枪放在枕头上。霍桑也坐在一张方桌旁的椅子上。小室中紧张的空气缓和了些。那两个人的神态也比较自然些。

霍桑继续道："老实说，你们俩所干的事，大部分我都已料到，现在大家尽不妨开诚布公。我刚才已经问过，我要知道你们二人中谁是设计者。还有一着，我也要知道，你们究竟为什么要谋死鲁柏寿。"

霍桑说到最后一句，特意把声浪放低一些。那两个人又彼此打了几个眼电，似觉得我们没有恶意，并不是直接去拘捕他们的。可是等了一刻，他们俩仍旧保持着静默。

霍桑又说："你们是不是要我先说？好，我不妨先把我看到的几点说一说。你们俩为了某种原因，设计谋死鲁柏寿；得手以后，为卸罪起见，一个假装了鲁柏寿回鲁家去，一个在下一天清早到警局里去自首，假造了一个故事，使人信作神经错乱。这设计委实很巧妙。"

这揭发的反应又是那两个军人的视线的交换，可是都不开口。我默默地揣度，霍桑的指控大概已经恰中核要。不过它对于我是生疏的。

霍桑接着说："当十三日的夜里，你们俩伏在鲁柏寿必经的路上；见面以后，立即把他捉住，处死了丢在金鸡桥河里。你们用什么手法处死他，我还不知道。大概是用手扼死的吧？……第二步，这位李同志便弄了那身和鲁柏寿同样的衣服，实地演起戏来。当你混进鲁律师寓里去时，看起来似乎很冒险，其实是简易不过的。因为那里只有一个老仆，年纪既大，眼光又弱；何况又在深夜，你又装作怒气冲冲的样子，使他不敢接近交谈。所以这幕戏你玩得天衣无缝，没有给瞧出破绽。不过你在鲁柏寿的床上睡了一夜之后，在十四日的早晨，那老仆金福曾送面水和早餐给你，又通知你接电话，经过了几次交谈，却到底没有瞧出你的真相，你的掩饰功夫确乎也很老练。"

"不对，那老头儿没有送面水。他送牛奶面包给我，我还躺在被窝中，没有理睬他。除了他报告我有电话，和我对他说我到警察局去以外，也不曾直接交谈过。"

这是李同志不自觉地自动的纠正，声音是吴侬软语，出于一个军人的口似乎不大相称。不过一直以文雅柔弱和自利主义著名的苏州人，竟也能投身军旅，给国家出力，那不能不为这古老都市称幸。

霍桑向李栋点点头，说："李同志，你也是本地人？失敬了！苏州社会需要多几个像你这样的人，前途才有希望。"他又行敬礼似的点点头："对，你扮演鲁柏寿，不但身材面貌有些像，连口音也不用假装，的确再适当没有。"他笑一笑："谢谢你的指正。这也足见你的小心。"他回过脸去："奚同志，你的表情功夫，我更佩服。你在十四日的清早到警局里去时，那种表演的神情，假使映上银幕去，谁会不赞赏你的艺术？"

奚莘耕的嘴唇动了一下，也情不自禁地答道："我是服过安神药的，不是我擅长表情，实在是药力的作用。你又料错了！"

这一着也是我的新知识。我只索默默地旁听下去。

李栋也瞧着霍桑，插口道："还有一个大错呢。你口口声声问我们设计的人是谁，其实这件事完全出于偶然，并非预先计划的。"

霍桑忽连连点头道:"好,我很感激,你们竟肯指正我的错误。你们何不再说得详细些?"

那二人又互相注视了一会儿,奚莘耕忽点了点头,表示决意接受霍桑的请求。于是那我所意想不到的故事便开始了。

故 事

奚莘耕道:"这件事当然是犯法的,现在我也不必再隐秘什么了。我们此番回来,我一半为着休养,一半有意要找他理论。因为我的妹妹的死,实在是他间接造成的。谁知我和他见面以后,他仗着律师的地位,一味蛮横。我气不过,险些一枪把他打死。后来分开以后,李栋兄劝我犯不着跟这种东西多嘴舌,我也本打算依照亡妹的话,饶他一条狗命,不再和他计较。

"不意就在那天——十三日——夜里,我们在苏州大戏院瞧戏,忽见厢座中鲁柏寿陪着一个女人,也一块儿在瞧戏。我瞧那女子年纪还轻,很漂亮,穿得也阔绰。他们非常亲近,分明他蛊惑了我的妹妹不算,又想另外害别一个女子。唉,这些缺乏常识的年轻女子,踏进了这种充满冷血动物的社会,真像绵羊进了狼群,简直没有丝毫的抵抗力。可怜哪!因着这一个念头,我便打算尽一些力,给那些缺乏常识和世故的少年女子们除掉一个冷血动物。

"完戏以后,我们等在戏院门外,准备跟他回家去。戏院离他的寓所很近。那晚上月亮又很好。他送了那女子上车以后,自己踏着月光,步行回去。我们俩远远地跟着,到了金鸡桥相近，地点更冷静。我便蹿前两步，举起右手，猛力在他的肩膀上一拍。他直扑倒地，跌在金鸡桥桥堍。我又乘势一脚，就使他跌下河去。说也奇怪，他落水以后，隐约冒了两冒，水面上便沉静不动。所以他的死，好像有天意，连救命都没有喊一声。"

故事略作停顿。讲故事的在吐一口气。听故事的三个人的姿态个个不同。李栋直僵僵地靠床架子坐着，眼睛在发光，嘴闭紧着。霍桑敛神一志地倾听。我也像展开了一页新的小说，一字不漏地吸收着。

霍桑忽乘机插一句："唉，这样说，我得自己纠正一下哩。刚才我假定你们用手扼死他，又是错误的。"

奚莘耕不接应，自顾自说下去：

"我当时的意思，并不是怕死逃罪。不过我想到我的性命本来准备牺牲在战场上，现在如果去抵这一个低等动物的命，不但违反我的素志，而且也不值得。因此我便想连夜避去。但据李栋兄说，我在这天上午到过他的家里去，和他争执过一次，有他的书记眼见作证。一旦案发了，我的嫌疑不能逃避。因着这一层，他说他的身材和鲁柏寿仿佛，口音也差不多，不如来串一出假戏，掩蔽侦探们的目光。我觉得他家里只有一个近视眼的老仆，不见得会穿破。只要我一清早就自首，让李栋兄在他那边冒充答应一下，我的干系就可以卸掉。等他的尸体被发现，自然会给看作失足落水。所以我同意了，我们就如法炮制。那经过的情形，你真像眼见的一般，我也不必多说了。"

霍桑含着笑容，说："那么李同志穿的一身衣服究竟从哪里来的？当然我是说那套袍褂，里面的衬衣，我相信你不曾换。"

李栋答道："那套袍褂是我特地到阊门城外去，敲开了一家小衣庄的门，放了三十块抵押钱向他们租来的。"他顿一顿，又补一句："那件袍子并不是法兰绒，是哔叽的。因为我问了好几家，都没有，只索将就些。"他偻着身子，从床底下取出一顶灰色铜盆呢帽："这帽子是他的。那夜里他跌到河里去，帽子落在桥脚边。我拿起来戴一戴，恰正好，才想起假冒的玩意。"

霍桑嘻一嘻："我想不到你们会赶到阊门外去。我只在城中旧学前一带衣铺中跑了一个钟头，自然问不到。"

他把目光旋过来，有含意地向我瞧一瞧。我才记得当那天我们动身回上海时，霍桑托言购物，叫我先往车站。实际上他已经看透了秘密，开始侦查——他是往衣铺中去调查的。

霍桑又问道："奚同志，现在有一个要点。你说令妹的死是鲁柏寿间接造成的，又说鲁柏寿是一个冷血动物，所以你把他弄死，实含着私仇和公愤两种作用。但这里面的情形究竟怎么样？你再说得明白些。"

奚莘耕把身子坐直些，脸色改变了，瘦额上露出一条青筋，眼中也似漏出一种异光，显出一种非常庄严的样子。他并不即答，忽解开了那件酱油色制服上的黄铜纽扣，伸手到内衣袋中摸索了一会儿，摸出一封信来。他立起来走前一步，把这信交给霍桑。

他说："霍先生，你先瞧瞧这一封信再说。"

我的眼光也注射在那封信上。信笺的颜色很肮脏，并且已皱得不堪。霍桑慢慢地把信笺展开来。奚莘耕重新坐到榻上去。

那信道：

哥哥：

我知道你前线的工作很紧急，绝没有闲工夫回来瞧瞧

我，所以我们再没有机会相见了。我的肺病非常沉重，已
经没有痊愈的希望。其实柏寿早已把我冷落丢弃了，我即
使病好，也不能满足我的夫妇相爱的奢望。我既然成了一
个孤零零的女子，留在这世界上还有什么兴味？我现在虽
然悔恨，当初不曾听你的主张，但大错已经铸成了，此刻
只有自怨我没有眼睛，智识太幼稚，爱虚荣！

柏寿的为人也不能说有什么大过大恶。现在我知道，
他不过是寻常千百万男子中的一个。当他的欲望没有成就
的时候，他尽能甜言蜜语，显出百般的假殷勤，使女子们
没法抵抗。但等到他的欲望满足以后，玩厌了，便毫不在
意地丢弃了，正像随便丢弃一只穿破的鞋子一般。至于那
被丢弃的一方的所感怎么样，他既没有感情，当然顾不
到。我相信这种男子差不多到处都是，实在不能独责柏寿
一个人。

你疑心他所以娶我的目的，在乎取得我的妆奁。这是
不对的。他是一个精明强干的律师，凭他的口才，发财易
如反掌。我的奁资有限，这区区绝不足以动他的眼光。

我觉得我们的爱情的转变，在他出国的一回事上，我
深悔不曾跟他一起去，因为就经济情形说，我也可以去。
他留学回来之后，地位和智识程度都和我相差了，自然要
对于我不满。这也是现社会中常有的事，你也不能苛责
他。所以我死以后，你切不可和他为难。

我是自己病死的。我在病中，他虽然绝不曾向我存问
过一句，但妻子病了，丈夫有存问的义务，法律上并无这
样的规定。他的行为在法律上原无处分可言。你要理论，
也不会有便宜。况且你的前程远大，更不可轻举妄动。我

知道你的素性是刚直的，你又很疼爱我。我死以后，深恐你有什么意外的举动，特地写这封信给你。

哥哥，你千万不要因着我的缘故，和他起什么纠纷。要是我再连累你，那会使我死不瞑目的！

妹妹奚莘珠上

我看完了这一封信，心底里不由产生了无限的感慨。社会上若干自私的男子把女子当作玩物，究竟是不是根诸天性？教育和智识能不能使这根性导入正轨？还是反足以推波助澜？假使这根性没法改善，那些浅识的弱女子们岂不是也始终处于险境？并且所谓真纯的恋爱岂非也始终使人怀疑？这个问题到底几时才能解决呢？

我正自胡思乱想的时候，霍桑忽然立起身来，一边把信还给奚莘耕，一边用一种低沉而有力的声调说话。

他道："奚同志，这件案子官方本来已经解决了。我们只要明白它的内幕，也不愿为这个只有兽欲而没有感情的动物翻案。奚同志，你不是早已准备牺牲在战场上吗？好，我很同情你。现在你不必犹豫，尽管去贯彻你的主见！"

这件案子就这样结束了。事后我曾照例向霍桑要求解释破案的要点。据他说，第一点，就是他在鲁柏寿的房中发现了一双皮鞋和树胶套鞋；因此想到这天恰巧下雨，鲁柏寿应了电话到警局里去，既未乘车，何以又不穿雨鞋，已是觉得可疑。第二点，他看见床上的枕头上有些污痕——那个鸭绒枕头白得异常，所以那污渍特别惹目。他曾嗅过一嗅，枕上并没有生发油一类的香味，却有些臭。第三点，他又在床上发现了那个虱。这是个主要的线索。因为瞧鲁柏寿的起居状况，床上断然不会有虱。于是他便联想到这虱不是鲁柏寿所有，也许有别的人在这床上睡过了。因这一念，他便假定鲁柏寿是在上一天未雨时出外的，实际上是失踪了。上夜里却另有一个人在鲁柏寿的床上睡过，这人在那天早晨又假充着鲁柏寿接电话。那么这睡过的人是谁呢？这个人既然有虱，他身上的肮脏也可想而知。他更从这虱的身上，联想到辛苦的战士生活。因为战士身上有虱，原是不足为奇的，但瞧那奚莘耕的服装便是一个明证。

再进一步，霍桑又假定那奚莘耕的神经错乱一定也是出于假装的。他还假定奚莘耕有个同伴，两个人合作着串戏，尽可把这件罪案掩蔽住。因为据老仆金福说，鲁柏寿在上一天夜里和发案的早晨，都有怒气冲冲的模样，目的无非是使这近视的老人不敢接近，以便掩护住他的真相。他成立了这个推想，就到衣庄上去搜集实证，但没有如愿。不过一切脉络都已贯通，只待事实的证明。后来事实果然一步步显露，这疑案的真相便立即明白了。

三个月后，我们得到一个消息，奚莘耕果然贯彻了他的主张。我又因着近日社会上类似鲁柏寿的动物层出不穷，便得了霍桑的允许，把这件案子记述出来，做一个代表弱女子的呼声。我希望纯洁前进的青年男子，能抒发同情的共鸣，形成一种力量，制裁这一类凉血的社会渣滓，使他们没有存在的余地。同时我还希望女子们自身觉悟，凭着正确的教育，启发健全的理智，别再被虚荣的火焰所烧毁。若能如此，这丑恶而黑暗的社会才能彻底改进而进入光明。那么，我的笔墨也不算虚费了。